◆ ◆ ◆ ◆ ◆ ◆

한비야가 육로로 다닌 곳

◆ ◆ ◆ ◆ ◆ ◆

페테르스부르크
영국
덴마크
네덜란드
모스크바
러시아
벨기에
독일
체코
프랑스
스위스
오스트리아
그루지야
투르크멘
우주베크
스페인
이스탄불
타쉬켄트
이탈리아
아르메니아
울란바토르
몽골
하얼빈
베이징
대한민국
서울
일본
시안
중국
상하이
청두
예루살렘
시리아
아프가니스탄
헤라트
카이로
다마스커스
이란
네팔
라사
뉴델리
이집트
요르단
봄베이
캘커타
인도
타이페이
홍콩
필리핀
타이
에르트리아
아디스아바바
이디오피아
말레이시아
싱가포르
케냐
나이로비
탄자니아
다르에스살람
인도네시아
말라위
좀바

앵커리지
캐나다
벤쿠버
시애틀
보스턴
뉴욕
샌프 시스코
미국
워싱턴
로스엔젤레스
뉴올리언스
마이애미
멕시코
벨리즈
과달라하라
벨모판
과테말라
온두라스
페루
리마
라파스
볼리비아
아르헨티나
산티아고
부에노스아이레스
칠레

바람의 딸
걸어서 지구 세바퀴 반 4

金土

바람의 딸, 걸어서 지구 세 바퀴 반 4

초판 1쇄 발행 : 1998년 12월 30일
초판 16쇄 발행 : 2002년 11월 15일

지 은 이 : 한비야
펴 낸 이 : 박국용
편　　집 : 최현정
교　　열 : 신인영
표　　지 : 여홍구
일러스트 : 박현정
영　　업 : 하태복
총　　무 : 이현아
인　　쇄 : 조광출판인쇄(주)

펴낸곳 : 도서출판 금 토
서울 종로구 신문로1가 58-14 한글회관 203호
전화 : 02)732-6252(대표), 팩스 : 738-1110
1996년 3월 6일 출판등록 제 16-1273호
ISBN 89-86903-17-2

값 9,000원

실크로드 깊숙한 사막 마을에서
학교 문전에도 가보지 못하고 커가는
똑똑하고 효성 깊은 꼬마 천사
열 살짜리 위구르족 딸 '심청이' 에게
이 책을 바친다.

또한 대륙의 깊은 오지에서 자라고 있는
모든 어린 아들 딸들에게도.

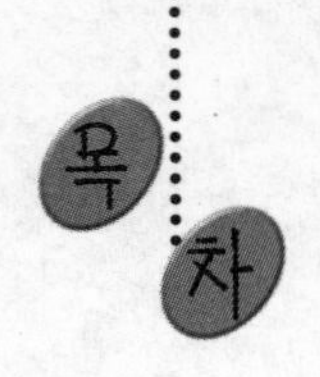
목
차

바람의 딸 걸어서 지구 세바퀴 반 4

책 머리에

바람의 딸, 또 하나의 길을 찾아나서다

아, 끝났다.

만 6년간의 세계일주 여행이 드디어 대단원의 막을 내렸다.

1998년 5월, 1년 5개월간의 4차 여행을 마치고 인천항에 내렸을 때 발로 하는 여행이 끝났다면 여행기 4권을 탈고한 오늘은 손과 머리로 하는 여행까지 모두 끝났다.

오늘은 꼭 세계일주를 하겠다던 어린 시절 아버지와의 약속을 지킨 날이고, 늦긴 했지만 여행기 4권을 내겠다는 독자들과의 약속을 지킨 아주 기쁜 날이다. 이로써 내 인생의 꿈 하나가 이루어졌다. 갑자기 어깨에 두 날개가 돋아나 하늘로 날아오를 것만 같은 기분이다.

하지만 이런 뿌듯함과 함께 다른 한편으로는 긴 꿈에서 깨어난 듯 허전함과 섭섭함이 밀려드는 것은 무슨 이유일까?

'바람의 딸' 시리즈의 마지막인 이번 4권은 1997년 9월부터 98년 5월까지 아홉 달 동안 중국, 티베트, 몽골을 여행한 이야기다. 중국은 실크로드를 포함해서 윈난성〔雲南省〕과 간쑤성〔甘肅省〕, 쓰촨성〔四川省〕, 옌볜〔延邊〕 등 소수민족들이 주로 사는 변방지역을 골라 다녔다.

위구르족, 티베트족, 회족, 다이족, 나시족, 바이족, 조선족 등이 살고 있는 여러 지역을 돌아보며 사람들을 만나고 민박을 하면서 그들의 따뜻한 체온을 느낄 수 있었다.

한겨울에 찾아간 해발 3,000미터가 넘는 티베트에서 추위 때문에 고생하면서도 한달 이상 묵었던 것은 참 잘한 일이었다. 그냥 며칠 스쳐갔다면 파란 하늘 아래 휘날리는 무지개색 깃발 같은 표피적인 것 외에는 보지 못하고, 알지 못했을 그들의 생활 안쪽과 속마음과 정치 현실을 들여다볼 수 있었다.

몽골에서의 여행체험은 몰랐기 때문에 훨씬 더 많이 느낀 경우다. 중국의 영향이 깊을 것이라는 막연한 선입관과는 딴판으로 몽골에는 러시아의 영향이 짙게 배어 있었고, 독특한 종교와 문화와 풍습이 정말 흥미로웠다. 특히 우리와 너무나 닮은 외모에서 느껴지는 혈연 같은 유대감은 사막과 대초원을 여행하는 내내 마음을 편안하고 푸근하게 했다.

이번에도 물론 위험한 일이 많았다. 중국의 윈난성, 흑사병이 만연한 지역의 싸구려 여인숙에서는 잠을 자다가 쥐에게 옆구리를 물려 내 인생 거기서 마감하는 줄 알았다. 실크로드의 사막남로를 따라 여행할 때는 심한 탈수증으로 비틀거리며 하마터면 내 해골이 뒤에 오는 사람의 이정표가 되는 게 아닌가 생각한 적도 있었다. 또 몽골에서는 타고 있던 말이 개에 놀라 펄펄 뛰는 바람에 말에서 떨어져 죽사발이 될 뻔하기도 했었다.

가슴 아픈 일 역시 헤아릴 수 없다. 실크로드 사막 깊숙한 곳에 살고 있는 골수 회교도 위구르족 꼬마 '심청이'를 생각하면 지금도 속이 상한다. 아주 똘똘한 아이가 여자는 공부하면 못 쓴다는 할아버지의 고집 때문에 학교 근처에도 가보지 못한 채 커가고 있었던 것이다.

티베트에서는 깡촌 할머니에서부터 큰 사원의 노승에 이르기까지 온 국민이 온몸을 던지는 오체투지를 하면서 간절히 비는 것은 오직 하나, 티베트가 독립하여 달라이 라마가 돌아오는 것이라는 말을 듣고 그 절실한 염원에 아프게 가슴이 떨렸다.

또 옌볜에서는 한 핏줄인 조선족과 한국 사람들이 서로 반목하며 불신과 증오를 쌓아가고 있는 것을 보면서 속이 탔고, 더이상 굶주릴 수 없어서 북한을 탈출해 가라오케 바의 접대부가 되어 있는 특수부대 여군 출신 아가씨의 살기 띤 눈동자에 가슴이 울컥거렸다.

그러나 그 어떤 것보다도 강렬하게 내 심장을 후벼판 것은 굴뚝 속에서 갓 빠져나온 몰골로 내 눈 바로 앞에 불쑥 나타난 북한 어린이의 절망이 가득한 눈동자였다. 집이 북한의 청진이라는 그 아이는 먹지 못해 앓아 누운 부모를 살리기 위해 몰래 두만강을 넘어와 친척을 찾아다니다가 실패하고 거리를 헤매고 있었던 것이다.

"와, 정말 중국에는 없는 게 없구만요."

옹색하기 이를 데 없는 변두리 구멍가게에 데리고 들어가자 신기한 듯 토해내는 탄성에 내 눈시울은 왜 그리도 뜨거워지던지….

그러나 언제나 그렇듯 따뜻하고 신나는 일들이 훨씬 많았다.

나를 은근히 좋아했던 티베트 시골 식당의 서른 살 총각 주인은 환속

한 전직 스님이었는데, 정작 내가 떠나는 날은 부끄러워서 손도 제대로 흔들지 못했다. 그런데 그런 모습이 훨씬 더 오래 마음에 남는다. 이별에는 마땅히 그런 보이지 않는 흔들림이 있어야 하는 것 아닌가.

실크로드의 한 마을에서는 북한산 청심환 한 알로, 간질 발작을 일으킨 어린아이의 목숨을 구하기도 했고, 몽골의 시골 민박집에서는 하필 며느리가 가출해서 일주일 동안 대리 며느리 노릇을 하기도 했다. 중국 윈난성에서는 자신의 꿈과 사회가 강요하는 안락한 삶 사이에서 갈등하는 한족 아가씨의 인생 상담자로서 장래의 선택에 결정적인 조언을 하기도 했다.

이번에 만난 사람 가운데 가장 나이가 많은 88세의 회족 할머니와 나눈 순수한 우정도 잊을 수 없을 것이다.

"그렇게 긴 여행을 하고서 도대체 무엇을 얻으셨나요?"

여행을 끝낸 내게 사람들이 제일 많이 하는 질문이다. 여행을 다니면서 내 스스로에게 무수히 물어본 말이기도 하다.

가장 눈에 띄는 것을 먼저 꼽는다면 말라리아 예방약 부작용으로 반쯤 빠졌던 머리카락 자리에 새로 흰머리가 나는 거다. 주위 사람들은 예방약과 상관없이 내 나이가 흰머리가 날 때가 되었다고 놀리지만 나는 아직도 예방약 부작용이라고 우기고 있다. 운동화 한 켤레로 1년 이상 버티는 장기여행자들이면 어김없이 걸리는 무좀도 나를 피해가지 않았다. 무거운 배낭을 앞뒤로 지고 다닌 덕에 무릎이 많이 약해졌다는 의사의 진단 소견도 있었다.

또한 여행 덕분에 '바람의 딸' 이라는 새로운 별명을 얻은 것도 대단한 보너스다. 나는 이 별명이 아주 마음에 든다. 나의 자유로운 생각과 인생관을 단적으로 말해주고 있는 것 같아서다. 앞으로 오랫동안, 혹은 영원히 그렇게 불리워지고 싶다.

이렇게 겉으로 드러나는 것과는 비교할 수 없는 값진 내면의 수확을 들자면 남은 인생의 후반을 살아갈 지도와 나침반을 얻은 것이다. 아무리 갈 길이 멀고 험해도 지금 들어선 길이 옳은 길이라는 것을 알고 있다면 그 인생은 얼마나 안정되고 여유로울까.

예전에 나는 대단히 성공지향적이고 속전속결형이었다. 남들에 비해 항상 늦었다고 생각했기 때문이다. 대학교도 남들보다 5년 늦게 들어가고 한국으로 돌아와 첫 직장도 10년이 늦었고, 당장 결혼을 한다고 해도 보통의 인생설계에서 보면 15년쯤 늦은 것이다. 그래서 나는 늦은 시간을 벌충하기 위해 어디로 가는 줄도 모르면서 그저 바삐 움직였다. 산으로 가든, 바다로 가든 일단 움직여야 마음이 놓였다.

그러나 이제는 알 것 같다. 객관적인 시기가 중요한 만큼 주관적인 때도 그에 못지않게 중요하다는 것을. 나에게는 세계일주 여행을 시작했던 서른다섯 살이 바로 그런 때였으며 여행이 끝난 지금 다시 한 번 전혀 새로운 인생의 장을 펼 때라고 생각한다.

킬리만자로의 우후르봉에 오를 때 깨달은 대로 나는 남과 비교하지 않고 묵묵히 나의 길을 갈 것이다. 또한 남미의 어디에선가 작정한 것처럼 가슴은 따뜻하고 생활은 심플하게 살면서 정말 하고 싶은 일을 할 것이다.

여행을 하면서 바로 그 '하고 싶은' 일을 찾았다는 것도 커다란 수확이다. 국제난민관련 프로그램에서 일하는 것이다. 여행을 하지 않고 한국에서만 있었다면 관심조차도 없었을 분야다. 아프리카, 중동, 인도차이나, 남부아시아 등을 여행하면서 수많은 난민들을 보고, 애써 난민촌에서 같이 지낼 기회를 만들면서 찾아낸 평생의 일이다.

당장 누군가의 도움을 받지 않으면 목숨이 위험한 국제난민들을 위한 기구에 들어가 적어도 20년간은 '목숨을 걸고' 일을 할 생각이다. 물론 그 일이 돈과 명예와는 아무런 상관이 없을 수도 있고 막대한 개인적인 희생을 치러야 한다는 것도 잘 알고 있다.

주위의 많은 분들은 걱정 반, 꾸지람 반으로 정신없는 소리라고 말한다. 그 나이에 무슨 전쟁터를 쫓아다니려고 하느냐, 이제는 정착하고 오지여행 전문여행사나 차리자, 우리 홍보회사에 들어와라, 우리 기관에서 같이 일해 보자, 여러 제안들을 해오지만 나는 웬일인지 그 '전쟁터 일'을 하고 싶다. 이것도 병이라면 큰 병이다.

그러나 나는 확실히 알았다. 하고 싶은 일을 해야 용기가 나고 행복을 느낀다는 것을. 이번 여행도 내가 간절히 하고 싶었던 일이었기에 이렇게 끝까지 할 수 있었다.

그렇지 않았다면 아프리카에서 병에 걸려 몹시 시달렸을 때 아마 돌아왔을 것이다. 아프가니스탄에서 총살까지 갈 수 있는 순간을 모면했을 때 이제 그만 집에 가야지 하고 포기했을 것이다. 그러나 나는 지난 6년간 정말 단 한 번도 여행을 도중에 그만두겠다고 생각한 적이 없었다. 어렵고 힘든 순간들을 겪으면서도 앞으로 나갈 수 있었던 것은 다름 아닌 '나는 지금 내가 하고 싶은 일을 하고 있다'는 그 생각 하나 때문이었다.

직장을 그만두고 있는 돈 다 털어 세계일주 여행을 떠난다고 했을 때도 많이들 그랬다. 세상물정을 몰라도 한참 모르는 사람이라고. 그러나 지금 와서 아무리 생각해 보아도 그것은 너무나 잘한 일이다. '그저 놀러다닌 이야기' 하나로 책을 써서 많은 독자들의 사랑을 받았으니 그것만으로도 어디냐. 어느 세미나에서는 초청 강사가 세 명인데 한 분은 현직 장관, 또 한 분은 전직 장관, 그리고 나머지 하나가 바로 나였으니 여행 하나로 그야말로 출세를 한 셈이다.

그러나 여행을 통해서 얻은 최대의 수확은 다름아닌 대자아로서의 나와 우리의 위치를 깨달은 것이다. 나는 우리 가족의 딸이자 한국의 딸일 뿐만 아니라 아시아의 딸, 더 나아가서는 세계의 딸이라는 그 놀라운 자각 말이다. 우리들은 저마다 세계라는 조각그림의 한 조각으로서 각자의 색깔과 모양은 다르지만 서로 합쳐 한 그림으로 연결되어야만 비로소 생명과 존재가 드러나는 지구촌의 일원이라는 것을 확실히 깨달았다.

전에는 무심히 보아넘기던 국제뉴스를 이제는 특별한 애정과 관심을 가지고 대하게 된다. 안타까운 뉴스를 접할 때면 내가 무슨 도움될 수는 없을까라는 생각까지 하는 것을 보면 이제 나는 서서히 세계시민이 되어가고 있는 것 같다. 요즈음에 와서는 지구촌이라는 말도 너무 넓게 느껴지며 세계가 한지붕 안에 있는 안방, 건넌방처럼 얽히고 설켜 긴밀하게 연결된 것처럼 가깝게 여겨진다.

여행을 끝내고 돌아보니 이 여행은 절대로 혼자 한 것이 아니었다. 감사해야 할 사람들이 너무나 많다. 우선 내 가족들과 친구들 그리고 가까운 사람들의 염려와 기도 덕을 톡톡히 보았다. 그동안 알고 겪고, 모르고 당한 위험이 수없이 많았지만 별탈없이 다닌 것이 그분들 덕분이라는 것을 잘 알고 있다. 옆으로 호랑이가 지나가는 줄도 모르고 휘파람 불며 다닌 적이 어디 한두 번이겠는가.

많은 독자들로부터 무한한 에너지를 얻었다는 것 또한 꼭 밝혀두고 싶다. 어린 초등학생에서부터 대학생에 이르기까지 그리고 젊은 직장인들과 내 또래의 아주머니, 아저씨들로부터 수많은 격려편지를 받았다. 세상을 비관하여 자살을 결심했다가 실패하고 병상에 누워 우연히 내 책을 읽고 살아야겠다고 마음먹었다는 아주머니도 있었다.

4권을 쓰는 동안에는 남학생으로부터 성폭행을 당한 고등학교 1학년 딸을 둔 어머니가 가해 피의 학생을 처벌하는 대신, 그 남학생에게 열 권의 책을 읽고 독후감을 내라고 했는데 그 안에 내 책이 들어 있다는 방송 뉴스를 들었다. 얼마나 가슴이 벅차고 어깨가 무거워졌는지.

아주 나이드신 분들도 청년의 마음으로 편지를 보내주셨다. 따뜻한 격려와 따끔한 지적을 해 주신 분들 모두를 바람의 조카, 바람의 동생,

바람의 친구, 바람의 할아버지라고 여기고 있다. 이런 '바람 가족'이 나날이 늘어나고 있으니 백만 원군을 얻은 듯 거칠 것 없는 용기가 솟는다.

여기서 한 가지, 책을 낼 때마다 애초의 약속보다 늦어진 것에 정말 죄송하다는 말씀을 드린다. 출판사에 출간 날짜를 문의하거나 출간 지연을 항의하셨던 애독자 여러분께 애정어린 이해를 바란다.

여행 중 만난 사람들에게 또한 깊은 감사를 드린다. 내 여행을 풍요롭게 하고 가슴을 따뜻하게 해 준 세계 곳곳에서 사귄 사람들. 때로는 한나절 같은 기차에 타는 인연을 맺기도 하고, 때로는 며칠씩 그 집에 묵어도 가고, 때로는 잠시 멈추어 서서 그저 손가락으로 내가 가야 할 방향을 가리켜준 사람들. 내가 아플 때 머리를 짚어주고, 내가 신이 나면 덩달아 신나 하고, 내가 곤경에 처했을 때 제 일처럼 돌봐주었던 그 많은 사람들. 밝히기 힘든 개인사나 신변이 위험할 수도 있는 일을 털어놓으며 나에게 당신들의 이야기를 쓰게 허락해준 사람들. 그들은 모두 나의 친구다. 나를 당황하게 하거나 속이거나 물건을 훔쳐간 사람들조차도 생각해 보면 정겹기까지 하다.

그리고 마지막으로 나의 하느님께 감사드린다. 그분의 사랑은 언제나 폭포수처럼 쏟아지고 있지만 나는 가끔씩만 느낄 뿐이었다. 그러나 나처럼 무딘 사람도 정말 하느님의 손길이라고 느끼지 않을 수 없는 순간들이 무수히 많았다. 아주 위험하거나 멋지고 벅찬 순간들, 그런 때에 저절로 하느님을 찾았던 것을 보면 부끄럽지만 나는 아직까지 하느님의 딸인 것이 분명하다.

책을 끝내면 하려고 미루어두었던 일들이 산더미 같다. 아주 가까운 계획으로는 마라톤 선수가 마라톤 전 구간을 뛰고 나서 맨 마지막에 홈 그라운드를 한바퀴 도는 것으로 경주를 끝내는 것처럼 나의 세계일주 여행도 한국땅을 종단하는 것으로 끝을 맺으려고 한다.

그래서 곧 전남 땅끝마을부터 강원도 민통선까지 걸어서 갈 계획이다. 이어서 중국에서 6개월 정도의 집중적인 어학연수도 할 것이다. 그 다음에는 본격적으로 또 다시 시작된 나의 길을 갈 것이다.

꿈은 아름답다. 무언가를 꿈꾸고 있는 삶은 아름답다. 자기의 꿈을 향해 한 발, 한 발, 그러나 꾸준히 앞으로 나가는 것은 더없이 멋지고 값진 일이다.

여러분이 가슴에 간직하고 있는 꿈, 꼭 이루시길 바란다.

1998년 12월
종로 도서관 종합자료실에서

한비야

늑대 우는 몽골 벌판, 여인 3대 천막집

드넓은 몽골 벌판에 방목되는 말과 양들은 한없이 자유롭고 한가롭다.

국경을 넘어 바람 속으로 걸어가다

중국과 몽골의 국경도시 얼리엔은 재미있다.

기차가 멈추고 떠나는 국경도시는 대부분 보따리 장수들로 시끌벅적북적이게 마련인데 여기도 예외가 아니다. 역전 앞 리어카에서 파는 술이며 과일, 과자며 맥주에다 달걀까지 싹쓸이하려는 기세로 덤벼드는 사람들은 모두 몽골 사람들이다. 시장에도 갖가지 옷과 신발, 이불과 보온병들이 산같이 쌓여서 몽골 상인들을 기다리고 있다.

중국은행 앞에는 스무 명도 더 되는 암달러상들이 한 손에는 지폐 다발을 들고, 다른 한 손에는 계산기를 들고 큰 목소리로 사람들을 부른다. 한자와 몽골 글자에 러시아 글자까지 한꺼번에 씌어 있는 상점 간판들도 이채롭다. 몽골에서는 몽골 문자 대신 러시아의 키릴 문자를 쓴다. 50년 러시아 지배의 산물이다.

베이징에서 몽골의 울란바토르로 가는 직행 국제 열차가 있긴 하지만 표값이 무려 560위안이나 된다. 당시의 환율로도 5만 6천원 돈이다. 게다가 월요일, 화요일 두 번밖에 운행을 하지 않는다. 베이징에서 내가 표를 구하러 간 날은 목요일이었다. 다음 주 월요일까지 기다려야 한다는 게 내키지 않았다. 기껏 기다렸다 비싼 기차를 타고 갈 게 무어냐.

그래서 베이징에서 두 번에 걸쳐 기차를 갈아타고 여기까지 온 것이다. 이제 요 국경만 넘어 몽골 첫 정거장에서 내리면 국내선으로 바꿔 탈 계획이다. 국제 기차보다는 국내 기차가 쌀 테니까 말이다. 서당개 삼년이면 풍월을 읊는다고 세계여행 6년차가 되니 이런 잔머리는 이제 노력하지 않아도 자동으로 굴려진다.

두 나라 국경 사이 7킬로미터를 넘는 데 무려 다섯 시간이나 걸린다. 출입국 수속도 수속이지만 중국과 몽골은 기차 궤도가 틀려서 바퀴를 바꾸는 시간이 그렇게 오래 걸린단다. 오후에 탄 기차가 바깥이 완전히 깜깜해서야 움직이기 시작한다.

몽골이라는 이름은 '용감한 전사의 나라' 라는 뜻이란다. 그 '용감한 전사' 는 바람이라는 천연의 무기를 품에 안고 나를 기다리고 있었다.

수속 중일 때는 기차 밖으로 나갈 수가 없어 창문 밖으로 스치는 바람소리가 그냥 거세다고만 생각했었는데 몽골의 첫 역에서 화장실에 가려고 기차문을 여는 순간 숨이 턱 막힌다. 문 밖에서 기다리던 강한 모래바람이 사정없이 몰아치는 것이다.

우리 나라에서 초봄이면 늘상 듣던 일기예보, '바이칼호에서 발달한 대륙성 고기압과 고비 사막에서 불어오는 모래바람' 의 그 원단 고비 사막 바람이다. 잘못 건드린 벌집에서 놀란 벌들이 총공격을 해 오는 것처럼 얼굴에 와 닿는 모래 한 알 한 알이 견딜 수 없이 따갑다. 역 화장실까지는 도저히 갈 수 없을 것 같아 기차에서 조금 떨어진 곳에서 볼일을 보는데, 엉덩이를 까는 순간 수천 마리의 독종 모기가 동시에 덤벼들어 물어뜯는 것 같다.

내가 탄 칸은 4인승으로 중국 여자 두 명과 몽골 여자 한 명이 일행이 되었다. 이렇게 나란히 앉혀놓고 보니 중국 여자보다 몽골 여자가 우리와 훨씬 비슷하게 생겼다. 기차 안을 다니는 몽골 사람들이 다 그렇다.

세계 여러 곳에서 만난 우리와 닮은 사람들, 남미의 인디오나 북미의 원주민, 알래스카의 에스키모나 티베트인, 중국인의 모습이 그저 우리와 비슷한 정도라면 몽골 사람들은 우리를 빼박아서 섞어놓으면 거의 분간이 불가능할 정도이다. 가는 눈매에 광대뼈가 튀어나와 더 그런 것 같다.

'한민족과 사촌이든 백촌이든 촌수가 형성될 수 있는 유일한 민족이 바로 몽골족이다.'

우리 나라 몽골 학자 한 분이 그렇게 말했는데 다른 건 모르겠지만 얼굴 생김새는 정말 그렇다.

"어머, 아저씨. 오랜만이네요. 어디 가세요?"

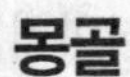
몽골

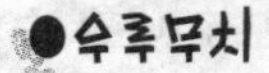
수루무치
투르판
카슈가르
함께 포도를 먹으며 나는 청각장애자
리처드에게 마음을 빼앗겼다.

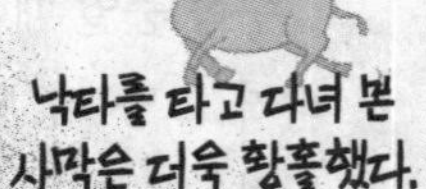
낙타를 타고 다녀 본
사막은 더욱 황홀했다.

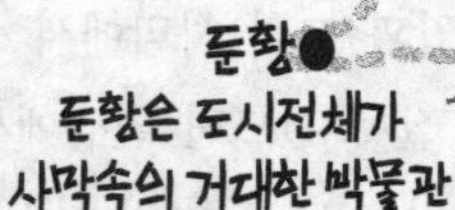
둔황
둔황은 도시전체가
사막속의 거대한 박물관

길은 있으나 다니는 차가 없어
수체국 차를 얻어타고 사막을 달렸다.
중국
란저우

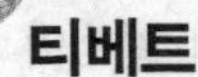
티베트
이 고원에서 나는
애마부인이 되었다.
청두
해발 3천미터가 넘는 고원지대의 라싸
가축으로는 야크가 최고.
구이린 산수는 사진보다
훨씬 더 뛰어나다.

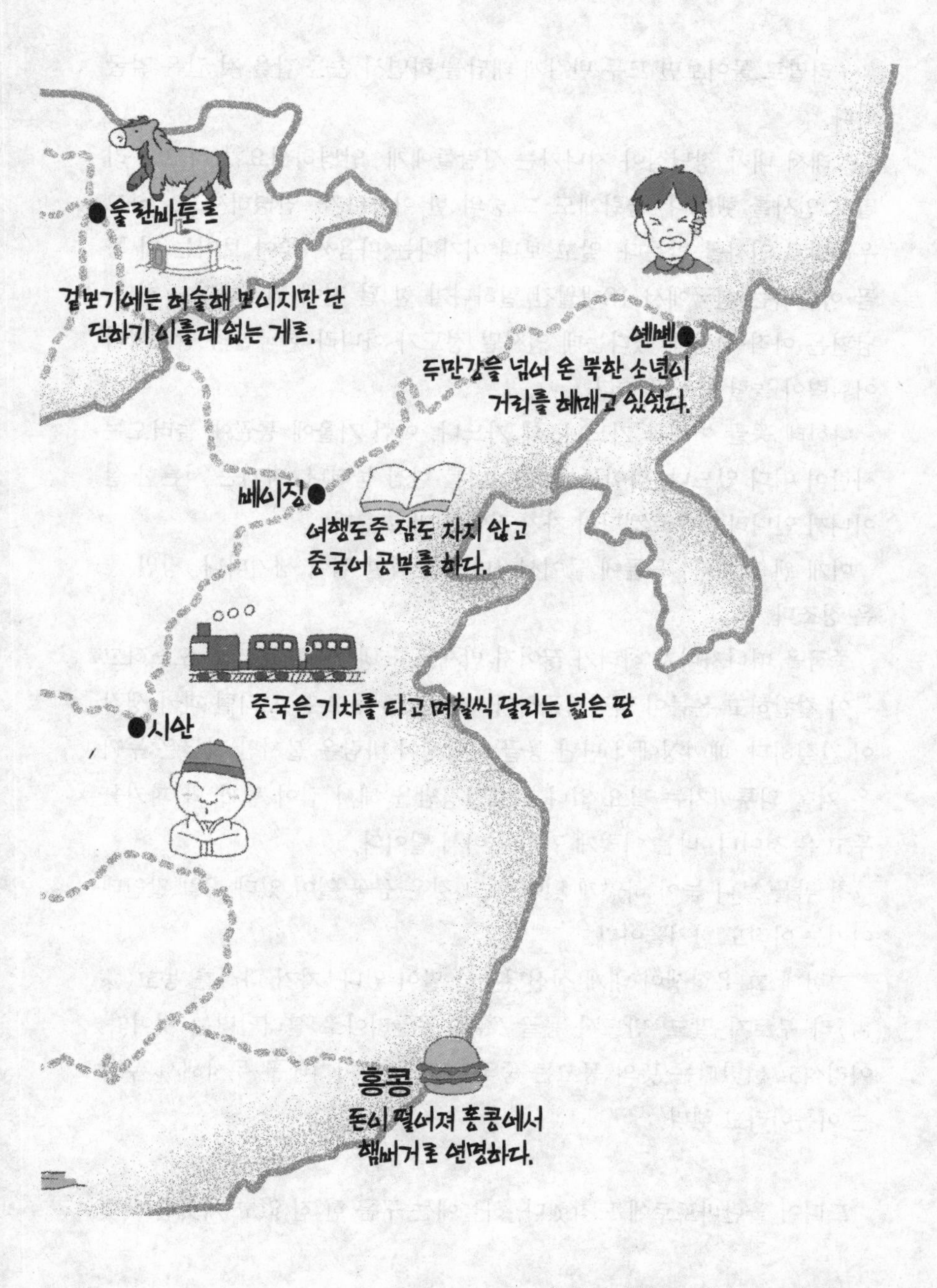

울란바토르
겉보기에는 허술해 보이지만 단
단하기 이를데 없는 게르.
엔볜
두만강을 넘어 온 북한 소년이
거리를 헤매고 있었다.
베이징
여행도중 잠도 자지 않고
중국어 공부를 하다.
중국은 기차를 타고 며칠씩 달리는 넓은 땅
시안
홍콩
돈이 떨어져 홍콩에서
햄버거로 연명하다.

우리말로 물어보면 모두 반갑게 대답을 하면서 손을 잡을 것 같은 얼굴이다.

그래서 내가 장난삼아 지나가는 사람들에게 "안녕하세요?" 하고 우리말로 인사를 했더니, 놀랍게도 그 중의 한 아줌마가 "안녕하세요." 하고 우리말로 인사를 받는다. 알고 보니 이가라는 마음씨 좋아 보이는 이 몽골 아줌마는 한국에서 10개월간 일하다가 한 달 전에 귀국했다고 한다. 남편은 아직 한국에 있다는데 인사말 정도가 아니라 한국말의 발음이나 어휘력이 놀랄 정도로 좋다.

나한테 몽골 어디를 가느냐, 왜 가느냐, 이런 겨울에 몽골에 놀러오는 사람이 어디 있느냐, 나이는 몇 살이냐를 한참 묻더니, 자기는 서른한 살이니까 언니라고 부르겠다며 자기 집에 가자고 한다.

이게 웬 횡재냐! 몽골에 들어서자마자 민박할 집이 생기다니. 정말 좋은 징조다.

중국을 떠나자마자 히터가 끊어져 밤새도록 냉동열차를 타고 오느라고 목이 칼칼하고 온몸이 뻑적지근하다. 베이징에 두고 온 오리털 파카 생각이 간절하다. 베이징에서 만난 몽골 유학생이 바람은 불지만 지금은 두꺼운 겨울 외투까지는 필요 없다고 호언장담을 해서 짐이 될까 봐 파카를 두고 온 것이다. 나는 이렇게 귀가 얇아서 탈이다.

창 밖을 보니 눈이 하얗게 덮여 있고 강은 꽁꽁 얼어 있다. 3월 말인데 여기는 아직도 한겨울이다.

그런데 그 유학생이 내게 신신당부한 말이 있다. 자기 나라를 몽고(蒙古)라 부르지 말고, 반드시 몽골, 혹은 몽골리아로 불러달라는 것이다. 어리석고 낡았다는 뜻의 몽고는 중국 사람들이 자기네를 무시해서 부르는 이름이라고 했다.

드디어 울란바토르에 도착했다. 하늘에는 구름 한 점 없고 깨끗한 햇빛이 쨍쨍쨍 내리쬔다. 창문을 비추는 햇살이 따뜻해서 추워봤자 얼마나 추울까 했는데 밖을 보니 모두들 두꺼운 외투에 털모자까지 쓴 완전무장 차림이다. 내 변변치 못한 복장이 걱정이다.

내려보니 아니나다를까 기온이 영하 15도. 강하게 부는 매서운 바람과 더이상 껴입을 옷이 없다는 떨림에서 오는 추위 때문에 체감온도는 영하 25도가 넘는 것 같다.

같이 타고 온 사람들이 짐 내리는 것을 보니 어마어마하다. 보따리 보따리, 그렇게 큰 보따리를 어떻게 싣고 내리는지 정말 놀랍다. 거기에는 옷, 구두를 포함한 온갖 일상용품들이 가득하다. 몽골은 자체적으로 생산하는 물건이 거의 없어 모든 공산품을 수입해서 쓰는데 예전에는 러시아에서 들여오던 것을 지금은 중국에서 이렇게 보따리 장수를 통해 들여온다고 한다.

이가는 몇 시간 안에 연결되는 에르드네트행 기차를 탄다며 같이 가자고 한다. 그러고는 싶지만 이대로 그냥 따라갈 수는 없는 일이다. 환전도 해야 하거니와 다른 여행자를 물색하는 일이 시급하다.

몽골은 한 달밖에 여행비자가 나오지 않는데 대중교통수단이 거의 없어서 고비 사막이나 서북쪽 호수로 가려면 여럿이 지프를 전세내야 한다. 혼자서는 도저히 그 비용을 댈 수 없기 때문에 동행을 찾아야 한다. 내가 국제 열차를 타고 왔으면 다른 여행자를 만날 수도 있었을 텐데 국내선을 탔으니 배낭족들이 모이는 게스트 하우스에 가서 찾아보아야겠다.

이틀 뒤 에르드네트에서 다시 만나기로 하고 이가와 헤어진 후 적어온 게스트 하우스로 전화를 했다. 지금이 비수기라 영업을 하지 않으면 어쩌나 걱정했는데 다행히 영어가 유창한 여관 주인 가나가 전화를 받는다.

그러나 게스트 하우스라고 찾아간 곳은 천막집이다. 널빤지 울타리 안에 게르라는 돔 형식의 천막집 네 채가 있다. 두 채는 식구들과 그 집 손님들이 쓰고 나머지 두 채가 여행자용이다. 다른 배낭족은 없느냐고 물었더니 지난 석 달간 손님이 단 네 명뿐이었단다.

내가 묵은 게르는 동그란 천막 안에 중앙에는 난로가 있고 가장자리를 빙 돌아가며 다섯 개의 간이침대가 놓여 있다. 천으로 된 텐트의 중앙 천장에는 제법 큰 통풍구멍이 뚫려 있어 조금도 추위를 막아줄 것 같지 않은데, 웬걸 장작 몇 개를 때니 일시에 공기가 훈훈해진다.

돈도 바꾸고 당장 필요한 물건들을 살 겸 시내로 나갔다. 어찌나 바람이 부는지 눈을 뜰 수 없을 지경이다. 이렇게 차고 건조한 바람이 불어 얼굴이 마구 죄어오는데도 영양크림도 하나 없이 다닌다. 나는 정말 여자도 아니다.

사람들이 델이라는 전통의상을 입은 것만 뺀다면 이 도시는 러시아의 도시 그대로다. 추운 날씨에 아이스크림을 먹고 다니는 사람들이나 규격에 맞춘 큰 건물, 레닌상 등의 커다란 조형물, 검은색 위주의 러시아제 택시들. 그리고 대낮에도 보드카 병을 옆에 끼고 술에 취해 쓰러져 있는 사람들까지 러시아를 떠올리게 한다.

몽골은 중국의 영향을 많이 받고 있는 나라일 거라는 내 선입견은 완전히 빗나갔다.

국영 가게에는 물건이 없어 선반이 텅텅 비거나 한두 가지가 초라하게 진열대를 채우고 있을 뿐이지만 개인 가게에는 전세계로부터 정식으로 수입하거나 밀수한 온갖 종류의 물건이 넘쳐난다. 전문점은 하나도 없고 거의가 잡화점이다. 무궁화세탁비누, 칠성사이다, 초코파이 등 우리 나라 물건도 심심치 않게 보인다.

국영 가게에서 물건을 사려면 아주 불친절한 종업원들에게 물건값을 미리 지불하고 영수증을 받아 물건과 바꾸어야 하는 것도 러시아식이다.

그런데 시내에서는 식당이 눈에 띄지 않는다. 중국은 한 집 건너가 식당이고 길모퉁이마다 군것질거리인데 여기서는 일삼아 시내를 돌아보아도 음식점을 찾을 수가 없다. 하기야 가게마다 이중문을 설치해 놓았으니 그냥 지나치는 것으로는 안에서 무엇을 파는지 알 수도 없고, 내가 키릴 문자를 읽지 못하니 식당이 코 앞에 있었어도 몰랐겠지만 말이다.

뒤지고 뒤진 끝에 겨우 튀긴 양고기 만두 파는 집을 발견해서 만두 몇 개와 쌀죽 한 사발을 사 먹었다. 현지에서 처음 먹어보는 몽골 음식이다.

소와 양 잡아 겨울 고기 김장

내가 없는 동안 사막 여행할 동행을 물색해 달라고 가나에게 신신부탁을 하고 다음날 에르드네트로 갔다. 울란바토르에서 기차로 하룻밤 거리다. 이가는 고맙게도 역전까지 마중을 나와주었다.

에르드네트는 사람들의 차림새나 거리의 모습이 울란바토르보다 더 러시아적이다. 기차역부터 도심까지 허허벌판에 끝없이 이어지는 드럼통 굵기의 파이프도 러시아의 난방과 온수를 위한 열수파이프 그대로다.

이곳은 세계 최대의 구리 생산지로서 몽골 수입의 대부분이 바로 이 도시에서 나온다고 한다. 몽골의 산업지표를 얘기할 때는 그해 양(羊)의 숫자가 얼마 늘었다는 말 다음으로 구리 생산량에 대한 언급이 빠지지 않는다. 예전에 구리 광산이 러시아와 합작이었기 때문인지, 아니면 그냥 러시아와 거리가 가까워서인지 길에는 노란 머리의 러시아 사람들이 아주 많이 눈에 띈다.

현대식의 넓고 안락한 이가네 아파트에는 중학생 아들, 초등학교 다니는 딸 둘, 그리고 다섯 살짜리 막내아들이 기다리고 있다가 한국말로 "안녕하세요." 하며 고개까지 숙이는 인사로 반갑게 맞아준다. 이가가 미리 연습을 시켰음에 틀림없다.

이가의 언니 포르마와 그의 딸 침대도 기다리고 있다. 내가 들어가자 아이들은 내 양팔뚝을 앞으로 뻗게 하고는 자기들의 팔뚝을 엎으며 팔꿈치 부근을 감싸쥔다. 어른들은 내 팔뚝 밑을 받치며, "세인바누(안녕하세요)."라는 전통인사를 한다.

이가의 통역으로 포르마와 애기꽃을 피우느라 아이들끼리 몽골식 양고기 물만두를 만들고 있는 줄도 몰랐다. 접시에 산같이 쌓아놓은 만두를 보고 어떻게 애들끼리 이런 걸 만드느냐니까 몽골 아이들은 모두 집안일을 잘 거드는데 남자, 여자 차별이 없다는 것이다. 포르마는 이가로부터 '한국에서는 남자들이랑 아이들이 집안 일을 잘 안 거들어 준다'는 설명을 듣고는 고개를 갸웃거린다.

양고기 만두와 곁들여 나오는 것이 양꼬리 기름에 싼 소 혓바닥과 말젖을 발효해서 만든 그 유명한 마유주 아이라크다. 이가의 말은 몽골에서는 한국의 겨울 김장처럼 겨울에 먹을 '고기 김장'을 하는데, 가을에 살찐 양과 소를 잡아 그 위장으로 고기를 잘 싸서 집 바깥에 보관해두고 겨울 동안 먹는다고 한다.

보통 한 집에 소 한 마리, 양 다섯 마리 정도를 잡는단다. 몽골 사람들은 겨울에 오히려 고기를 많이 먹는다고 한다. 여름에는 젖을 짜야 하기 때문에 짐승들을 잘 잡지 않는다는 것이다.

아이들에게 내 이름을 가르쳐주니 배꼽을 빼고 웃는다. 이가에게 영문을 물으니 설명이 우습다.

"비야 이름이 너무 거창해서 그래요."

내 이름이 다른 나라 말로도 갖가지 뜻이 있는데, 여기서는 또 무슨 뜻이길래 저렇게 웃을까.

"비야 한의 비는 몽골말로 '나'라는 뜻이고 야는 또 러시아말로 '나'라는 뜻이에요. 거기에 한은 몽골말로 왕이니, 비야 한은 '나는 나는 왕이다'가 되는 셈이거든요."

이가도 설명을 하면서 호호호호 웃음을 참지 못해 말을 제대로 잇지 못한다. 나로서는 매우 신나는 일이다. 그동안 내 이름은 맥주, 비, 오 나의 조국, 내 사랑, 이리 와, 천상에서의 성스러운 섹스 등 다채로웠는데, 이제 세계일주 마지막 나라에서는 왕까지 되어 보는구나.

나도 웃으며 포르마의 딸 이름 '침대'의 우리말 뜻을 가르쳐주었더니, 침대는 얼굴이 새빨개지고 다른 아이들은 눈물까지 찔끔찔끔 흘리며 웃는다.

그런데 식구들이 말하는 걸 조금만 유심히 들어보면 우리말과 비슷한 것이 한두 가지가 아니다. '말'은 몰, '알겠니'는 얼거성, '조금 있다가'는 쪼금다라, '눈'은 누드, '약속'은 약쇼라고 한다. 이런 단어들은 어쩌다가 비슷하게 발음이 되는 것이겠지만 언어학적으로 보면 몽골어는 헝가리어, 핀란드어 등과 함께 우리와 같은 알타이어과에 속한다.

이가네 아파트는 안락하다. 인공위성 텔레비전까지 있어서 내가 좋아하는 인도 뮤직 비디오도 실컷 보고, 한국말로 불편없이 의사소통을 하며 호사를 누린다. 하지만 나는 하루빨리 시골에 가서 천막집에서 살아보고 싶다. 내가 안달을 하자 이가는 걱정 말라며 내가 오기 전에 포르마 언니의 직장 동료 친정어머니 집에 말을 해 놓았다고 한다. 관계가 복잡하기도 하다.

에르드네트에서 지프로 한 시간 정도 거리인데 차가 없으면 말을 타고 가야 한단다. 물론 전통가옥 게르에서 살고 양과 말, 소 등을 키우는데 겨울이면 늑대가 먹을 것을 구하러 마을에 나타나는 전형적인 시골이란다.

눈 오는 겨울밤 천막집 안에서 듣는 늑대소리라. 뭔가 몽골 냄새가 팍 나는 것 같다.

시골집에는 할머니와 며느리와 손녀 하나가 살고 있다고 한다. 이름도 성도 얼굴도 모르고, 이곳 말과 풍습도 모르는 나그네를 일주일이나 묵게 해 주신다는 할머니가 그저 고맙기만 하다. 그래서 그 집 가족들에게 줄 선물과 내게 필요한 생필품들을 넉넉하게 사가지고 떠났다. 고맙게도 포르마까지 선물을 잔뜩 준비했다. 나 때문에 돈을 쓰는 것 같아 미안하다.

날씨는 날마다 맑고 화창한데 기온이 낮고 바람이 몹시 분다. 전세 택시로 시골집에 도착하니 일혼하나라는 치멧 할머니와 스물두 살의 젊은 과부 며느리 아트나, 그녀의 네 살짜리 딸 퓨마, 이렇게 몽골 여인 3대가 문밖까지 나와 반갑게 맞이한다. 할머니의 일손을 도와 가축과 집안팎을 돌보고 있는 먼 친척뻘 처녀 총각인 나라와 오미르도 문 앞에 서서 싱글벙글이다.

"세인바누(안녕하세요)."

한바탕 몽골식 팔뚝 인사를 끝내고 포르마와 이가와 나는 준비해 온 선물에 지폐 한 장을 얹어 두 손으로 아주 공손하게 할머니께 드렸다.

할머니도 두 손으로 공손하게 받으시고는 천막 안쪽에 모셔져 있는 불상 앞에 향을 피우고 우리가 그 연기를 쐴 수 있게 해 주신다. 그리고는 엄숙한 얼굴로 향로에 불을 붙여 우리에게 건네준다. 꿇어앉은 포르마는 연기나는 향로를 몸 주변에 세 번 돌리고 내게 건네준다. 나도 본 대로 따라하고 이가에게 건네주었다. 그런 다음 술냄새 나는 성수를 손으로 받아 마시고 조금 남겨 머리와 가슴에 발랐다. 이것은 오랜만에 온 귀한 손님에게 집안의 제일 나이 든 어른이 주는 축복이란다.

우리가 할머니의 축복을 받는 사이에 며느리 아트나는 어느새 우유차와 유제품으로 만든 과자를 내온다. 웃는 얼굴로 바지런하게 손님 시중을 들고 있는 아트나도 그렇지만 그의 딸 퓨마는 눈이 쫙 찢어지고 얼굴이 동그랗고 볼이 발그레한 것이 사진에서 많이 보던 전형적인 몽골 계집아이다. 약간 못생겼지만 처음 보는 내 무릎에 털썩 앉는 것이 참 귀엽다. 난 이렇게 조금 못생겼지만 붙임성 있는 아이가 좋더라.

문 밖의 마유주 젓는 소리, 고향의 소리

차를 마시면서 할머니에게 내가 아는 몽골말을 총동원해서 자기 소개를 했다.

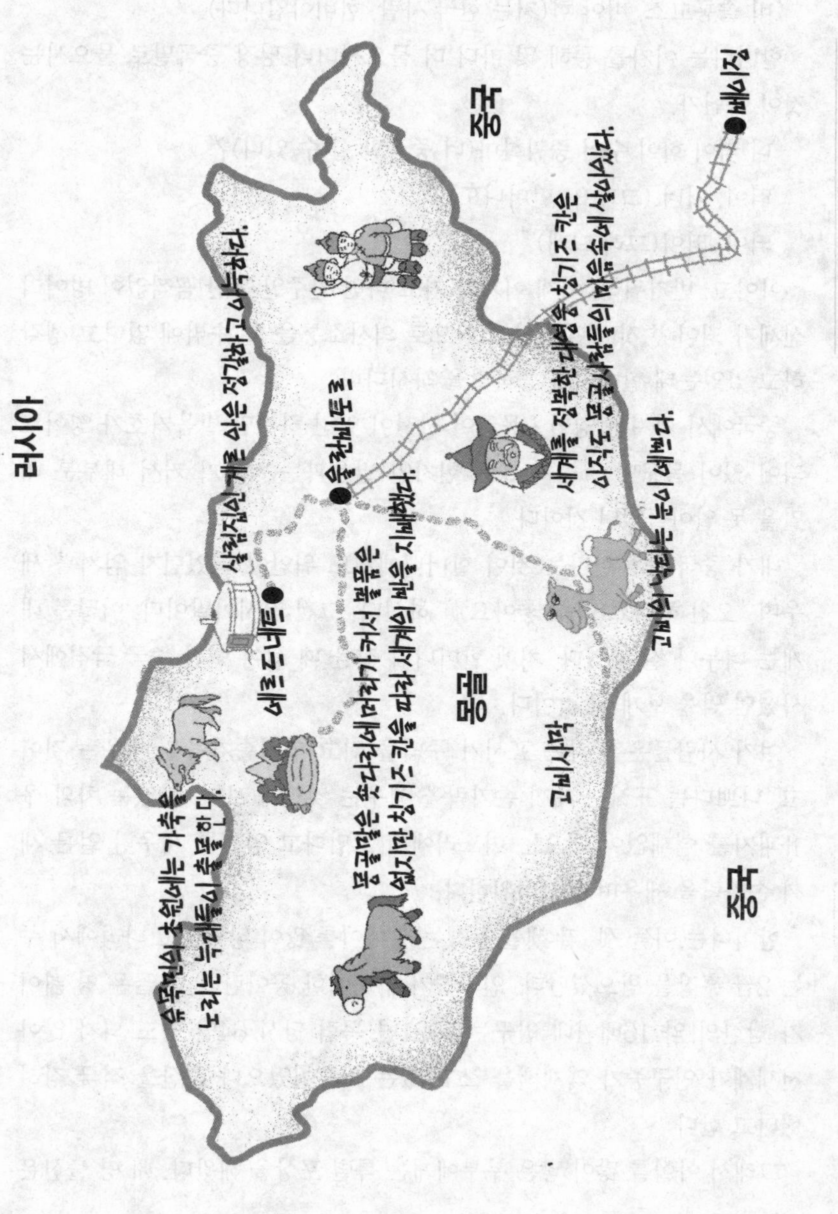

러시아

유목민의 초원에는 가축을
노리는 늑대들이 출몰한다.

살림집인 게르 안은 정갈하고 아늑하다.

에르드네트

울란바토르

몽골말은 숏다리에 머리가 커서 볼품은
없지만 칭기즈 칸을 따라 세계의 반을 지배했다.

몽골

중국

고비사막

세계를 정복한 대영웅 칭기즈 칸은
아직도 몽골사람들의 마음속에 살아있다.

고비의 낙타는 눈이 예쁘다.

중국

베이징

"비 솔롱고스, 비야 한(저는 한국 사람, 한비야입니다)."

할머니는 이가를 통해 몇 마디 더 물으시더니 당장 중국말로 물으시는 것이 아닌가.

"니 커이 회이 수어 중궈화마(너 중국말 할 수 있니)?"

"뙤이, 니너 (그래요, 할머니도)?"

"뙤이, 뙤이(그래 그래)."

아이고, 반가워라. 이제 이가가 가고 나면 일주일 동안 꼼짝없이 벙어리 신세가 되어 손짓 발짓이나 그림으로 의사소통을 할 수밖에 없다고 생각하고 있었는데 할머니가 중국말을 하시다니.

중국에서 가져온 영어 · 몽골어 사전이 있긴 하지만 발음기호가 영어로 되어 있어 목구멍 소리가 많은 현지인 발음과는 차이가 커서 대부분 내 말을 못 알아들었던 것이다.

내가 중국말을 한다는 것이 할머니에게도 위안이 되었던지 엄지를 세우며 "오친 하라쇼(아주 좋아요)." 하신다. 그건 러시아말이다. 어떻든 내게는 너무나 잘 되었다. 치멧 할머니가 젊을 때 십여 년간 중국 국경에서 사셨던 덕을 보게 된 것이다.

여기 사람들은 좋다는 표시가 주먹을 쥐고 엄지손가락을 세우는 것이고, 나쁘다는 표시는 새끼 손가락을 세우는 것인가 보다. 맛있는 차와 우유과자를 쉴새없이 내오는 며느리에게 고맙다고 엄지를 세우니 얼른 새끼 손가락을 세우며 부끄러워한다.

할머니는 아들 셋, 딸 셋을 두셨는데 아이를 많이 낳았다고 나라에서 주는 2급 훈장을 받으셨단다. 인구증가에 기여한 공이란다. 몽골은 땅 넓이가 남한의 약 16배인데 인구는 1921년 독립 당시 64만 명도 되지 않아 전세계가 인구증가 억제책을 쓰고 있는 와중이었으나 출산을 적극 장려했다고 한다.

그래서 아이를 많이 낳은 부부에게는 특별 포상을 해왔다. 네 명 출산은

내가 민박한 여인 3대 가정의 할머니와 손녀

상금이고, 다섯 이상은 2급 훈장, 일곱 이상이면 1급 훈장에 특별연금을 받았단다. 반면 아이를 낳지 못하는 부부에게는 세금을 높게 책정하고, 낙태를 법적으로 엄금한 것은 물론 피임약이나 콘돔의 국내 반입도 철저히 금지했다고 한다. 그 덕분에 95년에는 2백30만 명 정도로 인구가 크게 늘어났다.

독립 당시 몽골의 인구가 그렇게 적었던 것은 청나라의 간교한 정책 때문이었다고 한다. 만주족의 청나라는 원나라의 부활을 막으려고 몽골 사람들의 불심을 교묘히 이용하여 후손의 번성을 막는 정책을 폈단다. 라마불교를 보호하는 척하면서 큰아들을 제외한 모든 아들들을 불교에 출가시키도록 법으로 정해 인위적인 산아제한을 했던 것이다.

치멧 할머니의 다른 자녀들은 다들 공부다 직장이다 해서 도시로 나가고 막내아들 내외와 이 시골에서 살고 있었는데, 막내아들이 3년 전 에르드네트로 볼일을 보러 갔다가 전봇대가 넘어지는 바람에 감전이 되어 즉

사했단다. 아들이 결혼한 지 1년도 안 되었을 때의 일이란다.

전기가 안 들어오는 마을에는 밤이 일찍 찾아든다. 촛불 한 자루가 그렇게 밝은 줄 몰랐다. 바람소리가 씽씽거리는 바깥에선 기대했던 늑대소리 대신 개 짖는 소리가 요란하다.

밤에 잠깐 밖에 나갔다가 날아가는 줄 알았다. 어찌나 바람이 세게 부는지. 이런 바람에도 허술해 보이는 게르는 뿌리를 내린 듯 꿈쩍도 안한다. 잠깐 올려다본 밤하늘은 정말 까만 도화지다. 별은 어찌 그리 많은지. 크기와 밝기가 각각인 별들이 너무 많아 오히려 하늘이 지저분해 보일 지경이다.

다음날 아침, 간단하게 우유차와 빵으로 요기를 하고 나니 할머니는 동네 사람들에게 인사를 가자며 델을 입고 머리에 스카프를 두르신다. 나는 퓨마에게 옷을 단단히 입혀서 손을 잡고 같이 동네 구경을 나섰다.

온 동네라야 일곱 가구뿐. 모두 반정착 유목민들이다. 여름에는 아주 멀리까지 가축을 데리고 다니며 먹이다가 겨울 한철을 이곳에서 난다는 것이다. 집집마다 백수십 마리의 양과 염소, 십여 마리의 소, 두세 마리의 말, 그리고 한두 마리의 몽골 토종개를 기르고 있다. 물론 모두 놓아 먹이는 방목이다.

아침이 되면 말을 타고 양떼를 몰아 좋은 풀을 찾아가는 목동의 뒷모습이 목가적이다. 요즘이 새끼 낳는 철인지, 집집마다 양지바른 곳에 갓난 새끼양과 새끼염소의 우리가 보인다. 부드러운 풀과 물을 먹고 있는 새끼들의 음매음매 울음소리는 꼭 어린아이 우는 소리 같다.

동네 사람들은 치멧 할머니가 '솔롱고스'(몽골 사람들은 한국인을 이렇게 부른다. 무지개라는 뜻이다.)를 어떻게 아나 아주 신기하다는 얼굴이고, 할머니는 나랑 같이 다니는 것이 아주 기분이 좋은 것 같다. 가는 곳마다 차와 우유과자가 나오고 나이 든 남자가 있는 곳은 코담배와 보드카도 나온다. 보드카를 마실 때는 손끝에 술을 묻혀 하늘에 한 번, 땅에 한 번,

그리고 자기에게 한 번 튀기고 나서 마신다. 하늘과 땅에 고하는 작은 예식이란다.

동네 사람들은 나더러 왜 여름에 오지 않고 지금 왔느냐며, 겨울에 오니까 푸른 초원도 못 보고 아이라크도 실컷 못 먹는다고 안타까워한다. 아이라크는 말젖을 발효해 만든 술인데 마셔보니 시큼털털한 게 막걸리에 요구르트를 탄 맛이다. 이 술은 지난 가을에 담근 것이라는데 몽골 사람들은 봄부터 가을까지 이것만 마시고 산다고 해도 과언이 아니란다.

몽골 사람들은 앉은자리에서 10리터 정도까지 마신다는데 알코올농도 3퍼센트인 이 술은 영양학적으로도 아주 우수하여 결핵이나 괴혈병, 심장병에도 효과가 있다고 한다.

아이라크는 말젖이 든 나무통이나 가죽주머니에 지난해 만든 묵은 아이라크 찌꺼기를 넣고 저어서 만든다. 이 술통을 게르 문 밖에 놓아두고 식구마다 오며가며 저어주는데, 많이 저을수록 마유주 특유의 냄새가 나며 맛있어진다고 한다. 몽골 시(詩)에 '문 앞에서 아이라크 젓는 소리'라는 시구가 자주 등장할 정도로 이 소리는 몽골의 대표적인 '고향의 소리'란다.

몇 군데 둘러본 천막집 게르는 모두 한 공장에서 나온 듯 똑같다. 집안 구조도 완전히 복제판이다.

정남향으로 나 있는 문을 열고 안으로 들어가면 한가운데는 취사 겸 난방을 하는 난로가 있고 난로를 중심으로 북 · 동 · 서쪽에 침대가 있다. 난로 앞에는 낮은 탁자가 있고 옆에는 소꿉장난 같은 작은 의자가 있다. 탁자 서랍에는 식기와 과일칼 같은 작은 주방용품을 넣어둔다. 북쪽 침대 왼쪽에는 불단이 마련되어 향로, 불상, 칭기즈 칸 그림, 예쁜 찻잔이나 그릇, 가족들의 사진이 놓여 있다. 벽에는 양탄자가 걸려 있어 보기에도 좋고 바람도 막는다.

몽골 사람들은 생각보다 아주 깨끗하다. 막연히 유목민족들은 잘 씻지 않을 것이라는 선입견을 가졌는데 어느 게르를 가보아도 내부가 말끔하고 정리정돈이 잘 되어 있다. 손도 자주 씻는 것 같다. 어느 책에서 보니 몽골 사람들은 물을 아끼느라 물 한 잔으로 입 안을 헹구고 그 물을 손바닥에 뱉어 얼굴을 씻었다던데 지금은 아주 깔끔하게 살고 있다.

이곳으로 오는 기차의 침대칸에도 깨끗하게 세탁한 이불이 덮여 있고, 화장실도 깨끗했다. 국경을 맞대고 있는 중국과는 대조적이다.

'몽골 사람들 시력은 7.0'

몽골이 여름에는 얼마나 더 멋있는지 모르지만 내게는 지금으로도 충분히 아름답다. 조금만 올라가도 호수가 보이고, 침엽수림이 보이고, 강이 보인다. 아기자기한 벌판이라고나 할까. 바람이 몹시 불고 기온은 영하 10도 미만이지만 나다니지 못할 정도의 추위는 아니다. 내일은 제대로 하이킹을 해 보아야겠다. 이왕 몽골에 왔으니 말을 타고 다니면 더 좋겠고.

그럴 기회가 곧 생겼다. 다음날 퓨마와 집 뒤에 있는 언덕으로 놀러 가다가 말을 타고 수십 마리의 양을 몰고 가는 친척 처녀 나라를 만났다. 몽골 아이들은 걸음마를 배우기 전에 말타는 것부터 먼저 배운다더니, 나라를 보자마자 퓨마가 자기도 타겠다고 마구 조른다.

나라는 졸라대는 퓨마를 무시하고, 손짓으로 나한테 말을 타고 이 근처를 돌아보자는 표시를 한다. 좋다는 의사를 전했더니 나를 잠깐 기다리게 하고는 자기 남자친구 감마를 데려오는 것이다. 나도 본격적인 하이킹 준비를 했다. 우유과자와 사탕, 소시지를 넣은 빵, 그리고 물까지 단단히 소풍가방을 쌌다.

따라가겠다고 울고불고하는 퓨마를 가까스로 떼어놓고 말을 타고 나서려는데 말총머리 친척 총각 오미르가 자기도 가자며 따라나선다. 바람은 여전히 차고 맵지만 하늘은 구름 한 점 없이 맑고 깨끗하다. 몽골은 365일 중 맑은 날이 260일이 넘는 '파란 하늘의 나라' 라더니 그 말이 실감이 난다.

동네는 한 줄기 개울이 흐르는 벌판 한가운데 있어 멀지 않은 곳에 나무가 많은 산도 있고, 조금 멀리에는 호수까지 있는 아주 아름다운 곳이다.

동네는 말 그대로 '가축의 왕국' 이다. 들판에 흩어져 풀을 뜯고 있는 수십 마리 말의 갈기가 부는 바람에 일제히 한 방향으로 휘날리는 것이 마치 갈대가 한쪽으로 쓰러지는 것 같다. 어느 때는 순식간에 백수십 마리의 하얀 양떼에 포위당하기도 한다. 그리고 아주 반갑게도 이 벌판에서 티베트에서 보았던 것과 똑같이 얼음 위를 걷고 있는 까만 야크도 수십 마리 보았다.

말을 타고 가니 멀리 있던 산도 한순간이고 까마득하게 뵈던 벌판도 단숨에 지나온다.

말 타고 달리니 좋기는 좋구나.

말은 평지만 잘 달리는 것이 아니라 가파른 산도 잘 올라간다. 색색 소리를 내면서 하얀 입김을 내뿜으며 올라가는 말이 기특하다. 산 정상에 오르니 조금 높은 곳이라고 바람이 두 배로 불고 주위의 정경이 한눈에 펼쳐진다. 바람에 스쳐오는 전나무 냄새가 향기롭다.

바로 눈앞은 푸른 숲, 그 뒤에는 눈덮인 벌판, 그 뒤에는 파란 색강, 그 너머에는 옹기종기 모여 있는 하얀색 게르들. 게르는 고동색 색종이를 오려붙인 것 같은 풀 한 포기 없는 삼각형 돌산을 배경으로 하고 있다. 산 정상에는 이 마을을 지켜준다는 돌무덤 '오보' 가 있는데, 오보 한가운데 오색 깃발이 꽂혀 있다.

그 주위에는 말 해골이며 보드카 병 등이 널려 있다. 오보의 가장 중요한 역할은 여행과 가족의 안녕을 비는 것이지만 말과 더불어 사는 이곳 사람들은 아끼던 말이 죽으면 말 해골을 오보에 갖다놓아 죽은 말에게 경의를 표하기도 한단다.

아이들은 번갈아가며 저기 토끼가 달려간다, 무슨 새가 보인다, 친구네 양떼들이 저기 있다는 둥 소리를 지르며 여기저기를 가리키지만 내 눈에는 하나도 보이지 않는다. 우스갯말로 몽골 사람들의 시력은 7.0이라니까 1.5인 내 시력으로는 어림도 없는 모양이다.

전나무 사이사이로 햇살이 비치고 우리 일행은 사진을 무수히 찍었다. 몽골은 사진이 가보로 내려오는지 집집마다 불상을 모셔놓은 한쪽에는 반드시 가족 사진들이 전시되어 있다. 나한테 사진기가 있다는 소문이 동네에 나서 집집마다 가족사진을 여러 장 찍어주어야 했다.

나라와 감마는 좋은 경치가 나타날 때마다 포즈를 취하며 사진을 찍어 달라고 청한다. 특히 말과 같이 찍는 것을 아주 좋아한다.

몽골 말들은 생각보다 숏다리에 몸집에 비해 머리가 크고, 배 부분이 통통한 것이 우리가 상상하던 키 크고 날렵한 준마의 위용을 갖추고 있지는 않다. 그래도 저 말이 지구력과 인내심이 뛰어나서 칭기즈 칸이 동서양에 걸친 세계 대제국을 건설할 때 한몫을 단단히 한 말이란다.

지금은 겨울이라 풀을 마음껏 뜯어먹지 못하기 때문에 마르고 힘이 없지만 가을의 통통한 말 한 마리만 있으면 얼마든지 몽골여행을 할 수 있을 것 같다. 천지가 풀밭이니 먹이를 따로 챙길 필요도 없고, 만약 타고 가던 말이 지치면 가다가 동네에서 바꾸어 탈 수도 있다. '말 타고 몽골 세 바퀴 반', 이것도 아주 참신한 아이디어 아닌가.

말값을 물어보니 한 마리에 1백 달러 정도라니까 내가 탈 말 한 마리, 가이드가 탈 말 한 마리, 짐 지는 말 한 마리, 이렇게 세 마리를 사서 타고 다니다가 몽골 여행을 마치면 되팔거나 가이드에게 선물로 줄 수도 있으니 얼마나 좋으냐.

숲에는 늑대나 다른 위험한 동물들이 나온다며 해지기 전에 숲을 떠나야 한다고 아이들이 나를 잡아끈다. 감마는 동물 발자국까지 찾아 보여준다.

몽골 시골 민가에서는 늑대 피해가 심각하다고 한다. 그래서 옛날 늑대 토템 신앙이 있던 시대에는 죽이지 않던 늑대를 지금은 '미친 개'라고 부를 정도로 싫어해서 보는 대로 쏘아 죽인다. 아이러니컬하게도 이 에르드네트 지방 사람들이 즐겨 마시는 보드카 상표는 바로 늑대표다.

집에 가니 며느리는 무슨 말인지 조잘대면서 난로 옆에서 칼국수를 만들고 있다. 몽골 음식도 배울 겸 도와주기도 할겸 나도 옆에서 거들었다.

몽골식 칼국수는 고기를 우려 국물을 내는 것과 반죽한 밀가루를 한덩이씩 떼어 밀대로 납작하게 미는 것은 우리와 마찬가지인데, 그것을 칼로 썰기 전에 불에다 살짝 한 번 굽는 것이 다르다. 그렇게 한 번 구우니까 자르기도 편하고 좀 오래 두어도 붇지 않아 좋다.

이렇게 만든 칼국수는 참 맛있다. 양파나 마늘이 조금 더 들어갔으면 좋겠고 후추까지 있으면 금상첨화겠지만. 그래도 몽골 고기는 거의 냄새가 없어 진한 양념을 할 필요가 없다. 아니면 냄새가 나는데도 내 코가 벌써 이 비릿하고 노릿한 양고기 냄새에 적응이 되어 무감각해진 건지도 모르겠다. 내가 내일은 한국식으로 칼국수를 해 주겠다니까 모두 좋아한다.

칼국수를 만드는 동안 할머니와 퓨마는 난롯가에서 양갈비를 발라먹고 뼈 안에 있는 골수까지 파먹는다. 조그만 칼로 갈비살을 떼어먹는 손놀림이 어찌나 능숙한지. 퓨마도 아주 잘 떼어 먹는다.

그러다가 먹던 손을 그대로 옷에다 문지르니 어린애한테도 양고기 냄새가 잔뜩 배어 있을 수밖에.

'아우우우우.'

그날 밤, 드디어 늑대소리를 들었다.

처음에는 동네 개짖는 소리가 아주 요란하게 났다. 몽골에는 집집마다 개를 키우는데 몸집이 큰 털복숭이에 주둥이가 까만 게 아주 귀엽다. 개들은 양이 무리에서 도망가지 못하게 주인을 아주 잘 돕는 도우미일 뿐 아니라 저녁에는 사나운 동물이나 낯선 사람들로부터 주인 집을 지켜주는 지킴이이기도 하다.

치멧 할머니네 집에도 두 마리가 있는데, 저녁 내내 합창을 하면서 짖어댄다. 한 집 개가 짖으니까 동네 개들이 다 따라 짖는다.

그 소리가 어느결에 조용해지는가 했더니 멀리서 '아우우우—' 길게 뽑아대는 늑대 울음소리가 들린다. 나중에는 아주 가깝게 들렸기 때문에 뒷산까지 왔을 거라고 생각했다. 늑대가 사람 사는 게르까지 쳐들어온다는 소리는 못 들어봤지만 우리가 자고 있는 게르에 들어온다면 총 같은 무기도 없이 맨손으로 싸워야 할 판이라 그야말로 속수무책이다.

예전에 아프리카 사파리 갔을 때 생각이 난다. 국립공원 안에서 텐트를 치고 밤을 지내는데 마침 밝은 달 아래 여과없이 선명하게 비쳐보이던 하이에나 떼의 그림자. 얼마나 마음 죄며 뜬눈으로 밤을 지새웠던가.

네팔에서는 이런 일도 있었다. 산골 민가 근처에 텐트를 쳤는데 한밤중에 동네사람들이 "바가요, 바가요."라고 소리를 쳤다. '바가요'는 호랑이가 나타났으니 가축 단속을 잘 하라는 신호였다.

나야 호랑이가 얼마나 무서운지 피부로 느껴보지 못한 사람이라 신기한 마음에 왜 호랑이 소리가 들리지 않느냐고 가이드한테 물어보다가 야단을 맞았다. 진짜 배고픈 호랑이가 나타난다면 우리부터 무사하지 못할 거라면서. 그날 밤을 뜬눈으로 새고 날이 밝기를 기다렸다가 민가에 내려가 보니 나타난 호랑이가 사람은 해치지 않았지만 송아지 한 마리를 통째로 먹고 갔다는 말을 들었다.

그런데 여기서는 경험이 많은 할머니가 태연히 주무시는 것을 보면 이 정도 일은 별일이 아닌가 보다. 그렇게 생각하고 짐짓 마음을 놓았다.

그런데 알고 보니 그게 아니었다. 다음날 새벽에 보니 숲에서 가장 가까이 사는 사람네 게르 근처에 늑대 발자국이 어지럽게 흩어져 있는데, 다행히 가축들은 무사했지만 그 집 개가 격렬한 '교전' 끝에 전사했다는 것이다. 겨울에는 눈덮인 산에서 먹을 것을 구할 수 없는 늑대들이 이렇게 민가까지 내려온다는데, 두 달 전에는 늑대떼가 바로 그 집 마구간을 기습해서 말 한 마리를 다 뜯어먹고 갔다고 한다.

그 집 주인은 죽은 개의 꼬리를 잘라 잘 묻어주었다. 여기 사람들은 그렇게 하면 개가 사람으로 환생한다고 믿고 있다.

며느리 가출한 집에 대리 며느리 되어

그런데 그날 아침에는 정말 큰 소동이 일어났다.

그동안 그렇게 상냥하고 싹싹하던 며느리가 갑자기 한 달쯤 친정에 갔다 오겠다는 말 한 마디만 남긴 채 옷가지와 반지 등 패물, 돈과 사진을 몽땅 싸가지고 집을 나가 버린 것이다. 할머니로서는 마른 하늘에 날벼락이었다.

아침 일찍 동네 사람이 며느리가 동네 어귀에서 누군가를 기다리다가 차를 타는 것을 보았다는데, 한눈에 보기에도 그 차 운전사와 잘 아는 사이 같더라는 것이다.

퓨마는 일어나자마자 엄마가 없어졌다고 울고 불고 난리고, 할머니는 며느리가 다시는 오지 않을 것 같다며 되뇌신다.

"막내아들이 죽지만 않았다면…."

할머니는 눈물을 흘리다가 향을 피워놓고 염주를 돌리신다. 심적 고통은 물론 무릎이 아파서 잘 움직이지도 못하는 할머니로서는 손녀와 함께 살아갈 일이 아득했을 것이다.

그러더니 갑자기 머리맡에 있는 엽전 같은 것을 꺼내 점을 치시고는 조금 위안을 삼으시는 것 같다.

"오기는 언제고 오겠는데…."

머느리가 가출을 하다니. 우째 이런 일이? 갑자기 몸둘 바를 모르겠다.

집에 우환이 생겼으니 나도 떠나야 하나 하는 생각도 들지만 나를 데리러 오는 지프가 며칠 후에 오기로 되어 있으니 그럴 수도 없다. 그러니 어떻게 하나. 꼼짝없이 대리 며느리가 되어 살림을 떠맡을 수밖에. 앞으로 4일. 좋다, 뭐가 그리 어려울까. 저 할머니가 우리 엄마고 저 꼬마가 우리 조카라고 생각하고 4일간 돌보면 되는 거지 뭐. 갑자기 막중한 임무에 어깨가 무거워진다. 당장 코 앞에 닥친 문제는 하루 세 끼 식사준비다. 몽골 음식 만들 줄 아는 것이 뭐 있어야지. 그래도 해보자. 사람은 닥치면 다 하게 되어 있다고 하지 않던가.

다음날 아침식사는 아주 간단하게 해결되었다. 아침으로는 우유에 소금을 넣은 수태차를 마시는데, 그건 아침 일찍 할머니가 손수 끓이신다. 아침 저녁으로 나라가 짜는 신선한 우유로 만드는 이 수태차는 아침뿐만 아니라 하루 종일 마시는 몽골인의 일상 음료다.

다음날부터는 내가 끓여보려고 할머니가 하시는 모양을 눈여겨보아 두었다. 우유를 가마솥에 펄펄 끓인 다음, 벽돌처럼 딱딱한 덩어리 차를 조금 떼어 넣고 다시 한 번 끓이면서 소금을 넣어 간을 맞춘 다음 채로 걸러 보온병에 넣어두면 된다. 이 차에다가 우유과자나 빵을 곁들여 먹는 것이 아침식사다. 이렇게 해서 세 끼 중 한 끼 걱정은 덜게 되었다.

그러나 점심, 저녁으로는 무엇인가 만들어야 한다. 재고조사차 이곳저곳을 뒤져보니 문밖 창고에 양고기, 쇠고기 등이 쌓여 있고, 게르 안 찬장에는 적은 양이지만 양파, 당근, 감자, 고구마도 보인다. 밀가루도 있고, 내가 사 가지고 간 쌀과 라면도 있으니 이 정도면 4일은 잘 버틸 수 있을 것 같다.

일단 점심으로 양고기를 듬뿍 넣고 감자, 양파를 조금씩 넣어 수제비를 끓였다. 여기 오면서 비상용으로 마늘을 많이 사온 것은 정말 잘한 일이다. 할머니도 퓨마도 맛있다며 아주 많이 먹는다. 다행이다.

며느리가 나갔다는 것을 처음 알았을 때는 하필이면 이렇게 집안이 뒤숭숭할 때 놀러오게 되었나 하고 속상해 했다. 내가 있어 봤자 별 도움이 되지 않을 테니 빨리 돌아가는 것이 낫겠다고도 생각했다. 하지만 달리 생각해 보니 이런 상황에 나라도 없었다면 할머니가 얼마나 심란하고 적적했을까 싶다.

동네 사람들이 놀러오면 아무 일 없는 척 평소같이 행동하시다가도 사람들이 돌아가면 곧 어두운 표정이 되시는 할머니. 그리고는 내게 씁쓸한 웃음을 지어보이시는데, 할머니께는 내가 의지가 되고 있다는 느낌이 든다. 엄마가 없어진 걸 알고는 하도 울어서 계속 저렇게 울어대면 어쩌나 은근히 걱정했던 퓨마도 나를 잘 따라서 큰 문제가 없다. 정말 다행이다.

몽골 사람들은 집 안팎을 아주 깨끗이 하는 사람들인데, 먹고 난 다음 설거지하는 것을 보면 밥맛이 달아난다. 기름기 둥둥 떠 있는 그릇을 그저 뜨거운 물에 한 번 담갔다가 건진 다음 소창 같은 행주로 닦으면 그만이다. 멀리 말을 타고 가서 길어오는 귀한 물이라는 것을 알면서도 나는 깔끔을 떠느라고 두 번 헹구려다가 할머니의 "뿌야오(그럴 필요 없어)." 하는 제지를 받았다.

이 집에는 라디오가 있는데 거기에는 몸체 두 배만한 배터리가 묶여 있다. 그 고물 라디오를 듣는 시간이 식구들에게는 저녁밥을 먹고 난 후 최대의 오락시간이다. 이때는 다른 게르에서 살고 있는 나라와 오미르도 집안일을 끝내고 모여 찍찍대는 라디오 소리에 귀를 기울인다. 뉴스시간인 듯 아주 사무적인 목소리가 모노톤으로 몇 시간씩 계속되는데도 식구들은 손뼉을 치며 웃었다가 장탄식을 내뱉었다가 한다.

가축이 먹는 채소를 어떻게 사람이 먹어?

다음날 점심은 내가 가지고 간 라면으로 때우고 저녁에는 쌀로 밥을 해 만든 고기볶음밥에 달걀국을 끓였다. 이런 것까지 필요할까 생각하면서 산 달걀 한 꾸러미를 아주 요긴하게 썼다.

식사준비를 할 때 창고에서 꺼내오는 고기를 보시더니 할머니는 이것으로 누구 코에 붙이겠느냐는 표정으로 열 명이 먹어도 남을 것 같은 큰 고깃덩어리를 가져오신다. 그런가 하면 한편으로는 내 딴에는 양파를 아끼느라 두 개만 꺼내 썰려고 하니까 눈을 휘둥그레 뜨시며 무슨 양파를 그렇게 많이 넣느냐고 하신다. 고기는 얼마든지 먹어도 좋으나 채소는 아껴야 하는 것이다.

몽골에 오기 전 본 책에서는 몽골인들이 채소나 과일을 많이 먹지 않는 것에 대해 이렇게 설명하고 있었다.

'가축은 풀을 먹고, 사람은 가축을 먹는데, 가축이 먹는 풀을 어떻게 사람이 먹느냐.'

어쨌거나 겨울의 몽골은 채식주의자들이 올 곳이 못된다. 채소는 겨우 구색을 맞추는 정도이고 그나마 싱싱한 게 아니라 모두 저장해 놓은 것인데 가격도 무척 비싸다. 양고기 1킬로그램에 8백 투그릭(1투그릭은 약 1.2원 정도)인데, 오이 1킬로그램에 무려 2천 투그릭이니 도저히 마음껏 먹을 수가 없다. 여기서 조금만 오래 살면 섬유질과 비타민 결핍증에 걸리기 십상이겠다. 그런데 몽골 사람들은 그런 소리 전혀 못 들어봤다니 신기할 뿐이다.

한 끼는 국수, 한 끼는 만두, 한 끼는 밥과 반찬 등으로 다양하게 만들어 보려고 애는 쓰지만 워낙 뻔한 재료라 레퍼토리가 바닥이 나려고 한다. 그렇지만 할머니랑 퓨마랑 같이 놀아주는 것은 이제 자신이 붙었다.

워낙 웃음이 많은 할머니가 좋아하는 것은 단연 여행 이야기다. 그 중에서 러시아와 미국 이야기를 가장 재미있어 하신다. 어디서 들으셨는지 미국에 가면 100층짜리 건물도 있고, 움직이는 계단도 있고, 단추만 누르면 집안일을 척척 해내는 기계도 있다고 내게 귀한 정보를 알려주듯이 말하신다. 한번은 할머니가 아침마다 보는 일진점을 가르쳐달라고 했더니 점에 쓰는 엽전을 꺼내놓고 신이 나서 열심히 설명을 해 주셨지만, 무슨 말인지 나는 하나도 못 알아들었다.

가끔씩 할머니는 일을 하고 있는 내 손을 꼭 잡고 말없이 흔드시며 고개를 끄덕이신다. 그럴 때 보면 입은 웃고 있는데 눈에는 이슬이 맺혀 있다.

퓨마는 내가 고기를 썰 때 조그맣게 한 덩어리를 떼어주며 작은 칼로 썰어달라고 하거나 설거지를 할 때 도와달라고 하면 아주 좋아한다. 공책에 그림을 그려서 자랑을 하면 참 잘 그렸다고 엉덩이를 두드려 주는데, 그러면 그 통통한 볼이 터질 것 같은 웃음을 짓는다. 밤에 잘 때도 칭얼대지 않고 한참 동안 무슨 얘기인지 혼자 쫑알쫑알하다가 내가 잠깐 한눈을 팔고 돌아보면 어느새 곯아떨어져 있다.

가야 할 날이 하루하루 다가오니 요리 레퍼토리가 떨어지는 것보다 이 집을 떠날 일이 더 걱정이 된다. 이가가 데리러 오기로 되어 있는 날, 계획에도 없이 이 집 큰아들과 큰딸 식구들이 왔다. 포르마의 부탁을 받고 할머니도 뵐겸 나를 데리러 온 것이다.

갑자기 들이닥친 손님에 내가 당황해서 인사도 제대로 나누지 못하고 수태차와 과자를 찾아 권했더니 할머니와 식구들이 한바탕 웃는다. 내가 생각해도 좀 웃긴다. 할머니의 가족은 내가 아니라 이 사람들 아닌가.

쉰 살 정도 된 큰아들은 우리 나라 탤런트 송재호씨를 빼닮았고 큰딸은 예전에 내가 클래식 다방 디제이할 때 친하게 지내던 미스 박과 너무나 흡사하다.

몽그라는 이름의 큰딸은 의사소통이 가능할 정도의 영어를 하는데, 며느리가 갑자기 가출을 해서 내가 여태껏 살림을 맡아 살았다는 이야기를 듣고는 너무나 놀라면서 계속 미안하다, 미안하다를 연발한다. 연락할 방법이 없기도 했지만, 결코 '며느리 노릇' 이 힘만 든 것이 아니라 '주는 기쁨' 도 짭짤했다고 아무리 설명을 해도 못 알아듣는다.

할머니는 아까부터 분주하게 부엌과 광을 왔다갔다하신다. 커다란 비닐봉지 두 개에 뭔가 가득 든 보따리를 쌓아놓고는 그것도 모자라서 방안에 있는 궤짝을 여신다. 그러더니 거기에서 분명히 선물로 받았을 중국제 내의와 와인이 든 초콜릿 한 상자, 빗과 거울 세트와 돈까지 얹어 떠나는 선물로 주신다.

문 밖에 있는 비닐봉지에 뭐가 들었을지 나는 다 안다. 명색이 '대리 며느리' 였으니 이 집 창고에 뭐가 있는지는 이제 훤하다. 우유로 만든 과자와 말린 양 넓적다리 등이겠지. 떠나기 직전에는 내가 맨 처음 왔을 때처럼 향로에 향을 피우고 불경을 외우면서 내 앞길이 무사하길 빌어주신다.

게르를 나서는데 할머니 눈가가 벌겋다. 아들과 딸이 하루라도 묵고 갔으면 좋겠지만 직장 때문에 그럴 수가 없다며 안타까워한다. 우리가 이렇게 한꺼번에 다 떠나고 나면 혼자 남은 할머니는 어떻게 하시나.

퓨마는 떡이 되어 낮잠을 자고 있다. 아이의 튼 볼이 더 발갛게 보인다. 집 나간 이 집 며느리 아트나, 스물두 살의 젊디젊은 여자에게 수절을 강요하는 것은 인간의 도리가 아니겠지. 그러나 아이의 엄마로서 '바람' 을 쐴 만큼 쐰 다음 꼭 돌아왔으면 좋겠다. 시골에서 살고 싶지 않다면 아이라도 꼭 데려다 키웠으면 좋겠다.

할머니는 드디어 소매 끝으로 몰래몰래 눈물을 훔치신다. 큰아들이 막내며느리를 찾아보겠다고 할머니를 위로한다. 그 말에 할머니는 마침내 어린애같이 울음을 터뜨리신다.

"막내만 죽지 않았어도…."

"할머니, 울지 마세요."

"비야는 또 올 거지?"

"그럼요, 할머니."

나는 거짓말을 하고 말았다.

황량하므로 더 황홀한 고비 사막

이 세상 것이라기에는 너무 신비로운 사막의 모래 언덕

사막으로 가는 지프 '클린 몽골리아'

열흘 만에 다시 울란바토르의 가나 게스트 하우스로 돌아왔다.

문에 들어서니 그 집 개가 달려들어 핵핵거리고 꼬리가 떨어져라 흔들면서 앞다리를 들었다 놓았다 반가워서 어쩔 줄 모른다. 이놈들 때문에 진짜 내 집에 돌아온 듯 기분이 좋다. 이게 바로 개 키우는 맛 아니겠는가.

오랜만에 보는 가나와 부인 오르나, 두 명의 아이들까지 문 밖으로 나와 반갑게 맞이한다. 요즘 관광객이 없어서 내가 식구 같은 대접을 받기도 하지만 특히 오르나는 앞으로 틈틈이 영어를 배우기로 한 내 학생이다. 끼니때마다 같이 식사하자고 하는 것이 미안해 내가 '밥값'으로 자청했던 것이다.

가나에게 여행 같이 갈 사람을 찾아보았느냐니까 내가 떠난 후로 여행자 손님이 한 명도 없었단다. 약간 걱정이 된다. 앞으로 남은 비자기간은 20일, 언제 올지 모르는 사람을 무작정 기다릴 수도 없고, 만약 온다고 하더라도 그 사람이 남쪽 고비 사막과 북쪽 호수를 가리라는 보장도 없다.

어떻게 하나. 쓸 수 있는 돈은 4백 달러 정도. 사막과 호수 여행을 각각 5일씩만 한다고 해도 혼자서는 지프를 빌리기에도 어림없는 돈이다. 중국 샤허에서 만났던, 방금 몽골에서 넘어왔다는 사람 얘기가 지프를 빌리려면 기름값, 운전사 및 가이드 비용을 합해 적어도 하루에 80달러는 주어야 한다고 했다.

요즘이 아무리 비수기라고 하더라도 다른 여행자 두세 명 정도는 만날 수 있을 거라고 생각했었는데 그건 아주 엉뚱한 낙관이었다. 비상금 3백 달러가 있긴 하지만 그 돈으로는 중국에서 어학연수도 해야 하고 한국으로 돌아갈 배표도 사야 하니 넘보아서는 안 되는 돈이다. 한국으로 돈을 더 부치라고 하려니 주고받기가 너무 번거롭다.

내 주머니 사정을 안 가나가 제안한 초특급 할인 금액도 내게는 어림도 없는 하루에 50달러다. 한 사람만 찾아도 경비를 반으로 절약할 수 있는 건데.

가만히 앉아서 기다리기보다는 적극적으로 움직여 다른 배낭족이 있을 만한 곳으로 동행을 찾아나서기로 했다. 우선 가나에게 부탁해서 동행을 찾는다는 메모를 다른 저경비 여행자 숙소에 붙이게 하고, 나는 몽골 불교 최대의 성지인 간단사와 몽골 역사박물관, 겨울궁 등 관광객이 있을 만한 곳으로 가보았다.

박물관을 찾는 일은 쉽지 않다. 공룡처럼 거대한 건물에 손바닥만하게 주소가 붙어 있어 마치 숨은 그림 찾기를 하는 것 같다. 박물관에 들어갈 때도 좀 웃겼다. 중국에서는 한번도 외국인 요금을 낸 적이 없는 터라 여기서도 당연히 몽골인 요금인 4백 투그릭을 냈더니 표 팔던 사람이 가소롭다는 듯 쳐다보면서 영어로 외국인 요금 1천 5백 투그릭을 내란다.

중국에서도 내국인 행세를 실수 없이 했는데 여기 몽골 사람들하고는 외모가 더 비슷한데도 걸린 것이다. 하기야 내가 몽골말을 한 마디 할 수 있나, 러시아말을 한 마디 할 수 있나. 좀 억울하기는 해도 달리 우길 방법이 없다.

몽골의 박물관은 진짜 이상하다. 여기 역사 박물관뿐만 아니라 몽골의 어느 박물관을 가든 박제해 놓은 동물들이 전체 전시물의 반 이상을 차지한다. 이 박물관을 유명하게 만드는 것은 거의 원형으로 복구된 높이 7.7미터, 길이 15미터의 초대형 공룡의 뼈다. 몽골의 고비 사막 부근은 공룡의 집단 서식지여서 공룡의 뼈나 알 화석이 무진장 발견된다고 하는데, 여기 공룡은 1, 2층을 터서 전시해 두었다.

이 공룡은 부리가 넓적한 도날드 덕처럼 생긴 것이 하도 신기해서 사진을 찍으려고 했더니 촬영료가 무려 5달러란다. 좀더 자세히 보려고 위층으로 올라가니 사람들이 모두 거기서 몰래 사진을 찍고 있다. 물론 나도 몇 장 찍었다.

사진을 찍으면서 50대의 일본 관광객 몇 사람을 만났다. 차림을 보니 배낭족이 아니라 트렁크족이다. 그래도 밑져야 본전, 각설하고 본업으로 들어갔다. 호객행위다.

"혹시 고비 사막에 갈 계획 없으세요?"

이분들은 물론 트렁크족답게 비행기를 타고 고비 사막 근처 도시까지 가서 지프를 빌릴 생각이란다.

독일 관광팀도 만났는데, 이름도 이상한 줄친이라는 몽골 국립관광공사에서 차를 빌리기로 했다면서 8인승인데 자기들은 네 명뿐이고 비용은 벌써 지불했으니 같이 가잔다. 솔깃하긴 했지만 겨우 2박 3일로 옛 수도인 카라코룸 근처를 도는 코스란다.

일단 실패. 다음에는 겨울궁으로 갔다. 초기 라마 불교의 유물들이 가득하다는 소개와는 달리 실제로는 볼거리가 거의 없다. 한 가지 눈길을 끄는 것은 표범 가죽 백수십 장으로 만든 초호화판 게르다. 다른 외국인 관광객은 단 한 명도 보지 못했다. 간단사에서도 허사. 가나 역시 별 소득이 없었다. 다른 숙소에도 배낭여행자가 한 명도 없다는 것이다.

큰일났다. 같이 갈 사람은 없고 혼자 가자니 돈이 모자라고. 물론 사막이든 호수든 한 군데만 가면 되긴 하겠지만 여기까지 왔는데 두 군데 중 어느 곳도 놓치기 싫다. 그러면 어떻게 한다? 남은 것은 단 한 가지. 억지가 사촌보다 낫다는 속담을 믿고 억지를 부리는 수밖에.

"가나, 가나도 시즌이 시작되기 전에 캠프사이트나 그쪽 사정도 알아보아야 하지 않아요? 우리 오르나랑 같이 가요. 기름값은 내가 낼 테니까."

한편 측면으로 오르나도 꼬드겼다.

"오르나는 고비 사막에 간 적 있어요? 없다고요? 어머, 어머. 그렇다면 이번 기회에 가나한테 꼭 데려가 달라고 해요. 가는 길에 요리 전담하겠다고 하고. 나랑 틈틈이 영어공부하면 좋잖아요."

두 부부가 어떻게 얘기가 되었는지 그날 오후 늦게 오르나가 내 천막으로 들어오더니 좋아서 어쩔 줄을 모른다.

"투모로 고비 고(내일 고비로 떠납시다)."

우리 일행은 당장 대책 회의를 했다. 가나와 운전사인 바트나상은 지도를 보고 루트를 상의한 후 여정을 5일로 잡았다. 경비를 최대한 줄이기 위해 식사는 손수 해 먹고 잠은 차 안에서 자기로 했다. 오르나와 나는 이불과 식사도구, 식품 등을 챙겼다. 가나는 3년 전에 처음 고비 사막에 갔을 때 사막 사람들에게 물을 주니 아주 좋아하더라며 10리터짜리 물통 여러 개를 구해 여분의 물을 충분히 준비했다.

일사천리로 일이 잘 되어 간다 했더니 문제가 생겼다. 날이 밝는 대로 떠나기로 했는데 바트나상이 차 브레이크가 시원치 않다며 아무래도 좀 더 손을 보는 것이 좋겠다면서 여간 미안한 표정이 아니다. 하지만 어떡하나. 가다가 사막에 꼬나박히는 것보다야 여기서 고쳐 가는 게 훨씬 나은 거 아닌가.

그러나 바로 그 덕분에 중국에서 방금 도착한 캐나다 여자 아이 아프카와 동행을 하게 되었다. 아프카도 몽골에 올 때 사막 여행을 꼭 해 보고 싶었는데 비수기라 동행을 어떻게 찾을까 걱정했다면서 뛸 듯이 좋아한다. 나도 '봉사여행' 을 해야 했던 가나에게 미안하지 않게 되었고, 가나도 조금이나마 돈이 남게 되었으니 모두에게 좋은 일이 된 것이다.

나는 즉석에서 아프카에게 '복뎅이' 라는 별명을 붙여주었다. 여행 내내 우리 모두는 그 이름을 즐겁게 불렀다. 복뎅이는 스물두 살의 제빵기술자인데 지난 4개월간 베트남, 중국을 여행하고 몽골을 거쳐서 러시아를 통과, 기차로 유럽을 횡단한 후 캐나다로 돌아갈 예정이란다. 파란 눈에 금발머리, 하얀 피부의 전형적인 서양 미인이다.

아프카는 아주 열렬한 환경보호자인데 그린 피스 등 여러 곳의 환경단체에서도 활발한 활동을 하고 있다고 한다. 그래서인지 쓰레기를 많이 만들어서도 안 된다, 함부로 버려서도 안 된다, 합성세제를 써서도 안 된다

등등 환경교육을 한다. 이 아이는 가죽 신발도 중고품을 사서 신고, 글리세린으로 만든 무공해 비누를 쓰고, 슈퍼마켓에 갈 때는 반드시 시장바구니를 챙겨 가고, 생리대도 헝겊으로 쓴다고 한다.

운전사 바트나상이 무심코 창 밖으로 버린 사탕껍질을 찾느라 오던 길을 되돌아가게 한 야무진 아가씨다.

"저 비닐이 썩으려면 적어도 1백 년은 걸려요. 이 플라스틱통은 수백 년, 저기 버려둔 보드카 병은 무려 4천 년이 걸리죠. 여기가 아저씨 나라이기도 하지만 내가 사는 행성이니까 나도 못 버리게 할 자격이 충분히 있다고요."

하는 짓이 귀엽기도 하지만 다 맞는 소리다. 자기 엄마는 더 적극적인 환경운동가란다. 어려서부터 보고 배운 것이 몸에 배어 있어 말로만 떠든다는 거부감이나 너 혼자 그래봐야 무슨 소용이냐는 식의 비웃음이 나오지 않는다.

"환경보호는 거창한 게 아니에요. 부엌이나 목욕탕 등 생활에서 자기가 기꺼이 할 수 있는 만큼만 환경에 해롭지 않은 일을 찾아서 하면 돼요. 시냇물이 강물이 되고 바다가 되듯이 작은 힘이 모이면 큰 힘이 되는 것 아니겠어요. 우리가 지금 몽골에 있으니 적어도 몽골을 더럽히는 일은 하지 말아야지요."

아프카는 이론도 정연하다. 우리도 모두 아주 좋은 일이라며 우리 팀을 '클린 몽골리아' 라고 부르기로 하고 팀의 강령을 정했다. 알면서는 자연에 해로운 일을 하지 않기, 무심히 하는 일이나 모르고 하는 일은 일깨워 주기. 이 말에 누구보다 바트나상이 가장 긴장하는 것 같다.

낯선 나그네도 손님은 무조건 왕

울란바토르를 떠난 지 반 시간쯤 뒤부터 길이 없어지고 앞서 간 자동차

바퀴 자국만이 우리가 갈 길을 나타내주고 있다.

길 한쪽 언덕에 푸른 기를 세워 둔 오보가 보이니까 가나, 오르나, 바트나상이 차에서 내린다. 그들은 돌을 집어들고 돌무덤을 시계방향으로 세 바퀴 돌고 나서 들고 있던 돌을 바치며 무사여행을 빈다. 오보에는 술병이나 목발 같은 것도 보인다. 목발은 사고가 난 사람이 그것이 필요 없게 될 정도로 나았을 때 다시는 사고가 나지 않게 해 달라고 기도를 하며 바치는 것이란다. 아프카와 나도 돌을 바치며 좋은 여행이 되길 빌었다.

이정표가 될 만한 것이라곤 하나도 없는 벌판에 여기저기 나 있는 바퀴 자국이 비슷비슷하기만 한데 바트나상은 나침반도 없이 아주 조악한 지도를 이리저리 돌려가며 잘도 방향을 잡아 달린다. 바트나상도 이 길은 초행이라는데 걱정하는 기색이 하나도 없다. 유목민인 이들에게는 길눈에 관한 한 원초적인 본능이 있나 보다.

차창 밖으로 한 무리의 말이 지나가고 몽실몽실 양떼도 지나간다. 말 대신 오토바이를 탄 사람들도 지나간다. 창 밖을 스치는 바람소리가 휘파람 소리 같다. 황량하지만 황량함의 아름다움을 고스란히 간직하고 있다는 고비 사막. 나는 지금 이 '바람의 고향'을 달리고 있다. '바람의 딸'이 찾아온 바람의 고향이다.

시골길은 가끔씩 버려진 빈 보드카 병들만 보일 뿐 너무 깨끗하다. 비닐봉지도 코카콜라 캔도 없다. 그러나 이렇게 깨끗한 자연도 사람들이 현대식 소비생활에 물들고 나면 이내 중국처럼 쓰레기더미가 되어버릴 것이다. 이곳이야말로 아프카 같은 사람들이 필요하다.

내 마음을 읽었는지 함께 창 밖을 내다보던 아프카가 가만히 말한다.

"우리들은 지구라는 작은 별에 살고 있기 때문에 다같이 자연과 조화롭고 평화롭게 사는 방법을 배워야 해요."

참 그럴 듯한 말이다. 우리가 사는 지구는 이제 너무나 좁아져서 한쪽에서 그릇된 일을 하면 단박에 다른 쪽에 영향을 미칠 수밖에 없다.

중국 양쯔강이 범람한 원인과 결과가 그것을 단적으로 말해주고 있다. 수천 명의 목숨을 앗아가고 수억의 이재민을 낸 홍수의 원인은 다름아닌 일본으로 수출한 나무젓가락이었다. 그것을 만드느라 무리하게 나무를 베어낸 것이 홍수의 큰 원인이 된 것이다.

그 홍수는 또한 한국의 밥상에 올라오는 생선값을 뛰게 하는 결과를 초래했다. 범람한 물이 한꺼번에 황해로 몰리는 바람에 바닷물의 염도가 낮아져 고기가 사라져 버린 것이다. 일본의 나무젓가락과 양쯔강의 홍수와 한국 밥상의 생선값. 이제 전세계는 이와 같이 환경적으로 하나로 얽혀 있는 것이다.

오후가 되자 낙타가 나타나기 시작한다. 복뎅이는 동물원에서 말고는 낙타를 처음 본다고 지나가는 낙타마다 '카멜, 카멜' 외치며 어린 아이처럼 좋아한다. 덕분에 오르나는 낙타가 영어로 카멜이라는 것을 확실히 외게 되었다.

새로 난 풀로 아주 연한 초록빛이 된 산등성이도 보이고, 사막을 배경으로 울퉁불퉁한 돌산이 멋있게 솟아 있는 것도 보인다. 가나도 이쪽 길은 처음이라면서 지형지물을 눈여겨보며 메모를 한다. 벌판에는 새끼양, 새끼염소, 망아지는 물론 이따금 어미와 같이 있는 새끼낙타도 보인다. 지금이 새끼 낳는 시즌이라는데, 부드러운 풀을 넣은 가죽주머니에 방금 낳은 새끼들을 주워담는 목동들의 모습이 이채롭다.

게르가 몇 채 모여 있는 마을을 지나는데, 아프카가 가나에게 묻는다.

"몽골에서도 배구를 하나요?"

"배구요? 몽골에는 그런 것 없어요."

"그럼 저기 보이는 배구 코트 그물은 뭐예요?"

가나와 오르나, 바트나상은 잠시 어리둥절하다가 와 하고 웃음을 터뜨린다. 바로 그때 올가미를 가지고 다니며 말을 모는 청년이 말들을 배구 코트 그물에 매는 것이 보인다. 배구 코트같이 생긴 그 그물은 말을 붙들

길가에는 우리네 서낭과 비슷한 오보가 있어 지나는 사람마다 치성을 드린다.

어 매두는 곳, 즉 몽골식 말죽거리였다.

해가 지니 곧 어둠이 깔리고 추워진다. 우리의 요리사 오르나와 가나는 냄비를 꺼내 식사준비를 하고 나와 복뎅이와 바트나상은 짐승 똥 헌팅에 나섰다. 헌팅이랄 것도 없이 발에 차이는 것을 주워담으면 된다. 복뎅이는 똥을 어떻게 만지나 하는 표정으로 내가 하는 양을 가만히 살핀다. 아프카는 환경보호자이긴 하지만 오지여행은 초보니까 그런 반응을 보이는 건 당연하다.

나는 검은 색의 축축한 똥보다는 짙은 갈색의 마른 똥을 골랐다. 빈대떡만한 마른 소똥도 보이는 대로 옆구리에 끼었다. 마른 똥이기 때문에 아주 가벼울뿐더러 묻지도 않고 냄새도 나지 않는다. 너겟 모양의 새까만 말똥은 예쁘기까지 하다.

복뎅이는 아무렇지도 않게 똥을 들고 다니는 나를 신기하다는 듯 바라보기만 할 뿐 따라하지는 않는다. 바트나상은 주워 온 똥으로 따뜻한 군불을 만들어주는데, 화력이 아주 세고 냄새는 거의 없다.

사방에 널려 있는 이 천연 연료는 다 좋은데 너무 빨리 타는 게 흠이라면 흠이다. 사막 여행을 하는 동안 저녁마다 이렇게 소똥, 말똥 캠프 파이어를 했다.

첫날에는 똥을 그야말로 똥 보듯 하던 복뎅이도 다음날부터는 제가 더 신이 나서 주워온다. 나무나 연료를 때지 않고 이렇게 하는 것이 얼마나 자연스러운 일이고 환경을 위해서도 좋은 일인가 깨달은 모양이다.

여기 몽골의 가축들은 짐승 중에서 가장 행복한 일생을 살고 있다고 해야겠다. 고기와 우유만을 위해 평생 갇혀 지내야 하는 선진국의 사육장 동물과는 비교할 수가 없다. 가고 싶은 대로 천지를 내 집처럼 돌아다니고, 배부르게 먹을 풀이 지천이고, 깨끗한 공기에 주인들의 끔찍한 보살핌과 사랑을 받으니 축생으로서는 최고가 아닌가. 그러니 그런 동물은 똥조차 더럽지가 않다.

아침 일찍 일어나니 산 능선 사이로 떠오르는 붉은 해가 아름답다 못해 경외심을 불러일으킨다. 산세가 수려한 것도 아니고, 아기자기한 아름다움이 있는 것도 아닌 고비 사막 가는 길, 그 황량한 벌판에서 나는 우리가 살고 있는 이 행성이 얼마나 아름다운 곳인가를 뼈저리게 느낀다.

가도가도 비슷한 경치인데 전혀 싫증이 안 나는 것은 왜일까. 만약 텔레비전에서 이런 장면이 계속 이어진다면 몇 분이나 견디다가 체널을 돌려버릴까. 이불과 슬리핑 백으로 쿠션을 만들어 가장 편안한 자세로 차를 타고 가면서 이런 사막경치에 넋을 놓고 있다.

아침에 떠난 지 두세 시간이 되어 게르가 나타난다. 그 앞에 차를 세우니 집 지키던 개가 죽어라고 짖어댄다. 마침 염소와 양을 데리고 나가려던 게르 주인이 반갑게 우리를 맞이한다. 가나에게 아는 사람이냐고 물었더니 고개를 젓는다.

주인의 인도로 집에 들어가니 서른 살쯤 되어 보이는 여자가 얼른 수태차와 과자를 내온다. 가나와 바트나상은 길에 대해 묻는 것 같고 오르나는 여자에게 이곳에 바람이 얼마나 부는지, 앞으로 집을 어느 쪽으로 옮길 것인지 등을 묻는 것 같다.

아직 잠에서 덜 깬 서너 살 된 어린아이가 일어나자마자 수태차 한 잔을 마신다. 1년이면 서너 번 이동을 하는 전형적인 사막 유목민인데도 침대며 의자며, 옷을 넣어두는 나무상자 등 세간살이가 번듯하다.

아침부터 주인 부부가 내놓은 코담배를 피우고 보드카와 수태차를 마신 다음 길을 떠났다.

"베에르따이(안녕히 가세요)."

배웅하는 이들의 웃는 얼굴이 그들이 키우는 양보다 더 순해 보인다.

몽골에서는 손님을 아주 귀하게 여기며 환대를 한다고 가나가 이야기해 준다. 그래서 긴 여행을 하는 사람이라도 먹고 잘 걱정은 전혀 하지 않는다는 것이다. 아무 게르나 들어가서 자기 집처럼 지낼 수 있을 뿐만 아니라 주인의 행동이 조금만 굼떠도 왜 이렇게 밥이 늦느냐, 마실 것이 늦느냐, 장난삼아 호통까지 칠 수 있다고 한다.

한국의 매서운 봄바람은 고비 사막에서 불어온 모래바람이라더니, 지난밤에는 차가 뒤집힐 정도로 세찬 바람이 부는 곳에서 잤다. 밤새 바람이 그치지 않는다.

아침에 성에가 잔뜩 낀 창 너머로 바다와 같이 편편한 벌판에서 솟아오르는 해를 보았다. 새벽잠이 많은 내가 보통때는 일 년에 한두 번도 볼까 말까한 일출을 여기 고비 사막에서는 매일 아침 본다.

얼마쯤 가니 신기루처럼 작지만 아름다운 호수가 나타난다. 이 예상치 않은 보너스를 충분히 즐기려고 호숫가에 차를 대놓고, 아끼고 아끼던 커피를 끓여 마시면서 느긋한 시간을 보냈다.

두세 시간을 가야 겨우 사람 구경을 할 수 있을까 말까 한 황야에서 바람에 흔들리는 차 안에 옹기종기 들어앉아 커피를 마시고 있자니 옆에 있는 사람들이 아주 가깝게 느껴진다. 거친 환경을 함께 넘는 사람들에게서 생기는 진한 연대감이란 게 이런 것일까.

'고비 맨'이 보여준 고비의 신비로운 속살

오늘은 이번 여행의 하이라이트인 모래산을 볼 수 있다고 가나가 말한다. 바깥 풍경은 이제 완연한 사막이다. 말의 수는 점점 줄어들고 낙타가 더 많이 눈에 띈다. 야생 사슴 구르스는 어디를 저렇게 뛰어가는 걸까.

바람을 막아 주는 언덕 밑, 겨울용 천막촌에 이사가 버린 빈 집과 축사들이 이따금 눈에 띈다. 산등성이에 감돌던 초록빛은 조금씩 짙어진다. 고비 사막의 봄은 이렇게 오고 있다.

사방이 잘 내려다보이는 언덕 위에서 점심을 해 먹고 우리는 지도를 살폈다. 나와 아프카는 아무리 들여다봐도 모르겠고, 가나와 바트나상도 고개를 갸우뚱거리며 한참을 이야기한다. 3일이나 달려왔으니 이제 우리가 찾는 높이 2, 3백 미터의 거대한 모래 언덕이 근처에 있을 텐데.

우리들로서는 어느 방향으로 가는지, 또 얼마나 더 가면 나타나는지 도저히 감이 잡히지 않아 언덕 아래 있는 게르에 물어보러 갔다.

대여섯 명 식구가 3미터쯤 되는 깊이의 우물에서 얼음을 꺼내며 청소를 하고 있다가 기다렸다는 듯 우리를 반갑게 맞는다. 물론 이들도 모르는 사람들이다. 집 안으로 들어가 수태차를 한 잔씩 마시고 코담배를 흡입하고, 보드카를 한 잔씩 마신 다음, 길을 물으니 아저씨가 대뜸 그러시는 게 아닌가.

"길을 설명해줄 수는 있지만 우리 마을에 와서 길을 잃게 할 수는 없는 일이니 내가 따라 나서리다."

너무나 황송한 일이다. 고감도 더듬이가 있는 바트나상도 이곳은 초행이라 길을 잃기가 쉬운데 함께 가주신다니 얼마나 잘 된 일이냐.

고비 사막에서 평생을 살았다는 이 '고비 맨' 할아버지와 함께 지도에는 80킬로미터 거리라고 표시되어 있는 길을 4시간 정도 달렸다. 달리는 길 왼쪽으로 보이는 경치가 정말 아름답다. 맨 뒤에는 까만색의 돌산이 턱 버티고 있고, 그 앞에는 커피믹스색의 모래 언덕들이 꼬리에 꼬리를 이으며 우리 차를 따라 달린다. 그 앞으로는 황금색의 모래 사막이 띠를 두른 듯 둘려 있다.

낙타를 타고 모래 언덕 사이를 오가는 사람들도 심심치 않게 보인다. 이런 모래 언덕이 1백20킬로미터 정도 계속되어 중국에 이른다는 고비 맨의 설명을 듣고 깜짝 놀랐다. 지도를 펴보니 정말 우리는 어느새 중국과 아주 가까이 와 있다.

드디어 고비 사막 여행의 하이라이트라는 아주 멋있는 모래 산맥 앞에 내렸다. 바람이 지나간 자국이 빗자루로 쓴 듯, 혹은 잔잔한 물결인 듯 아름답게 나 있는 높이 1백 미터 정도의 모래산들이 끝없이 이어지고 있다. 저런 산들을 직접 올라가보아야지 그저 보고만 갈 수는 없는 일이다.

낙타를 처음 보았다는 아프카는 말할 것도 없고, 사막에 난생 처음 와보는 오르나는 너무 좋아 입이 찢어질 정도다. 해가 질 때쯤 도착했기 때문에 시시각각 음영이 달라지는 모래산이 태고적 신비가 저런 것일까 하는 생각까지 들게 한다.

우리는 낑낑대며 꼭대기로 올라갔다. 바람이 몹시 불고 발이 자꾸 빠지지만 조금씩 영화의 세계로 들어가는 듯 황홀하기만 하다. 그리고 어느 순간 눈 앞으로 멀리 수없는 모래 능선들이 펼쳐진다. 능선들은 곧 파도가 되어 출렁거린다. 사막의 바다다. 우리는 해가 질 때까지 모래 언덕에 앉아 시시각각으로 변해가는 신비롭고 경이로운 광경을 만끽했다.

우리가 이러고 있는 사이에 고비 맨은 사막 모래 사이사이에 난 풀포기의 새순을 뜯고 있다. 새로 태어난 양이나 염소 먹일 것이란다. 모래 언덕을 내려올 때 엉덩이를 대고 손으로 스키타듯 내려오는데 빽빽빽, 참다가 그만 터져버린 방귀소리 같은 것이 나는 게 신기하다.

돌아오는 길에 고비 맨은 어린아이처럼 즐거워하는 우리들을 보고 더 즐거워하면서 흥이 나서 몽골 민요를 목청껏 부르기 시작한다. 가나와 바트나상이 당장 다음 소절부터 추임새를 넣으며 따라 부른다. 무슨 내용인지는 모르겠지만 그 가락과 장단이 귀에 설지 않다.

가나는 아주 저음으로 가래 끓는 소리 같은 것을 내고 있는데 처음에 나는 우리 차 카세트가 잘못되어 나는 소리인 줄 알았다. 이런 소리는 배 힘과 목구멍 안쪽에서 나오는 것으로 흐미라고 한다는데, 꼭 고장난 앰프에서 웅웅거리는 소리 같다. 나와 아프카가 마치 그 곡을 알고 있었다는 듯 흥얼거리니까 아저씨들은 더 신이 나서 어깨춤까지 출 기세다.

돌아오는 길은 달도 없는 깜깜한 밤인데다 근처에는 사람 사는 흔적이 없어서 그날 밤은 고비 맨 집에서 하루 묵어가기로 했다. 자칫하면 길을 잃고 사막 한가운데로 들어가버릴 수도 있기 때문이다.

밤 12시가 다 되어서야 고비 맨 집에 다다랐다. 이렇게 늦게 돌아가서 식구들이 걱정하겠다니까, 그렇지 않다면서 자기가 이 동네를 손바닥 보듯 빤히 알고 있는 줄 식구들이 다 알고 있다는 것이다.

내가 가나의 통역으로 고마운 아저씨에게 물었다.

"이렇게 외진 곳에 살면 아플 때 병원에 어떻게 가나요?"

"우린 안 아파요. 매일 깨끗한 공기 마시고, 우유와 고기로 잘 먹고 사는데 뭐 나쁜 게 있어야 병이 나지요? 가을에 다시 오면 같이 사냥갑시다. 여기에는 이런저런 동물들이 많다우."

고비 맨은 집이 두 채 있는데 우리는 그 중 새 천막으로 안내되었다. 어둠에 익숙해지니 집 안 모습이 눈에 들어오는데 침대며 수납장, 그림이며 이부자리가 다 새것이다. 1년 반 전에 장가들인 아들네 집이란다.

몽골인과 에스키모는 남자 손님이 오면 아내를 빌려주는 진기한 풍습이 있다고 들어서 그런 풍습이 아직 남아 있을까 은근히 기대했다. 가나

고비 사막 가는 길: 어느 마을 앞 풍경

는 부인과 같이 왔으니 안 되고 총각인 바트나상에게 말이다. 그러나 그런 기색은 전혀 없다. 아직도 그런 풍습이 남아 있는지 궁금해진 내가 가나에게 슬쩍 물어보니, 폭소를 터뜨리며 옛날 옛적 이야기라고 한다.

참 세상은 가지가지다. 외간남자와는 눈도 마주쳐서는 안 되는 회교 문화권이나 남녀칠세부동석을 외치는 유교 문화권이 있는가 하면 손님에게 아내를 내주는 곳도 있으니 말이다.

나는 아주 어렸을 때 에스키모가 아내를 빌려준다고 해서 '아, 얼음집 안이 몹시 추울 테니 여자를 안고 자면 좀 따뜻하겠다.' 하고 아주 순진하게 생각했었다.

그러다가 우리에게는 아주 이상해 보이는 이런 풍습이 극한 상황에서의 너무나 처절한 종족보존책이라는 사실을 나중에 알았다.

에스키모나 몽골의 유목민들은 아주 외진 곳에 살았기 때문에 근친혼이 불가피해서 비정상적인 아이들이 많이 생겼다는 것이다. 그래서 외부에서 누가 오면 그 사람의 '씨'를 받아 종족의 열성화를 막으려 했다는 이야기를 읽은 적이 있다. 그런 주장에 수긍이 갔다.

한 나라의 문화와 풍습은 이렇게 나름대로 충분한 이유가 있는 것이니 우리 상식으로 이해가 가지 않는다고 해서 함부로 틀렸다거나 나쁜 것으로 몰아붙일 수는 없는 일이다.

먼길을 따라오며 길 안내를 해 주고, 하룻밤 묵게까지 해 준 것이 너무나 고마워서 떠나기 전에 가족사진을 찍어 나중에 보내주겠다고 했더니 모두들 아주 좋아한다. 가족 일동은 갑자기 분주해져서 모두 몽골 전통의상인 델을 꺼내입고 나타난다.

몇 장은 집안에서 가족을 전부 찍고, 몇 장은 집 밖에서 고비 맨과 손자들, 또 고비 맨 아들과 그 식구들을 찍었다. 물론 나와도 찍었다. 가나가 관광시즌이 되면 여기 자주 올 테니 이 귀한 컬러 가족사진이 전해지는 것은 시간문제일 것이다.

눈이 예쁜 낙타를 타고 사막 속으로

고비 맨은 내가 시골만 골라 다니며 민박여행을 한다는 이야기를 듣고 대뜸 그럼 자기네 집에서 지내라고 한다. 여기는 사막이지만 물이 흔하고 낙타도 몇 마리 있어서 낙타 젖도 늘 넉넉하단다. 나더러 다른 일을 못하면 아침저녁으로 낙타 똥만 주워와도 밥은 먹여줄 거라며 농담 반, 진담 반으로 나를 잡는다. 그러면서 묻는다.

"한국에도 낙타가 있지요?"

"없어요."

"한 마리도?"

고비 맨은 여간 놀라는 표정이 아니다. 그럼 낙타는 한 번도 타보지 못했겠다고 하더니 내 대답은 듣지도 않고, 말 나온 김에 자기네 낙타를 타고 오늘 하루는 사막을 한바퀴 돌자고 한다.

중국 타클라마칸 사막을 여행할 때 낙타타고 사막횡단을 하지 못한 아쉬움이 있었는데 낙타를 타고 돌아보는 고비 사막이라! 정말 그럴 듯한 이야기다. 그렇지만 일정이 늦어질 것 같아 일행을 돌아보니 모두 웃으면서 고개를 끄덕인다. 몽골에서 태어나서 고비에 처음 온 오르나도, 난생 처음 낙타를 타보게 되는 아프카도 기쁨을 감추지 못한다.

"바야를라, 바야를라, 고비 맨(고비 맨 아저씨 고맙습니다)."

마침 낙타가 네 마리 있어서 임시 가이드인 고비 맨과 여자 셋이 탈 수 있게 되었는데, 겁이 많은 오르나는 한 번 타보더니 질색을 하고 자기는 타지 않겠단다.

무릎을 꿇은 낙타가 일어서려고 앞다리를 펼 때는 꼭 앞으로 떨어질 것 같기만 하다. 그런데 고비 낙타는 봉 사이에 앉을 수 있는 쌍봉이기 때문에 외봉 낙타를 타는 것보다는 훨씬 안정감이 있다. 낙타 털은 보기보다 상당히 푹신하다.

낙타를 탄 한 남자와 두 여자, 그리고 끝없이 펼쳐진 모래 벌판. 동네 한 바퀴라고 해서 두어 시간 정도나 돌까 생각했었는데 땅이 넓은 고비 사람들의 한 바퀴는 완전히 하루 종일이다.

우리가 낙타를 타고 지나가면 무리지어 있던 다른 집 낙타들이 우리를 쳐다보는 듯 한참 동안 얼굴을 일제히 우리 쪽으로 돌리고 있다. 태어난지 얼마 되지 않은 낙타도 저 사람들이 누군가 하고 갸우뚱 쳐다본다.

황무지에 풀포기만 듬성듬성 난 사막을 지나서 높이 30미터쯤 되는 모래 언덕을 지나니 가시가 많은 덤불이 무성한 곳에 이른다. 멀리 하얀 돔 모양의 게르가 보인다. 이런 사막 한가운데 사람이 어떻게 사나 했는데 아니나다를까 맑은 물이 괴어 있는 물웅덩이가 나타난다. 주위에 가시덤불로 울타리를 친 것을 보니 사람이 마시는 식수인가 보다.

이 근처에 사는 사람들은 이렇게 아무런 지형지물 없이도 사막 속에 숨어 있는 물웅덩이의 위치를 아주 정확하게 알고 있다. 고비 맨이 가시덤불을 넘어가 그냥 엎드려서 물을 마시는 것을 보고 미처 컵을 준비하지 못한 아프카와 나도 그렇게 따라 했다.

고비 맨은 우리가 타고 온 낙타들도 근처 다른 물구덩이로 데려가 물을 먹인다. 고비 맨은 낙타들을 얼마나 예뻐하고 아끼는지 사랑하는 애인 대하듯 한다. 물을 다 먹이고 낙타를 데리고 오는 고비 맨의 입술 양쪽 끝을 잔뜩 올리고 웃는 미소가 낙타의 얼굴과 너무 비슷하다. 그동안 낙타를 여러번 타보았지만 그날 자세히 보니 낙타는 가만히 있어도 웃는 상이다.

그래서 우리는 고비 맨 집에서 하루를 더 묵게 되었다. 그날 밤은 고비 맨의 낙타 칭찬 이야기로 깊어갔다. 이 세상에서 가장 유용하고 좋은 동물이 낙타라고 자신있게 말하는 것이다.

젖과 고기를 주지, 털을 주지, 타고 다닐 수 있지, 사막에서 물 없이도 잘 견디지, 짐도 잘 나르지, 유순하지, 새끼 잘 돌보지, 똥은 연료로 쓰이지, 뭐 하나 버릴 것이 없을뿐더러 사막에서 사는 데 필요한 모든 것을 주는 아주 고마운 동물이라는 것이다. 낙타없이 사람이 어떻게 사막에서 살 수 있겠느냐며 덧붙이는 말이 재미있다.

"낙타는 얼굴도 아주 예쁘잖아요. 특히 눈이 말이에요."

동물예찬도 이만하면 거의 아첨에 가깝다. 그 말을 듣고 낙타의 눈을 들여다보니 아닌게아니라 참 예쁘다. 눈썹도 길고(눈에 들어오는 모래를 막기 위해서다.) 물기 촉촉한 새까만 눈알이 아주 맑다.

그런데 고비 맨의 이런 낙타 예찬은 티베트 사람이 야크에 대해 하던 말과 너무나 흡사하다. 티베트에서는 야크가 이 세상에서 제일 쓸모있는 고마운 동물이라고 했다. 아니, 그뿐이 아니다. 소로부터 필요한 모든 의식주의 원료를 얻어내는 아프리카의 마사이족은 소를 최고로 여겼다. 중동같이 양이나 염소를 주로 키우는 곳에서는 또 양과 염소가 그랬다. 남미

'고비 맨' 이 사는 게르와 그가 기르는 가축들

의 고산지대에서는 야마가 그런 대접을 받고 있었다.

모든 유목민들은 자기들이 키우는 동물에 대해 모두 비슷한 감정을 가지고 있다는 것을 여행 다니면서 알게 되었다.

비단 동물에 대해서만 이런 상호의존적이고 고마운 감정을 느끼는 것은 아니다. 우리에게는 쌀이 그런 것처럼 보리나 밀, 옥수수, 감자, 야자, 대나무 등이 그것에서 필요한 것들을 얻는 사람들에게는 가장 고마운 식물이 된다.

이렇게 우리가 미개하다고 여기는 세계의 오지에서는 자연에서 얻는 모든 것에 항상 고마워하며, 서로 해치지 않고 친하게 지내고 있다. 실은 그게 가장 현명한 삶의 방식이 아니겠는가.

그런 현명한 삶 속에서 고비 맨은 무한한 행복을 느끼고 있다는 것이 한눈에 드러나 보인다. 고비 맨의 넘치는 행복감을 보면서 우리 '문명인' 은 뭔가 아주 중요한 것을 잃어버리고 있는 게 아닌가 하는 생각이 든다.

뜻밖의 낙타여행 때문에 얼굴이 익어 화끈거리고, 낙타의 느린 움직임에 몸을 맡기느라 허벅지 안쪽이 얼얼하고, 허리도 아프다. 그러나 고비 맨의 낙타예찬과 어우러진 이 여행이 내게는 고비 여행에서 하이라이트 중의 하이라이트였다.

'사이 후르틀레 고비 맨(고비 맨 아저씨, 따뜻한 대접 잘 받고 갑니다).'

내 피에 흐르는 유목민의 방랑기

말을 타고 몽골 벌판을 달리는 장쾌함이여!

양 한 마리 잡는 게 라면 끓이듯 간단해

"나 오늘 친정 가는데 같이 가요."

고비 사막에서 돌아온 다음날 아침 일찍 오르나가 자는 나를 깨운다.

"어디인데요?"

"여기서 기차 타고 2시간만 가면 돼요. 가서 이틀만 있다 와요."

"시골이에요?"

"비야씨 또 시골 타령. 몽골은 울란바토르만 벗어나면 다 시골이에요. 우리집도 물론 시골이고요."

"그렇다면 오케이!"

다음에 갈 호수 여행은 고비 사막보다 훨씬 어렵고 험한 길이라 자동차 정비를 단단히 하기 위해 바트나상이 적어도 이틀간의 말미가 필요하다고 했다. 그래서 나는 이틀 동안 뭘 할까 생각했었는데, 잘 되었다.

오르나와는 고비 사막 여행 이후 영어를 배우고 가르치는 '사제의 정'을 넘어 여행의 고락을 같이한 '동지의 정'까지 싹터 더 가까운 사이가 되었다. 부모님에게 드릴 선물로 초코파이 두 상자와 보드카 한 병을 준비해 시골로 향했다.

오르나가 게르에 들어서니 친정 부모님과 바로 밑 여동생 그리고 남동생 둘이 반갑게 맞는다. 수없이 '세인바누(안녕하세요)'를 나누고 나서 의자에 앉자마자 오르나는 자기가 일주일에 걸쳐 고비 사막을 다녀왔다고 뻐기면서 여행에서 찍은 사진과 고비 사막 엽서들을 보여주느라고 얼굴이 다 벌개질 정도다. 식구들은 빙 둘러앉아 사진을 들여다보고 감탄하거나 부러운 듯이 무언가를 자꾸 물어본다.

부모님은 오르나가 사막에 갔다는 것보다는 나하고 영어로 말하고 있는 것이 더욱 신기한가 보다. 사실 우리는 아직도 서로의 말을 거의 눈치로 때려 맞추고 있지만 내막을 알 길 없는 부모님은 딸이 얼마나 기특하고 대견했을까. 오르나는 여행 갔다 온 것과 새로 사귄 친구를 자랑하고 싶어 친정에 온 것 같다. 어쨌든 가족들의 그런 화기애애한 분위기가 참 따뜻하게 느껴진다. 오르나의 수다가 대충 끝나자 어머니는 아버지에게 큰딸 친구가 왔는데 뭘 하고 있느냐면서 양을 한 마리 잡게 한다. 순식간에 양 한 마리가 해체되어 고기 따로, 껍질 따로, 내장 따로가 된다.

껍질은 밖에 걸어놓고 내장은 한동안 끓여서 간이며 허파 등을 솥에서 그냥 건져 먹고, 갈비는 토막내서 간식으로 내온다. 양을 잡고 삶아서 내오는 과정이 마치 인스턴트 식품 다루듯 간단하다.

낮에 오르나는 우리집에 왔으니 낙타 대신 말을 타고 동네를 한바퀴 돌자며 마구간에서 말을 두 마리 끌고 나온다. 전통의상인 델을 입고 전통 신발인 구달을 신은 품이나 일하는 모습이 어찌나 자연스러운지 울란바토르에서 보던 오르나가 아니다.

도시에서 봤던 오르나는 시키는 일이나 하는 수동적이고 부끄러움이 많은 사람이었는데, 시골에서의 오르나는 능동적이고 당당하다. 친정에 왔다는 편안함도 있겠지만 도시에서는 자기가 하는 집안일이 돈을 버는 남자에 비해 덜 중요하다고 생각하기 때문일 것이다. 시골에서는 하나부터 열까지 하는 일 모두가 생산적인 것들이라 집안일을 하는 여자들에게서도 중요한 일을 하고 있다는 당당함이 엿보인다.

오르나네 역시 여자와 남자의 역할 경계가 없는 듯하다. 여자도 말을 타고 다니며 가축을 돌보고, 남자도 식사 준비나 설거지를 하고 아이까지 돌본다. 세계의 반을 호령했던 칭기즈 칸의 후예들이라 남성의 지위가 여성보다 훨씬 우위일 거라고 지레짐작했었는데 전혀 그게 아니다.

오르나는 함께 말을 타고 가다가 어떤 조그만 학교를 보여준다. 그곳이 남편인 가나를 만난 곳이란다. 가나는 사범학교를 갓 졸업한 화학선생님이었고, 오르나는 서무과 직원으로서 알게 되었다고 한다. 그 학교는 이 부부의 사랑의 고향인 셈이다.

말을 타고 동네 야산과 언덕을 돌며 산책한 것까지는 좋았는데 오르나 집이 가까운 곳에서 개 때문에 큰 봉변을 당할 뻔했다. 그 순간을 생각하면 지금도 등골이 오싹하다.

어느 게르 앞을 지날 때다. 갑자기 그 집 개 두 마리가 쫓아나오더니 내가 타고 있는 말 앞에서 이빨을 드러내며 으르렁대는 게 아닌가. 낯선 말이 나타나서겠지만 오르나 말은 상대도 않고 나에게만 집중공격이다. 말은 겁이 났는지 아니면 공격할 자세를 취하는 것인지 앞발을 들며 몸부림을 쳤고, 그 바람에 나는 쥐고 있던 고삐를 놓치고 말았다.

내가 너무 놀라고 다급해서 본능적으로 몸을 낮추며 고삐 대신 갈기를 꽉 잡으니까 말은 더욱 놀라서 거의 직각으로 몸을 올렸다 내렸다 하며 뒷발질을 해서 나를 떨어뜨리려 한다. 그 순간 갈기를 놓으면 절대로 안 된다는 생각이 스쳤다. 만약 놓으면 날뛰는 말발굽에 치여 갈비뼈가 부러지든지 늑대처럼 사납게 짖고 있는 두 마리 개에게 물려 중상을 입을 것 같았기 때문이다.

말갈기를 결사적으로 잡고는 있었지만 금방이라도 떨어질 것 같아 말 위에서 이리 쏠리고 저리 쏠릴 때마다 비명을 지르니까 사람들이 삽시간에 모여든다. 나보다 더 놀란 오르나가 큰 소리로 도움을 청하는 것 같더니 청년 하나가 개를 쫓아버리고는 움직이는 말에서 내가 놓친 말고삐를 잡아 용케도 말을 진정시키는 데 성공했다.

내가 고삐를 놓친 순간부터 그 청년이 그 고삐를 다시 잡을 때까지 실제로는 아주 짧은 시간이었겠지만 내게는 너무도 긴 시간이었다. 10년까지는 아니더라도 적어도 2년은 감수한 것 같다.

낮에 잡은 양고기로 푸짐한 저녁을 먹으면서 본격적으로 식구들의 이름을 물어보았더니 이미 내가 알고 있는 이름이 많다. 여동생 이름은 사라, '달' 이라는 뜻으로 오르나의 아홉 살짜리 딸과 같은 이름이다. 오르나 어머니의 이름은 나라, 이것은 '해' 라는 뜻으로 에르드네트의 민박집 친척 처녀 이름과 같다. 남동생 이름은 '쇠' 라는 뜻의 가나이고, 막내 남동생은 바토르다. 울란바토르가 '붉은 영웅' 이라는 뜻이니 바토르는 '영웅' 이다. 역시 가나의 게스트 하우스에서 일하는 사람 이름과 같다.

이게 무슨 우연인가 신기해서 뒤에 '울란바토르의 가나' 에게 물어보니, 몽골 이름은 그처럼 다양하지 못하다는 설명이다. 보통 남자아이에게는 호랑이, 맹견, 사자 등 맹수나, 쇠와 같은 무기의 이름이 많고, 여자들은 '손끝이 야문', '늘 도움을 주는' 등 미덕이나 총명 따위를 나타내는 단어, 혹은 보석 이름 등으로 짓는단다.

그런데 몽골 사람들은 성이 없다. 보통 아버지의 이름에 자기 이름을 붙여 쓴다. 가나의 아들이 보르톡이니 그 정식 이름은 가나 보르톡이고 그 아들이 또 아들을 낳아서 바토르라고 이름을 지으면 그 이름은 보르톡 바토르가 된다. 그래서 이름만 가지고는 조상을 따져볼 수가 없단다.

그러나 얼마 전까지만 해도 아버지 성을 물려받는 풍습이 있었고, 그것을 기록한 족보도 체계적으로 잘 보존되어 왔다는 것이다. 그런데 공산혁명 이후 구 소련의 조정을 받은 몽골 정부가 1925년부터 성을 물려받는 제도를 폐지해 버렸단다.

몽골족의 기상을 꺾어놓기 위한 수단 중의 하나였다는데, 인간에게 가장 기본적인 혈연관계의 끈을 없애버리면 개개인으로 흩어져 힘없는 집단으로 전락하고 만다는 것을 공산주의자들은 잘 알고 있었던 모양이다. 식민지배는 이렇게 무서운 것이다. 다행히 러시아가 물러난 지금은 잃어버린 성(姓)찾기 운동이 활발히 벌어지고 있다고 한다.

'중국은 무조건 싫고, 한국이 좋아요'

5일간의 호수 여행을 떠났다. 이번에는 전과 같은 홍정도 회유도 없이, 러시아로 떠난 아프카만 빠진 예전 멤버들이다. 그런데 떠나려는 날 새벽

또다른 '복뎅이' 가 나타났다. 이번에는 애니라는 미국 여대생인데 호수 여행에 동행하겠느냐니까 두말 없이 그러겠단다. 그래서 우리는 이 아이를 '복뎅이 투' 라고 불렀다. 우리가 가는 곳은 테르린 찻간 호수. 숲과 초원, 산과 골짜기, 호수와 강 등 몽골의 북쪽 정취를 한껏 맛볼 수 있는 곳이다. 주위에 삼림이 우거진 아름다운 곳이라고 한다.

몽골 하면 사막과 초원으로만 이루어졌을 거라고 생각하기 쉬운데 실은 이곳은 다양한 지형을 가지고 있다. 놀랍게도 지리학자들은 몽골을 산악국으로 분류한다. 북부는 울창한 삼림과 호수와 강이 있고 중서부는 산맥이 가로 놓여 있다. 남부에 있는 고비 사막은 전 국토의 2퍼센트밖에 차지하지 않으며, 동부 대초원이 25퍼센트를 차지한다.

오는 도중에 카라코룸도 들러 오기로 했다. 우리 팀은 지난번의 경험을 바탕으로 차질없는 먹거리와 침구를 준비했다. 이제 나도 몽골 여행의 베테랑이 되어간다.

방향은 정확히 북서쪽. 제2의 도시로 가는 길이라 그런지 적어도 네댓 시간 동안은 포장도로에 세워진 전봇대와 나란히 달리는 것이 고비 여행 때와는 전혀 다르다. 여기서는 말을 타거나 모는 사람, 긴 장대인 오르가로 무리를 이탈한 말을 다스리는 사람들을 흔히 볼 수 있다. 고비에는 희미하게나마 봄을 알리는 초록색이 감돌았는데 여기는 아직 하얀 눈 벌판에 말들이 검은 점으로 두드러지는 한겨울이다.

곳곳에 러시아가 포기하고 가버린 집단 농장의 흔적들이 눈에 띈다. 드넓은 밀밭이 한 고랑은 진한 색, 한 고랑은 연한 색으로 기하학적 무늬를 이루고 있다. 아닌게아니라 수백 년간 천연비료로 비옥해진 이곳에 겨울 혹한과 봄의 강풍을 피해 농업을 일으킨다면 상당한 소득이 있을 것 같다. 유목생활을 해 온 사람들을 어떻게 설득해 주저앉히느냐가 관건이겠지만. 들판에는 죽은 말과 양들이 심심치 않게 눈에 띈다. 굶어죽은 것이라는데 겨울의 끝, 특히 새로운 풀이 나기 직전인 눈이 많이 오는 요즈음이 가축에게도, 사람에게도 아주 힘든 시기라고 한다. 우리의 춘궁기처럼 여기는 동궁기(冬窮期)가 있는 모양이다.

가나는 영어를 열심히 배우고 있는 오르나에게 영어보다는 내가 있는 동안 한국말을 배우는 것이 좋지 않겠느냐고 한다. 지금 몽골에서는 한국 붐이 일고 있다면서 자기 아들, 딸은 영어는 물론 꼭 한국말을 가르칠 거란다. 몽골 대통령의 딸도 한국에 유학을 하지 않았느냔다.

"러시아 사람들은 지난 50년 동안 우리가 당하고만 살아서 치가 떨려요. 이웃 나라 중국은 무조건 싫고요. 공장도 지어주고 굵직한 사업을 벌이는 일본인들은 그 저의가 뭘까 의심이 되지만 한국 사람들은 왠지 마음이 편하고 믿음직해요."

가나도 본격적으로 한국어를 배워볼까 해서 한국 교회에 갔단다. 그런데 전재산을 팔아 교회에 헌납해야 '휴거' 할 수 있다는 설교를 듣고는 기겁을 해서 더이상 나가지 않는단다. 그 이야기를 듣고 내가 좀 당혹스런 표정이 되었던지 금방 토를 단다.

"그런 사람들은 어디든지 있잖아요. 그것 때문에 한국 사람들 모두 다 이상하다고 생각하는 사람은 없어요. 좋은 일을 더 많이 하잖아요. 연세 의료원이라든지 말이에요."

날씨도 춥고 눈이 많이 와서 솔직히 호수 여행은 지난 번 고비여행보다 재미가 덜한데, 처음 오는 애니에게는 무엇이든지 신기하기만 한 모양이다. 벌판에 수두룩한 동물들도, 차 안에서 음식을 해 먹거나 잠을 자는 것도, 가나나 바트나상이 차만 타면 부르는 몽골 민요도 신기해서 죽는다.

나는 이 아이의 버릇이 더 신기하다. 애니는 잘 때 속옷을 포함한 모든 옷을 다른 옷들로 갈아입는다. 아침에 일어나면 또 입고 잔 것을 다 벗고는 어제 입었던 옷으로 다시 갈아입는다. 왜 그러느냐고 했더니 낮에 입었던 옷을 그대로 입고 자면 께름칙해서 잠이 오지 않는단다.

하기야 애니의 이런 '번거로운' 버릇은 내가 만난 다른 희한한 여행자의 버릇들에 비하면 특이한 축에도 끼이지 못한다.

중국 샤허에서 만난 브라질 여자 콘셉시온은 아침에 눈을 뜨자마자 일단 눈썹을 그려야 한다. 한 번은 꼭두새벽에 버스를 타느라 시간이 촉박한데, 전깃불도 없는 여관방에서 손전등을 꺼내놓고 눈썹을 그리려고 하는 것이다. 내가 지금 바깥이 깜깜해서 너 눈썹 안 그린 것 아무도 모른다고 해도 막무가내다. 아침에 일어나면 하늘이 두쪽나도 눈썹을 그려야 한다면서.

예전 멕시코에서 만난 키가 크고 몸집도 어마어마한 독일 대학생도 특이했다. 아침에 무언가를 빌리러 그 아이 방에 갔다가 깜짝 놀랐다. 이 람보 타입의 거인이 글쎄 분홍색 아기 곰인형을 안고 자는 것이 아닌가. 나중에 내가 놀리면서 물어보니 그 곰인형은 자기가 여섯 살 때 할머니가 크리스마스 선물로 주신 것인데 그때부터 지금까지 하루도 빼놓지 않고 안고 잔다면서 부끄러워했다.

또 티베트 여행을 같이 한 스웨덴 아이 바올리나는 미용학적인 이유로 얼굴은 사흘에 한 번씩 씻지만 양말은 하루에 두세 번씩 꼭 갈아 신어야 했다. 발에 땀이 많이 나서 그렇다는데 내가 보기에는 양말 갈아신는 중독증에 걸린 것 같았다. 그래서 그 아이의 배낭은 반이 양말일 정도였다.

나와 같이 여행 다녔던 사람들은 내 버릇도 이상하다고 했을 것이다. 내 이 닦는 버릇 말이다. 나는 음식을 먹고 나서나 취침 전후는 물론 시간만 나면 이를 닦는데 여름이 되면 한 시간에 한 번은 닦아야 한다. 특히 더운 나라를 다닐 때는 자다가도 벌떡 일어나 칫솔질을 하니, 가히 중증이라 아니 할 수 없다. 원래는 이가 썩을까 봐 자주 닦았지만 지금은 양치를 하고 나서 느끼는 개운함과 치약의 상큼한 맛 그 자체를 더 즐기는 것 같다. 그 덕에 벌써 몇 년째 스케일링이 필요없어졌지만 대신 과도한 칫솔질에 잇몸이 닳아서 문제가 생기기도 한다.

버릇만큼 가지고 다니는 특이한 물건도 천태만상이다. 티베트에서 같

봄인데도 아직 눈세상. 숙소 주인 부부 가나와 오르나(뒤편).

은 기숙사방을 쓰던 일본 아이는 쟁반만한 자명종을 두 개씩 가지고 다녔다. 자명종 한 개가 울리는 소리로는 도저히 잠에서 깨어날 수가 없다는 것이다.

네팔 히말라야 트래킹을 하면서 만난 영국인 노부부는 가볍고 작게 쌓아야 하는 배낭 안에 장정이 화려한 초대형 앨범을 가지고 다녔다. 시간과 기회가 날 때마다 남들에게 보여주곤 했는데, 가족과 친구들, 애완동물, 결혼 사진, 결혼 전에 주고받았던 연애편지까지 있었다. 내가 보기에는 앨범을 보여주려고 여행을 다니는 사람들 같았다.

사나운 짐승과 마주한 그 짜릿한 긴장감

이틀을 달려서 호수를 보러 왔지만 천지가 눈으로 덮여 있어서 호수로 가는 길을 찾지 못했다. 날이 저물었기 때문에 아침에 다시 오기로 하고 우선 묵을 곳을 찾아나섰다. 그날은 기온이 너무 떨어져 차 안에서는 도저히 잘 수가 없었기 때문이다.

꼬불꼬불 길을 돌아가다가 야크 떼가 길을 막고 꼼짝도 하지 않는 바람에 한참을 기다리게 되었다. 여기는 아직 한겨울이라 그런지 새끼야크나 송아지가 등허리에 거적 같은 것을 두르고 있다. 조끼를 얻어 입은 듯한 그 모습이 얼마나 귀여운지 모른다.

야크 떼가 움직이는 것을 기다리는 사이에 가나와 바트나상은 차에서 내려 야크 떼 주인에게 이 근처에 묵을 만한 곳이 있는가 물어본다. 그 20대 후반의 젊은이는 선뜻 자기 집에서 하루 묵으라고 한다. 나와 애니가 내려, "세인바누" 하고 인사를 하니 외국인이라서 좀 놀란 표정이지만 곧 이를 다 드러내는 함박웃음을 웃으며 "세인바누" 하며 인사를 받는다.

이 순진하고 선량하게 생긴 사람은 그저 싱글벙글이다. 그냥 있어도 웃는 얼굴인데, 정말 웃을 때는 주위를 따뜻하게 해 줄 만큼 밝은 얼굴이 된다. 이런 얼굴을 타고난 것도 참 복이다.

이 아름다운 미소의 아저씨는 그러나, 놀랍게도 근방 동물들에게는 저승사자인 유명한 사냥꾼이란다. 게르가 아닌 시멘트 건물로 된 집에 들어가니 방 안에는 늑대 가죽, 살쾡이 가죽, 그밖에 이름을 알 수 없는 온갖 맹수들의 가죽들이 전리품처럼 전시되어 있다. 마치 시골 박물관에 들어온 기분이다. 아저씨는 엽총 사냥을 하는데 10월, 11월이 사냥철이란다. 보통 늑대를 많이 잡는데 가죽을 도시에 내다팔아 살림에 보탠다고 한다.

내가 물었다.

"사나운 동물들과 맞닥뜨려서 맹수가 노려볼 때 무섭지 않으세요?"

"물론 피가 멎는 것처럼 긴장이 되지요. 하지만 나는 맹수와 내가 일대일이 되는 순간 느껴지는 그 긴장감을 즐기는 것 같아요."

그 말을 하면서도 순진한 웃음을 웃는다.

나도 그런 긴장감을 맛본 적이 있었다. 맹수는 아니고 야생 사슴을 사냥할 때였다. 미국 유학 중의 일이었는데 내가 살던 유타 주와 그 이웃 주인 와이오밍 주, 콜로라도 주는 매년 10월이 되면 야생 사슴의 과도한 번식을 막기 위해 공식적으로 사냥을 허가했다.

사냥허가증을 산 사람은 1인당 숫사슴 한 마리, 암사슴 한 마리를 잡을 수 있는데, 매년 그때가 되면 나를 양녀로 삼은 우리 미국인 식구들은 조끼, 장갑, 모자를 밝은 오렌지색으로 갖춰 입고 사냥을 나섰다. 물론 총기 안전 교육을 받은 후 진짜 총알이 든 장총을 들고 말이다.

사슴의 발자국을 찾아 숲으로 들어설 때의 그 설렘이라니. 다른 일행들이 숫사슴의 머리 부분을 트럭 뒤에 싣고 당당하게 지나가는 모습이 정말 부러웠다. 물론 사슴이 하루 만에 잡히는 것은 아니다. 며칠을 밴 안에서 먹고 자면서 사냥감의 뒤를 쫓는 것이다.

나는 그냥 구경삼아 따라나섰던 것이었는데 소 뒷걸음치다 개구리 잡는 격으로 사슴을 한 마리 잡았다.

사흘째였던가. 네 명의 미국 형제들과 숲 속으로 난 발자국을 추적하고 있는데 나무 사이로 뭔가 번개같이 지나가는 것이 있었다. 나는 얼떨결에 총 한 방을 쏘고 정신을 차려 보니 사슴이 총에 맞아 선명한 핏자국을 남기며 더 깊은 숲으로 도망을 가는 것이었다.

시뻘건 피를 보는 순간 머리끝까지 솟아오르는 주체할 수 없는 살기가 느껴졌다. 이 세상 끝까지라도 쫓아가 너를 죽이고 말리라. 내 안에 있는 줄도 몰랐던 본능적인 잔인함이 드러나는 순간이었다.

오로지 그놈을 잡아야겠다는 일념으로 형제들과 포위망을 좁히다가 다시 시야에 들어온 사슴을 향해 피융, 무조건 한 방을 쏘았다. 결정적으로 그놈은 그 총알을 맞고 쓰러지고 우리는 환호성을 지르며 피투성이가 된 사슴 쪽으로 갔다. 왕관 같은 뿔이 장대한, 아주 큰 숫사슴이었다.

그 중에서 사냥 경험이 제일 많은 둘째딸 켈리가 아직 숨이 끊어지지 않은 사슴의 목을 따서 피를 빼기 위해 나무에 거꾸로 걸어놓았고, 그 사슴을 배경으로 찍은 사진 속의 나는 온 세상을 얻은 듯 의기양양 그 자체였다. 지금 자기가 사냥한 맹수의 가죽을 열심히 설명하고 있는 몽골의 '스마일 맨' 처럼 말이다.

스마일 맨과 그 예쁘장한 부인은 우리에게 따끈한 고깃국과 빵을 대접했고, 우리는 답례로 가지고 간 채소를 모두 주었더니 아주 좋아한다. 여기는 채소가 금싸라기란다. 바람부는 깜깜한 바깥에서는 눈이 오고 있는데 부엌에서는 물이 끓고 있다. 참 따뜻하고 아늑하다. 내일 아침 몇 시간이라도 날씨가 맑아 호수를 보게 되면 좋겠지만 못 본다 해도 나는 상관없다. 잔뜩 기대를 하고 있는 애니에게는 좀 안되었지만 말이다.

여행을 길게 하다보니 어디 가서 꼭 무엇을 보아야 한다는 생각이 없어지는 모양이다. 목적지에서 무엇을 하는 것도 중요하지만 오고 가는 길에서 본 창 밖의 경치, 만난 사람들, 가끔씩 빠져드는 자기와의 만남, 이런 것들도 모두 여행이라고 생각하기 때문일 것이다.

그러나 다음날도 날씨는 애니 편을 들어주지 않았다.

싸움은 몽골이 이겼지만 정신은 티베트가 이겨

돌아오는 길에 카라코름에 들렀다. 이곳은 13세기 때 원나라가 베이징으로 도읍을 옮기기 전까지 몽골의 수도였다. 도시 자체는 아주 작은 마을로 옛 도읍의 화려함이 전혀 남아 있지 않지만 '에르테네주' 라는 불교 사원 때문에 관광객의 발길이 끊이지 않는 곳이다.

몽골에서 최초로 지었다는 이 사원은 한창때는 1백 개의 법당과 1천 명이 넘는 스님들이 있었다고 한다. 그러나 러시아가 지배하게 되면서 법당 세 개만 남고 나머지는 모두 파괴되어 버렸고, 승려들은 시베리아 등지로 강제노동자로 보내졌다. 이곳이 다시 문을 연 것은 불과 8년 전 일이다.

지금 이곳에는 70명 정도의 승려가 기거하면서 공부도 하고 예불도 드리고 있다.

가로세로 4백 미터의 하얀 담벽으로 둘러싸여 있는 이 사원은 허허벌판을 지나다가 불쑥 나타나는 건물이라 신비함이 더해지는 것 같다. 절 안으로 들어가 보니 스님들의 복장이며, 총천연색 화려한 족자들이며, 중앙에 모셔진 불상의 표정이 티베트 절과 너무나 흡사하다. 하기야 이곳 몽골 불교가 티베트에서 온 것이니 이런 공통점은 하나도 신기할 것이 없다.

몽골과 티베트의 종교가 중국이라는 큰 지리적 간극을 넘어 어떻게 하나로 연결이 된 것일까. 거기에는 무기를 가지고 정복을 하러 온 자가 정신적으로 정복을 당한 역사의 아이러니가 있다.

1507년 전세계를 휩쓸던 칭기즈 칸 군대들이 티베트도 침공했다. 그때 군대를 이끌었던 몽골 장군은 티베트 사람들의 불심에 감화를 받아 전쟁을 하다 말고 독실한 불교 신자가 되었다. 그들은 군대를 철수하면서 스님들 몇을 몽골로 데리고 갔다. 이때부터 몽골은 티베트 불교를 국교로 삼게 되었다. 한때는 남자 인구 중 3분의 1이 스님일 정도로 신심 깊은 불교국이 되었던 것이다.

카라코룸은 몽골이 동쪽으로는 고려, 서쪽으로는 헝가리, 남쪽으로는 베트남과 바그다드, 북쪽으로는 모스크바에 이르는 인류역사상 최대의 제국을 세웠을 때의 수도였다. 이 제국은 유럽의 대제국 로마가 최전성기 때 차지했던 땅의 두 배가 넘는 전세계의 반을 차지하는 어마어마한 영토를 지배했다.

그러나 칭기즈 칸의 후손들은 곧 내리막길을 걷게 된다. 몰락의 원인은 한두 가지가 아니겠지만 칭기즈 칸의 아들들이 쓴 지방분권제의 실패와 정착민의 안락한 생활에 길들여진 병사들이 전의를 잃게 된 것, 성인 남자들이 군인이 되는 대신 승려가 되기를 원해 군사가 부족해진 것 등이 가장 큰 원인이었다고 한다.

몽골의 역사는 불교와는 떼려야 뗄 수 없는 숙명의 끈으로 연결되어 있는 모양이다.

몽골은 그후 19세기 때 청나라에 망해 식민통치를 받다가 1921년 신해혁명 이후 독립을 선언했다. 24년 소련의 도움을 받아 세계에서 두 번째로 공식적인 사회주의국가인 '몽골인민공화국'을 선포하고 사실상 러시아의 세력권에 들어 있다가 92년에 국호를 '몽골리아'로 바꾸고 새로운 건국을 했다.

몽골과 티베트의 불교는 거의 모든 면에서 일치한다. 스님들의 복장이 티베트는 핏빛 자주색인 데 비해 여기는 노란색이 더 많이 쓰이고, 사원의 불상이나 산 위의 오보에 바치는 스카프가 티베트에서는 흰색인데 여기서는 파란색이 주로 쓰인다는 정도의 차이가 있을 뿐이다. 몽골도 티베트와 마찬가지로 소위 노란 모자파이다.

하얗게 회칠한 사원의 겉모습과 중앙에 걸려 있는 법륜도 티베트와 흡사하다. 절 바깥에서 오체투지를 하거나 경륜통을 돌리는 신자들의 모습도 그렇다. 예불을 시작할 때 부는 대형 조개 껍데기 나팔과 쇠나팔, 심벌즈로 중간중간 박자를 맞추는 것도 귀에 익은 것이다.

사원 안에서 공부를 하고 있던 동자승이 나와 눈이 마주치자 혓바닥을 쏙 내미는 짓궂은 표정을 짓는 것도, 불경책을 싼 종이 위에 붙어 있던 슈퍼맨 스티커도 낯설지 않다.

이렇게 같은 종교를 믿다보니 생활 속에서도 티베트 문화의 흔적이 역력하다. 티베트의 상징 문양인 '영원한 매듭'은 어느 게르에서나 찾아볼 수 있다. 벽돌장 모양의 차 덩어리와 우유로 만든 수태차를 일상음료로 마시는 것도 똑같고, 나이 든 사람들이 염주를 들고 다니며 하루 종일 '옴 마니 빼드메 훔'을 외우는 것도 같다.

애니는 내가 티베트와 몽골, 우리 나라와 몽골의 공통점을 이야기해 주니까 너무 신기해 하며 자꾸만 물어본다.

"그 몽골반점이라는 거, 비야도 있어요?"

"물론이지. 그런데 그건 한 살 정도면 없어지는 거야."

"몽골이 왜 하필 옆나라 중국 불교가 아니라 멀고 먼 티베트 불교를 받아들였을까요?"

"모르긴 몰라도 자연환경과 정서가 비슷한 티베트에서 더 많은 공통점을 찾은 것이 아니었을까? 혹독한 자연 환경에서 산다든지, 유목생활을 한다든지, 승려가 되고 나서도 집안 식구들과 밀접한 교류를 하지 않을 수 없는 등의 생활조건들이 서로 똑같은 것 말이야."

"아까 비야 이야기를 들으니 몽골과 한국이 상당히 밀접한 관계인 것 같은데 그러면 피도 많이 섞였을 것 아니겠어요, 어떠세요?"

"글쎄 말이야. 몽골에 처음 왔는데 이상하게 첫날부터 하나도 낯설지 않았어. 내 피의 핏줄을 타고 온 느낌이라고나 할까?"

그렇다. 만약 전생이 있다면, 여러 생 중 적어도 한 번은 이 드넓은 벌판을 말타고 질주하는 몽골족이었을 것이다. 내게는 한 곳에 눌러앉아 논밭을 가꾸는 정착민이 아니라, 앞일을 예측할 수 없는 새로운 곳으로 달려나가야 하는 기마민의 기질이 다분하니 말이다. 그리고 내 핏속을 흐르고 있는, 늘 자유롭고 싶어하는 정신적인 방랑기 역시 이곳을 고향으로 두었던 전생의 잔재가 아닐까.

몽골에 오면 절대로 놓칠 수 없는 것이 몽골씨름 관람이다. 7월 중순에 펼쳐지는 나담이라는 축제 때는 말타기, 활쏘기와 함께 야외 씨름경기가 전국 규모로 성대하게 치러진다. 그 중에서도 씨름은 워낙 인기가 있어서 겨울에도 실내 체육관에서 벌어진다.

마침 어느 일요일 오후에 경기가 있었다. 씨름 경기장 앞은 말 그대로 인산인해, 사람들이 구름같이 몰려 있다. 나와 애니도 서둘러 표를 사서 좋은 자리를 골라 앉았다. 몽골 국기가 게양되어 있는 곳 근처가 제일이라는 가나의 귀띔을 들은 터다. 좁은 관람석 사이로 아이스크림 장수가 부지런히 오간다.

선수들이 벤치에 앉아 있는데 나이도 천차만별이고 키나 몸무게도 들쭉날쭉이다. 몽골 씨름은 시간 제한이 없고 체급별 구분도 없다고 하니 저 키작은 늙은이와 꺽다리 젊은이가 한판 붙을 수도 있는 상황이다.

삼각팬티에 조끼를 입은 선수들은 긴 부츠를 신고 네모난 헝겊 모자를 쓰고 있다. 본시합에 들어가기 전에 간단한 의식이 거행된다. 전통의상을 입은 심판들이 한 줄로 서면 선수들이 심판의 어깨를 잡고 양쪽으로 반 바퀴씩 손을 흔들며 돌고, 심판은 선수의 모자를 벗겨 손에 든다. 선수는 무대 중앙으로 나와 양손을 위로 올렸다 내렸다 독수리가 날갯짓하듯 두 번을 흔든 다음 허벅지 안쪽과 엉덩이를 양손으로 탁탁 때리고 난 후 본격적인 시합을 시작한다.

예선이라 체육관 마루가 꽉 차도록 선수들이 많다. 관중들의 웅성거리는 소리가 멈추더니, 시작하자마자 꽈당 하면서 한 판이 끝난다. 관중들이 동시에 함성을 지른다. 갈비씨가 뚱보를 엎어치기로 넘어뜨린 것이다. 하기야 그 사람은 운동선수치고는 배가 너무 나왔더라니.

씨름에 진 뚱보는 조끼 끈을 풀고 이긴 선수 팔 밑을 지나 심판한테 모자를 받아쓰고 나갔다. 홀쭉이는 엉덩이를 빼고 서서 심판이 손수 씌워주는 모자를 받아쓴 후 파란 스카프와 몽골 국기가 걸려 있는 대회 상징물 주위를 한 바퀴 우아하게 돌고 나서 다음 라운드를 기다린다.

2회전부터는 진 사람이 심판석에 가서 돈을 받아가는데 회를 거듭할수록 액수가 높아진다. 내가 처음부터 눈여겨보던 근육질의 핸섬보이는 어느덧 세 판을 이기고 있다. 애니가 찜해놓은 키큰 배불뚝이 선수도 아주 잘 싸운다. 사람들은 어떤 뚱뚱한 선수가 나오면 고함을 지르고 좋아하는데, 그 사람은 씨름도 잘하지만 시합 전 날갯짓 동작이 큰 덩치에 어울리지 않게 아주 우아해서 인기 만점이다.

몽골 씨름의 인기는 대단해 실내 경기장이 열기로 뜨겁다. 선수들 출전.

단조로울 것 같은 경기인데도 시간가는 줄 모르겠다. 체육관 마루에서는 끊임없이 크고 작은 선수들이 이기고 지고, 날갯짓하고, 모자와 돈을 받아 가지고 나간다.

경기장에 온 사람들은 소리를 고래고래 지르고 술을 몰래 가지고 들어와 마신다. 가지고 들어오면 안 된다는 술을 가져와 취하도록 마시고, 취해서 술주정하는 것까지 어쩌면 그렇게 우리와 비슷한지.

어느덧 세 시간이 흘렀다. 오늘의 하이라이트는 아주 좁쌀만한 선수가 장대거인을 만나 30분 이상 선전한 것이다. 몽골 씨름도 힘만 가지고 되는 일은 아닌 듯 매미가 고목나무에 붙어 있는 형상인데도 선수가 한참을 버틴다. 체육관 안에는 여러 팀이 시합을 하고 있지만 모두들 이 팀만 응원한다.

힘에 부친 작은 선수가 결국 넘어가자 '에이' 하고 아쉬워하는 소리를 내며 진 자에게 뜨거운 박수를 보낸다.

내가 찍은 핸섬보이도 준준결승에 올랐다. 애니의 선수도 마찬가지다.

나와 애니는 자기가 찍은 선수를 두고 내기를 걸었다. 아이스크림과 숙소까지의 택시값이다. 그런데 그만 배불뚝이가 한 번 더 이기고 말았다. 배불뚝이 주제에 힘은 좋아가지고.

자랑스러운 사해동포주의자

몽골을 떠나기 며칠 전 큰 마음 먹고 시내에서 제일 큰 백화점에 갔다. 이번 여행도 곧 끝나가니 한국에 가져갈 작은 선물이라도 사야 할 것 같아서였다.

시내 한복판에 있는 4층짜리 쇼핑센터는 명색이 백화점인데도 1층에는 가루비누나 휴지, 한국 라면 같은 것들이 쇼 케이스를 채우고 있을 뿐 변변한 물건들이 보이지 않는다. 2층에 가니 그나마 가전제품들이 몇 점 널려 있고, 그 가운데서 한국화장품이 세일을 하고 있다. 반가운 마음에 나는 당장 영양크림을 하나 샀다.

유통기한이 거의 2년이나 넘은 것이어서 약간 찜찜했지만 워낙 다급하게 필요했다. 이 건조한 곳에서 로션 하나로 견디려니 얼굴이 늘 달걀 흰자팩을 한 것처럼 몹시 당겼기 때문이다.

기념품 코너에는 작게 만든 게르도 있고, 말이나 낙타 모형도 있지만 뭐니뭐니해도 제일 눈에 많이 띄는 것은 동그랗고 인자하게 생긴 칭기즈 칸 얼굴이다. 그림엽서, 선물용 액자에 그 그림이 있는 것은 물론 몽골 최고의 선물인 보드카도 칭기즈 칸표다.

13세기의 대제국 이후 지금까지 몽골 사람들은 칭기즈 칸에게 최대의 경의를 표하며 함께 숨쉬고 있는 듯하다. 매일 써야 하는 돈에도 칭기즈 칸의 초상화가 그려져 있고, 시골 게르의 가정 불단에도 칭기즈 칸의 초상화가 놓여 있다.

특산품 코너의 몽골 전통의상 입은 진흙 인형앞에서 기웃거리고 있는데 어떤 서양 중년 남자가 한국말을 하는 것이다.

"이건 좀 비싼데 어떻게 할까?"

내가 귀를 쫑긋 세우는데 동행인 한국 사람이 말을 받는다.

"그래도 선물해야 할 분들 것은 사야지."

내가 얼른 돌아보며 "안녕하세요?" 인사를 하자 다른 쪽 쇼 케이스를 돌아보고 있던 푸근한 인상의 한국 수녀님이 인사를 받는다.

"안녕하세요? 여기 사시는 분이신가요?"

"아니에요. 여행중이에요."

그러자 아까 말을 나누던 두 남자가 '여길 여행왔다고?' 하는 표정으로 번갈아 쳐다본다. 통성명을 하고 보니 이분들은 한국에 계신 신부님들로 볼일이 있어 잠시 몽골에 들르셨고 몽골말이 유창한 수녀님은 여기에서 사신단다.

"열심히 다니지는 않지만 저도 교우예요."

대전교구에서 왔다는 외국인 신부님은 한국에서 20년 넘게 사신 분으로 한국 사람보다 한국말을 더 잘 하신다. 우리는 백화점에서 서서 이야기하는 것만으로는 성에 차지 않아 커피점으로 자리를 옮겼다. 이야기 중에 수녀님은 울란바토르에 성당이 있으니 이번 주일 미사에 나오라고 권하신다.

"마침 이번 주일은 부활절이고 부제서품이 있어서 한국에서 교황대사가 참석하시지요."

'아, 벌써 내일 모레가 부활절이로구나. 그럼 오늘이 성 금요일이네.'

이런 사이비 신자가 있나. 부활절이 돌아오는 것을 까맣게 잊고 있었다. 지금 한국에 있는 교우들은 '십자가의 길' 을 하고 이런 저런 부활절 준비로 정신이 없겠다. 중 · 고등부 학생들은 그림을 그려넣은 부활달걀을 만들면서 킬킬대고 있겠지.

나도 예전 신심이 불붙던 때는 지금은 수녀가 된 친구 테레사와 사순절

기간 동안 예수님의 고통을 기억하자며, 자기가 일상에서 제일 끊기 어려운 일 한 가지씩 끊기, 매일 희생 한 번, 묵주신공 한 단을 바치며 부활절을 준비하던 시절이 있었다. 지금 생각하면 우습기도 하지만 그때 우리가 택한 고통은 라면 귀신이 붙은 나는 '라면 안 먹기' 였고, 커피 귀신이 붙은 테레사는 '커피 안 마시기' 였다.

내가 물론 부활절 미사에 가겠다고 했더니 한국 신부님은 양이 인구보다 열 배나 많은 양의 나라에 와서 '길 잃은 사람 양' 한 마리 구하고 가니, 이것으로 몽골까지 온 본전은 뽑은 거라고 농담을 하신다. 그리고는 몽골에 왔으면 꼭 만나야 할 대단한 한국 사람이 있다면서 '김박시(김선생)' 라는 승가대학 교수님 한 분을 소개해 주신다.

다음날 당장 소개받은 김박시를 찾아 몽골 최대의 사원 간단사 안의 승가대학으로 갔다. 그렇게 해서 몽골 전통의상이 아주 잘 어울리는 김선정 씨를 만날 수 있었다. 30대 중반쯤 되었을까. 예쁘장한 얼굴이 당차면서도 선해 보인다.

나는 다른 나라에서 뿌리를 내리고 열심히 살아가고 있는 자랑스런 한국인을 만나고 싶었을 뿐인데 김박시가 처음에는 경계의 눈빛을 나타낸다. 혹시 한국 언론사에서 온 것은 아닐까 해서 말이다. 벌써 여러 차례 곤욕을 치른 모양이다.

그런데 듣고 보니 한국 기자들이 달려들만도 한 이야기의 주인공이다.

김선정 씨는 홍익대학교 미술대학원 출신으로 불화를 전공했단다. 89년 티베트로 불화 공부를 하러 갔다가, 중국의 종교 박해로 도저히 공부를 할 수 없어 티베트 망명수도인 인도 다람살라로 넘어가 탱화공부를 했다고 한다.

그곳에서 망명해온 몽골 궁전화가에게 사사하다가 역시 스님인 지금의 남편을 만나 결혼하게 되었단다. 당시 몽골 승가대학 학생회장이었던 남편은 경전 번역을 하고 있었다. 94년 김선정 씨는 남편과 함께 몽골로 돌아와 승가대학의 미술과에서 탱화와 만다라 등 불교예술을 가르치기 시작했는데, 지금은 승가대학 예술학교 학장이란다.

"스님 남편과 어떻게 결혼하시게 된 거예요?"

"많은 사람들이 그걸 제일 궁금해 하지요."

웃으며 하는 김선정 씨의 대답은 이렇다.

몽골은 구 소련으로부터 극심한 종교탄압을 받았는데, 스탈린 치하에서는 몽골 스님에 대한 대학살까지 자행되었다. 그 후에도 구 소련은 여러가지로 몽골의 불교를 억눌렀다. 승가대학 입학을 스님이 될 수 있는 유일한 길로 정해놓고 제한을 가했다. 구 소련 말기에는 얼마 남지 않은 모든 스님들에게 결혼을 강요하기까지 했다. 선정씨가 남편 푸루밧 스님을 만난 것은 바로 그때였고, 그래서 두 사람은 결혼할 수 있었단다.

민족주의자이며 몽골 불교의 권위자인 푸루밧 스님은 지금 티베트어로 된 미술관련 경전을 번역하고, 흩어진 골동품을 모아 박물관에 기증하는 등 민족부흥운동에 대단한 열정을 바치고 있단다. 학교를 떠날 때 잠깐 만난 푸루밧 스님은 기골이 장대하고 에너지가 넘치는 분이다.

"러시아인들은 몽골 것이 모두 없어졌다고 하지만 천만의 말씀. 우리 몽골족은 반드시 다시 살아납니다. 부처님의 힘으로 말입니다."

푸루밧 스님의 신념은 확고하다.

두 사람이 이끄는 승가대학 예술학교에는 몽골 정부의 지원이 거의 없다고 한다. 그래서 김선정씨가 한국의 '우리는 선우' 라는 불신도 모임에서 보내준 헌옷을 팔아서 학생 40여 명의 숙식을 제공하고, 교수들 월급까지 조달한다고 한다.

"우리 나라 일도 아닌데 왜 이런 어렵고도 힘든 길을 가고 있는 거예요? 마치 도를 닦으려고 어려움을 자처하는 것처럼 보이네요."

"저한테는 남의 나라가 아니지요. 그러나 남편의 나라라는 것에 앞서 하나의 훌륭한 문화유산이 잘 보존되고 발전되었으면 하는 바람이 더 큽니다. 우리는 우리 것을 너무 쉽게 내줘 버렸어요. 예전에는 일제에게, 지금은 서양에게 말예요. 텅 비어 있는 우리들의 정신과 민속문화를 돌아보면 정말 아쉽습니다. 지금 우리 나라에서도 잃어버린 것들을 복구하려고 많은 이들이 노력하고 있다는 것을 잘 알고 있어요. 아주 반가운 일이지요. 그러나 몽골은 독립한 지가 몇 해 되지 않아 정말 할 일이 많아요. 이 나라가 빼앗겼던 문화와 민족혼을 찾는 데 조금이라도 힘이 되고 싶어요. 문화와 전통은 민족의 혼을 담는 그릇이므로 어떤 희생을 치르고서라도 반드시 지켜야 하니까요."

김선정 씨는 자기에게 다짐을 하듯 힘주어 말한다. 맞다. 어렵고 힘들 것이 뻔한 남의 나라 문화 지킴이를 자처한 김선정 씨가 바로 사해동포주의자(四海同胞主義者)가 아니던가. 자기 나라 것이 중요한 만큼 남의 것도 이렇게 소중하게 아끼고 보존하려는 노력이 참으로 아름답다.

이런 면에서 김선정 씨는 외국에 살고 있는 자랑스런 한국의 딸이라는 차원을 넘어 인류의 문화유산을 지키는 데 한몫을 단단히 하고 있는 세계의 딸이라고 해야 옳을 것이다.

끝없이 이어지는 고비사막과 몽골의 드넓은 벌판을 달려본 것 이상으로 단 몇 시간 김선정씨를 만난 것이 내게 아주 중요한 것을 일깨워주었다. 한 집안과 한 나라의 딸로서만이 아니라 세계인의 한 사람으로서 내가 해야 할 대자아(大自我)의 역할을.

* 이 몽골 여행은 이번 세계일주 여행 중 맨 마지막 부분이다. 이제 본격적으로, 파키스탄에서 카라코람 하이웨이를 타고 넘어와 중국측 끝 카슈가르에서 시작하는 실크로드를 따라 가보도록 하자.

아, 실크로드! 길 없는 길을 따라서

사막으로만 이어지는 실크로드는 유적지도 텅 비어 있다.

낙타도 없이 사막을 건너가다

'낙타를 타고 타클라마칸 사막을 가로지를 수는 없을까.'

타클라마칸 사막을 가기로 작정한 순간부터 늘 이런 생각을 해 왔다. 그러나 카슈가르에 있는 여행사 몇 군데에 물어보니 다들 제정신으로 하는 말인가 하는 눈으로 쳐다본다.

이제부터 실크로드를 따라가는 길이다. 내가 있는 카슈가르에서 중국 측 실크로드의 시작 지점인 시안[西安]까지 가는 길은 여러 가지다. 제일 많이 이용하는 길은 카슈가르-쿠처-우루무치-투르판-둔황-란저우-시안을 잇는 소위 천산북로이다. 그러나 나는 그런 잘 알려진 '코카콜라' 길 말고 뭔가 색다른 길을 찾고 싶다.

세계 지도의 중국 부분을 펴 보니, 가장 먼저 흑갈색으로 둘러싸인 럭비공 모양의 하얀 공간이 눈에 들어온다. 여기가 바로 타림 분지, '한 번 들어가면 나올 수 없는 곳' 이라는 타클라마칸 사막이 있는 곳이다. 하지만 사람들이 말하는 것처럼 그렇게 막막해 보이지는 않는다. 이곳 지형을 잘 아는 가이드와 낙타만 빌릴 수 있다면 사막 종단여행이 전혀 불가능하지만은 않을 것 같은데.

"어디 가면 낙타여행의 가능성을 더 자세하게 알 수 있을까요?"

"호탄에 가서 알아보는 것이 제일 좋아요."

여행사 직원의 대답이다. 일단 호탄까지 가기로 했다. 카슈가르에서 6백70킬로미터, 12시간 거리다.

나는 운좋게 운전사 옆자리에 앉아서 눈앞에 펼쳐지는 사막경치를 제대로 볼 수 있었다. 오른쪽으로는 쿤룬 산맥의 누런 고산들이 끝없이 이어지고, 왼쪽으로는 간간이 풀포기와 돌이 흩어져 있는 황무지가 보인다. 가끔씩 부드러운 곡선의 모래 언덕들과 탁 트인 모래 평원도 나온다. 그러다가 이런 황막한 풍경이 지겨워질 때면 거짓말처럼 푸른 숲이 나타난다. 누런 황야의 초록색 나무 숲. 말 그대로 루저우〔綠州, 중국어로 오아시스〕, '초록 땅' 이다.

지나는 오아시스 마을 길 양옆에는 예외없이 쭉쭉 시원하게 뻗은 포플러들이 일렬로 늘어서 있다. 이 나무들은 보기에도 아름답지만 실은 모래바람을 막는 방풍림이다. 가까이 가보면 나뭇잎이 모래 먼지로 뒤덮여 칙칙한 빛깔이다.

놀랍게도 넓은 목화밭도 나타난다. 무릎까지 오는 목화줄기에 하얗게 달려 있는 목화들이 정말 신기하다. 사막에서도 목화가 자라는 줄은 여기에 와서 처음 알았다.

우리가 탄 차 옆으로는 가끔 짐을 가득 실은 당나귀 마차가 달각달각 지나간다. 하얀 목화더미에 올라앉은 아저씨는 이런 척박한 환경에서 사는 사람들은 인상도 전투적일 거라는 생각과는 달리 아주 평화로워 보인다. 초록색이나 붉은색 바탕에 화려하게 수를 놓은 위구르 모자가 하얀 솜과 선명한 대조를 이루는 것도 이국적이다.

조금 더 가니 길 쪽으로 난 도랑으로 물이 흐르고, 제법 수량이 많은 냇물이 구불구불 마을을 가로지르고 있다. 타클라마칸의 대표적인 오아시스 마을 호탄이 가까워오는 것이다.

동화 속에 나오는 오아시스는 거의 작은 호숫가에 야자나무 대여섯 그루가 서 있고, 그 그늘 아래서 대상들이 낮잠도 자고 낙타에게 물도 먹이는 풍경으로 그려진다. 하지만 실제 오아시스는 적게는 수백 명, 많게는 수십만 명의 인구를 먹여 살리는 큰 도시다. 옛날에는 오아시스 하나하나가 각각의 왕국을 이루었다는데 이 사막남로에도 36왕국이 있었다고 한다. 호탄 역시 그 중의 하나다.

호탄의 물은 곤륜산 꼭대기의 빙하가 녹아 흐르는 것이다. 냇물 정도의 규모가 아니라 유룬가슈〔白玉河〕와 카라가슈〔黑玉河〕라는 번듯한 이름까지 있는 강이다. 7, 8월이 되면 이 눈녹은 물이 불어 홍수까지 난단다.

그때 큰물에 산 속에 있는 옥이 떠내려오는데 동네 사람들이 강변의 흰 자갈 속에서 쉽게 가려 주울 정도로 옥이 흔하단다.

이곳에는 기원전 2세기경 대옥우진국이라는 나라가 있었다. 사막남로 전역에 세력을 떨친 이 왕국은 10세기경 이슬람교가 전파되기까지 아주 강력한 불교 국가였다. 근교에 있는 고성은 대표적인 불교 유적지로 지금의 투르판에 있었던 까오창 왕국, 쿠차 왕국, 로우란 왕국과 함께 불교 문화가 화려하게 꽃피었던 곳이다.

또 물이 풍부한 오아시스로서 상업도 대단히 발달했다. 상업의 발달로 인해 실크로드를 타고 이 나라의 불교가 퍼져나갔는데, 아이러니컬하게도 바로 그 실크로드를 통해 이슬람교가 유입되어 지금은 강력한 모슬렘 사회를 이루게 되었다.

나는 호탄에서 조금 실망했다. 주민 대부분이 위구르족이라고 해서 그 사는 모습이 많이 다를 것이라고 기대했었는데 실제로 와보니 여느 한족 도시와 크게 다를 바가 없기 때문이다. 잘 닦인 십자로가 있고, 우체국, 공안국, 지방정부 건물과 백화점, 호텔 등 크고 번듯한 건물들이 눈에 들어온다.

물어물어 외국인이 묵을 수 있는 호탄잉삔관을 찾았다.

방으로 들어가려는데 누군가 "하이" 하며 인사를 건넨다. 반갑기도 했지만 혼자 가고 싶은 사막길에 바라지 않은 동행이 생기는구나 하고 조금은 내키지 않는 생각도 든다. 다행히 존이라는 이 30대 초반의 영국 사람은 여행자가 아니라 호탄 명물 양탄자와 옥을 베이징에 있는 외국인들에게 내다파는 장사꾼이었다. 벌써 3년째 장사를 하고 있다는 말에 귀가 번쩍 뜨인다.

"그러면 이 동네 잘 아시겠네요?"

"알 만큼 알지요."

"여기서 낙타타고 타클라마칸 사막을 종단할 수는 없을까요?"

"아마 혼자서는 어려울 걸요. 돈이 아주 많이 들 거예요. 정 하고 싶다면 내가 아는 사람을 소개해 드릴게요."

"사막 종단하는 사람을 보기는 했어요?"

"저번에 어떤 일본인 팀이 여기에서 낙타 수십 마리를 물색한다는 이야기가 돌기는 했어요. 실제로 갔었는지는 모르지만."

반신반의하며 존이 가르쳐준 여행사에 전화를 걸어보았다. 그랬더니 여행사 직원 말이 사막을 가로질러 가려면 한 사람 앞에 적어도 다섯 마리 정도의 낙타가 있어야 물과 식량을 나를 수 있다고 하면서 한 열흘쯤 걸리는데 가이드비, 허가비 등 총비용이 최소한 2천 달러가 든다고 한다. 2천 달러가 누구네 애 이름인 줄 아는지 거침없이 나온다.

나를 봉으로 생각하고 바가지를 팍팍 씌우고 있는 것이 분명하다. 이런 시골 사람이라면 좀 순진해야 하는 것 아닌가? 장사꾼에게 순진함을 바라는 내가 더 순진한 건지도 모르지만.

이로써 사막 낙타 여행은 허무하게 불발탄이 되고 말았다.

실망감에 차 있다가 시장에 가서 배부르게 잘 먹고 나니 낙타 여행 못하게 된 게 뭐 그리 대수로운 일인가 하는 생각이 들며 단번에 마음이 편안해진다. 여행을 오래 하다보니 나도 이제 단세포가 다 되었다. 배부르고 잠잘 곳만 있으면 아무 걱정이 없어지니 말이다.

스파게티의 원조, 중국 신장 국수

숙소로 돌아오다가 시장에서 월병을 보았다. 아, 맞다. 오늘이 바로 8월 대보름 추석이구나. 저 과자 안 보았으면 그냥 지나갈 뻔했다. 이곳에서는 중추절(仲秋節)이라고 하는데, 위구르족과는 상관없는 날이지만 이곳의 한족들에게는 중요한 명절이다. 한족들이 이날 보름달처럼 동그란 월병을 먹기 때문에 시장 한구석에서 팔고 있었던 것이다.

비록 떠돌아다녀도 나는 엄연한 한민족의 딸, 추석은 내게도 중요한 명절이다. 제대로 상차려 차례는 못 지낼망정 월병을 먹으면서 조상님의 음덕을 기리고 싶다.

"조상님들 덕분에 별탈없이 여행 잘 하고 있습니다."

보름달이 떴을까 하늘을 올려다보니 날씨가 나쁜 것인지, 먼지에 가린 것인지 두꺼운 커튼에 가려진 백열등처럼 동그란 물체가 희미하게 보일 뿐이다. 오늘 밤 서울 하늘은 어떨까. 둥근 달이 떴을까. 식구들이 오랜만에 모여 앉았겠다. 어쩐지 낮부터 귀가 가렵더라니, 분명 내 이야기들을 하고 있나 보다. 우리 엄마는 또 우시겠지. 하여간 이 노인네, 눈물도 많으시다니까.

보고 싶은 마음이 끓어 집에 전화를 할까 하고 호텔에 물어보니 무려 3분에 50위안이나 한단다. 3분 전화하고 우리 돈 7천 원을 내? 눈 딱 감고 참아야겠다.

호탄에서 하루를 더 묵게 되었다. 다음 목적지인 치에무까지 가는 버스가 이틀에 한 번씩 있는데, 모레 아침에 떠나기 때문이다. 숙소에서 하루 쉬면서 다음 일정을 체크해 보았다. 사막 종단여행은 어렵게 되었으니 사막 가장자리라도 따라가 보기로 마음먹었다.

보통 실크로드라고 하면 육로만을 생각하기 쉬운데, 실제 실크로드는 크게 세 루트다. 하나는 지중해로부터 홍해와 아라비아해 인도양을 거쳐 중국 동남해에 이르는 해상 루트이고, 또 하나는 몽골에서 아랄해를 거쳐 흑해에 이르는 유라시아 대륙의 북방 초원 루트, 그리고 우리가 잘 알고 있는 오아시스를 따라가는 육로 루트다.

어렸을 때 나는 이 육로 루트 실크로드가 경부고속도로처럼 외길로 난 길의 이름인 줄 알았다. 하지만 이 길은 수많은 갈래가 있고 크게는 세 줄기로 나뉜다. 하나는 앞에서 소개한 천산북로이고, 또 하나는 시안에서 투르판, 쿠얼라를 거쳐 카슈가르로 이어지는 천산남로(서역북로라고도

실크로드의 골수 회교도 여성들은 아랍 여인들처럼 얼굴에 보자기를 뒤집어쓰고.

한다), 그리고 둔황에서 호탄을 거쳐 카슈가르에 이르는 서역남로가 있다. 나는 여기 호탄에서 치에무, 로아짱에 이르는, 타클라마칸 사막 언저리를 돌아가는 사막남로를 택했다.

호탄 거리에는 많은 사람들이 오간다. 무엇보다도 눈에 띄는 것이 남자들이 쓰고 다니는 모자다. 위구르족의 상징인 이 모자는 초록색과 붉은색 바탕에 화려한 수를 놓은 작은 사각형이다. 여자들 역시 빨강, 파랑, 노랑, 검정 등 화살깃 무늬가 화려한 원피스를 입고 있는데, 그것이 위구르 전통의상이란다.

터키계인 위구르족은 중국 내 공식 소수민족 55족 가운데 4번째로 많다. 이곳 신장지방 남쪽은 위구르족이 집단으로 모여 사는 곳이다. 이들은 국적으로는 중국인이지만 생김새나 종교, 문화 등은 파키스탄이나 중앙아시아 나라들과 공통점이 훨씬 많은 것 같다.

회교도 모자를 쓰고 이슬람 사원에 모여 일제히 절을 하고 있는 초록색

눈에 큰 코를 가진 사람들을 어떻게 중국 사람이라고 생각하겠는가. 얼핏 보아도 눈, 코, 입이 크고 눈썹 숱이 많고 윤곽이 뚜렷한 중동계 미남, 미녀들이다. 여자들은 머리를 가리는 이슬람 계율에 따라 스카프를 썼지만 원색의 얇은 망사로 되어 있어 머리가 다 비친다. 계율 때문에 억지춘향으로 쓴 것이 분명하다. 하지만 아예 고동색 보자기를 얼굴 전체에 뒤집어쓴 골수 회교도도 많다. 글씨는 꼬불꼬불한 것이 아랍식이고, 혀를 굴리고 목구멍을 써서 발음하는 말은 마치 터키말 같다.

조신해야만 할 모슬렘 여자들의 앉아 있는 모습이 가관이다. 양 다리를 쩍 벌리고 앉는 것은 기본이고, 시장에서건 버스 안에서건 돈을 주고받을 때는 허벅지까지 치마를 걷어올리고 스타킹 안에서 돈을 꺼낸다. 그런 것을 보면 확실히 전통적인 회교 국가와는 다른 것 같다.

시장에는 커다란 대추도 보이고, 자두만한 크기에 노란색의 싱싱한 무화과도 처음 먹어보았다. 오아시스답게 수박과 포도가 산처럼 쌓여 있는데, 사막에 살고 있는 이들은 이런 과일들이 내장 속의 열기를 식혀 더위를 이기게 하는 보신식품이라는 것을 알고 먹는 걸까.

사람이 바글대는 식당으로 들어갔다. 이 지방 토속 음식인 신장 국수는 중국집 면발 뽑듯 손으로 내리치며 길고 가늘게 뽑아낸 면발을 삶아 마늘쫑, 토마토, 양파, 피망, 마늘, 양고기를 섞어 볶은 고명을 얹어 먹는 것이다. 이것이 실크로드를 타고 이탈리아로 전해져 스파게티가 되었다는데 그 이야기가 정말 맞는 것 같다.

스파게티의 파트너, 마늘빵의 원조도 있다. 접시처럼 납작하고 동그란 빵 표면에 다진 마늘과 참깨를 뿌려 구웠다. 하나에 1위안인데, 마늘 냄새가 폴폴 나는 이 빵이 어찌나 큰지 '위대(胃大)한' 나도 한 개 먹기가 벅차다.

다음날 새벽 치에무로 가는 버스를 탔다. 치에무는 위구르말로 체르찬, 즉 '사막의 빛나는 진주'다. 이름처럼 이곳은 실크로드의 중요한 교역지

몽골
중국 꾸냥들에게 정식으로
중국어를 배우다.
옌볜
옌볜에서 먹어 본
개장국 맛은
잊을 수 없다.
수루무치
실크로드 사막에서 나는
배는 정말 맛있다.
호탄
베이징
란저우 먹자골목의
국수 맛은 천하제일
란저우
란저우
시안
이창
장강삼협 뱃길이 있다.
청두
충칭
리틀 티베트는
스님들의 고장.
홍콩에서 처음보는
사람에게 돈을 빌리다.
쿤밍
윈난성은 어디나 유자가
탐스럽게 익는다.
구이린
구이린을 보지 않고 중국을 말할 수 없다.
홍콩

로 번영을 누린 오아시스 불교 왕국이었다.

치에무로 가는 길은 더 깊숙한 사막 풍경이다. 가는 모래가 많아지며 모래 언덕의 윤곽선이 곱게 펼쳐지고, 물의 근원이 되는 산이 멀어서 그런지 오아시스 마을도 훨씬 드문드문 나타난다. 무엇보다 차들이 뜸해지고 대신 당나귀 마차가 많이 보인다. 창 밖으로 누런색 황무지에 검은 뱀처럼 구불구불 나 있는 한 줄기 까만 아스팔트 길만 또렷하다.

내가 탄 버스 운전사는 만만디 한족인가 어찌나 늑장을 부리는지 아침 7시에 떠난다던 버스가 9시도 넘어서 떠나질 않나, 사람만 보이면 기를 쓰고 태우곤 하더니 일정이 늦어져 결국 승객들은 우탄이라는 곳에서 억지 일박을 하게 되었다.

정거장에 딸려 있는 하룻밤 5위안짜리 지아오통뤼서〔交通旅舍〕에 들었는데, 침대 네 개와 소변용인지 세수용인지 모를 지저분한 대야만 하나 달랑 있는 것이 꼭 감방 같다. 아줌마 셋과 함께 묵게 되었는데, 그 가운데 40대 중반의 파티마라는 귀엽게 생긴 아줌마가 중국어를 백여 마디쯤 알아서 겨우 의사소통을 할 수 있었다.

물과 군것질거리를 사러 나가보니 사람들이 모자를 쓴 것으로 보아 대부분 위구르족인데, 여자들은 하얀 머리 수건 위에 소주잔같이 생긴 까만 장신구를 하고 다니는 것이 눈길을 끈다. 모슬렘이라서 그런지, 자연이 척박해서 그런지, 아니면 외진 곳이라서 그런지 한족보다 훨씬 친절하고 눈을 마주치면 웃어주어 기분이 좋다.

한참 걸으니 한때는 아름다웠을 중동풍의 목조건물들도 보인다. 이층집 베란다 난간의 정교하고도 아름다운 나뭇잎과 포도넝쿨 모양은 디자인과 조각솜씨에서 중동 냄새를 물씬 풍긴다. 또한 스테인리스 스틸 쟁반에 망치로 동글동글한 무늬를 만드느라고 탕탕거리는 대장간 소리 역시 중동의 소리 그대로다.

차창을 열고 달려와서 머리며 얼굴이 먼지투성이인데도 마땅히 씻을 곳이 없어 이만 겨우 닦고 잠자리에 들었다. 잠결에 어렴풋하게 누군가 문을 두드리는 소리를 들었다. 한밤중에 문을 두드리면서 들어올 도둑이 있을까마는 순간 긴장이 되어 전대를 바싹 맸다.

혼자가 아니라 약간 안심을 하고 있는데, 문을 두드리던 사람이 전깃불을 켜고 들어와 내 쪽으로 성큼성큼 걸어오는 것이 아닌가. 속으로는 몹시 놀랐지만 짐짓 자는 척하는데, 그 사람이 나를 '웨이, 웨이(여보세요)' 하면서 흔들어 깨운다. 더이상 가만히 있으면 안 될 것 같아 벌떡 일어나며 소리를 질렀다.

"니 수웨야(넌 누구냐)?"

그 사람도 놀랐는지 좀 어리벙벙한 표정이 되면서 말한다.

"워 스 라오반. 니 짜오 와이궈런더 페이(난 주인인데, 넌 외국인 요금을 내야 해)."

외국인 요금 5위안을 더 내라는 것이다. 뒤늦게 숙박계를 보고 내가 한국사람이라는 것을 알았나 보다. 정말 웃긴다. 곤히 자고 있는 손님을 깨워서 돈내라는 것은 도대체 어느 나라 예법인가. 내가 5위안 떼먹고 야반도주라도 할 것 같으냔 말이다.

그리고 침대 이외에는 아무것도 없고, 화장실 냄새까지 풀풀 나는 방에서 똑같이 잠만 자고 나가는데 왜 나만 5위안을 더 내야 한다는 거냐. 중국에서는 아무리 후진 숙소라도 보온병에 뜨거운 물은 반드시 있게 마련인데 여기서는 차 우려 마실 뜨거운 물은커녕 찬물 한 방울 없다.

"당신, 뭐하고 있어요. 난 자야 하니 내일 말해요. 그리고 내일 아침 뜨거운 물이나 잊지 말고 갖다줘요. 알았지요?"

그러면서 더러운 이불을 머리까지 뒤집어썼다. 주인은 한참 뭐라고 군시렁거리더니 불도 안 끄고 나가버린다.

'치, 그래 보라지. 불 안 끄고 가면 내 전기 닳냐? 네 전기 닳지.'

그런데 이 의지의 주인이 다음날 꼭두새벽에 정말 나를 또 깨운다. 그 빛나는 프로정신에 감복해 회족과 장족 남자가 그려진 황토색 5위안짜리 지폐를 건네주며, 뜨거운 물은 어떻게 되었느냐니까 무조건 "메이여우(없어요)." 라며 돈만 채가지고 당당하게 나가버린다.

줄 것은 하나도 안 주고 받을 것은 정확히 챙겨받는 정말 대단한 주인이다. 아니, 이게 바로 요즘 중국식 자본주의의 단면인지도 모른다. 요금은 자본주의식이고, 서비스는 사회주의식이니까.

말이 안 통하면 눈으로 정을 나눈다

아직도 사방이 깜깜한 새벽, 5위안을 뜯긴 후 드디어 치에무로 향했다. 버스는 떠날 때부터 콩나물 시루였는데, 중간중간 또 이미 탄 만큼의 사람을 더 태우면서도 문을 닫고 떠나는 것을 보면 정말 신기하다.

더 신기한 것은 눌리는 사람은 눌린다고, 밀리는 사람은 밀린다고 야단이긴 하지만 크게 아수라장이 되지는 않는 것이다. 아수라장이기는커녕 웃음이 묻어난다. 우리나라라면 벌써 운전사에게 소리를 지르거나 승객끼리 언성을 높이며 짜증을 냈을 텐데, 이들은 좁은 공간이지만 남에게 덜 불편하게 하려고 서로 재주껏 자리를 비켜준다. 이런 것을 신기하게 생각하고 있으니 이 사람들이 비정상인지, 내가 비정상인지 모르겠다.

창 쪽에 앉아 있기는 하지만 어깨를 반듯이 하고 앉아 있을 수가 없다. 하지만 내 앞에서 이리저리 밀리고 있는 위구르족 꼬마 아가씨가 더 힘들어 보여 무릎에 앉혔다. 열 살이 채 안 되어 보이는 아이인데도 머리 스카프와 마스크를 하고 있다. 처음에는 모래 먼지 때문에 그런 줄 알았으나 알고 보니 음식을 먹을 때만 잠깐씩 마스크를 벗는 것이 골수 회교도 복장이다.

꼬마가 함께 탄 70대 할아버지를 어찌나 지극정성으로 모시는지 기특하기 짝이 없다. 할아버지가 행여 목이 마르실까, 원래 2인석인 자리에 자기까지 끼여 앉아 불편하지는 않으실까 신경쓰는 모습이 눈물 겨울 정도다. 한창 어리광 피울 나이에 어떻게 저런 마음이 우러나는지.

할아버지도 아이를 보살피는 것이 극진하다. 아이에게 잠시도 눈을 떼지 않으면서 무슨 이야기를 하면 정성스럽게 귀를 기울여주고 아주 진지하게 대답해준다. 아이는 오랜만에 차를 탔는지 내게는 단조롭기만 한 창밖의 경치에도 흥분하여 환호성을 지른다. 옆자리에 앉은 할아버지도 좋아하신다.

아이가 귀여워서 중국말로, "니 찌아오 션머밍즈(네 이름이 뭐니)?" 하고 물으니 못 알아듣는다. 한족 말을 못하는 모양이라고 생각하고 다시 위구르말로, "이스밍크즈?" 하고 물어보아도 역시 웃기만 한다. 내 발음이 후져서 못 알아듣겠나 보다.

그래서 내 마음대로 '심청이' 라고 이름을 지어주었다. 할아버지에 대한 효성이 지극하니까 말이다. 해가 져서 바깥 경치를 볼 수 없게 되자 심청이는 내 무릎에서 쿨쿨 잠이 들었다. 잠결에 내가 엄마인 줄 알았는지 두 팔로 내 목을 친친 감는다.

버스는 예정보다 많이 늦어져 한밤중에 치에무에 도착했다. 자느라고 정신이 없는 심청이를 업고, 할아버지가 작별인사를 하며 손을 흔드신다.

"호스(안녕히 가세요)."

내가 위구르말로 인사를 했더니 할아버지도 "하이르 호스, 하이르 호스"라며 오른손을 이마 위로 올리는 회교식 인사를 한다. 내 무릎에 무려 15시간 이상 앉아온 심청이와 제대로 작별인사도 나누지 못하는 것이 섭섭했지만 곤히 자는 아이를 깨울 수는 없는 일.

혼자 속으로 인사를 했다. '위구르 심청아, 복 많이 받아라.'

깜깜한 밤중에 숙소를 어디에서 찾나 걱정하고 있는데, 고맙게도 전날 같은 방에서 잤던 파티마가 자기 집으로 가자고 한다. 파티마는 카슈가르에서 화장품, 옷, 스타킹, 세숫비누 등 여성 잡화를 가져다가 팔고 있단다.

카슈가르에서 잔뜩 해 가지고 온 산더미 같은 물건을 파티마네 가게에 날라다 놓고, 어두운 골목 안에 있는 집으로 따라갔다. 화려하게 조각된 대문을 열자 할머니가 반갑게 맞아주신다. 고등학생쯤 되어 보이는 아이들도 자지 않고 기다리다가 엄마에게 입과 볼을 맞추며 반긴다.

좁은 단칸방에 3대가 살고 있는 모양이다. 흙바닥에는 식기들이 널려 있고 한칸을 높이 만든 공간이 식당이자 침실이다. 이렇게 좁은 집에 나까지 끼여 자게 되었으니 미안하다. 파티마가 떠다주는 한 주전자의 물로 겨우 손발만 씻고는 그대로 잠에 곯아떨어졌다.

파티마는 중국에서는 민간인 집에 외국인을 재우면 안 된다는 규정을 알고 있는지 아침 일찍 나를 깨워 시내에 있는 숙소로 가자고 재촉한다.

"우리집에 계속 묵게 하지 못해서 미안해요."

"괜찮아요. 지난밤 정말 고마웠어요."

"미안해요. 이건 다 한족 꽁안〔公安, 경 찰〕 때문이에요. 손님들을 아주 귀하게 여기는 우리 위구르족이 이럴 수는 없는데 말이에요. 정말 미안해요."

여기 주민들은 대부분 위구르족인데 경찰, 군인, 행정관 등 소위 '힘이 있는 자리' 는 거의 중앙에서 임명한 한족들이란다.

시장 근처의 정부초대소에 숙소를 정했다. 내국인은 16위안인데 외국인은 32위안을 내야 한다니까 파티마가 또 미안해서 어쩔 줄을 모른다. 일단 로아짱으로 가는 버스 스케줄을 알아보려고 정거장으로 갔다. 그런데 버스 스케줄은 무슨 버스 스케줄, 거기로 가는 버스가 아예 없다는 것이다.

지도에 보면 버젓이 길이 있는데 왜 차가 안 다니지? 그것도 비포장도로라는 고동색 줄이 아니라 포장도로라는 까만 줄이던데. 이 동네에서 유일하게 영어를 한다는 무스타크 호텔의 부지배인을 찾아갔다. 아주 친절한 인상의 하심이라는 위구르족 아저씨다.

버스에 타고 있는 '위구르 심청이'(맨 왼쪽)와 필자. 오른쪽은 시장 아줌마 파티마.

"로아짱까지 왜 차가 안 다니죠?"

"사막공로 때문이에요."

지배인 아저씨가 자세한 설명을 해 준다. 치에무부터 쿠얼라까지는 로아짱을 통하지 않고 사막공로로 가면 훨씬 빠르다. 게다가 여기서 3백51킬로미터 거리인 로아짱까지는 마을이 하나도 없다는 것이다. 마을이 없으니 다니는 사람이 없을 수밖에. 이 지방은 배의 명산지라 배 수확철이면 가끔 미니버스가 다니는데 그것도 들쭉날쭉이란다. 96년 가을에 개통한 사막공로는 타클라마칸 사막에 묻혀 있는 1억 톤 이상의 원유 탐사 때문에 생긴 '오일 로드'란다.

"정 로아짱으로 가고 싶으면 일주일에 두 번 가는 우체국 차를 타고 가는 수밖에 없어요. 그런데 그게 바로 오늘 아침에 떠났는데."

그래서 예정에도 없이 치에무에서 나흘이나 보내게 되었다. 무스타크 호텔의 지배인 하심 씨는 나보고 지루하면 근처에 있는 옛 왕국의 유적지들을 가보라고 했지만 무료하기는커녕 나는 시간이 모자랄 정도로 바빴다. 그 짧은 시간에 사귄 많은 친구들 때문이다. 아, 어디서나 억누를 수 없는 이 빛나는 사교성이여!

우선은 매일 아침저녁으로 출근을 한 곳이 있다. 바로 시장 안에 있는 파티마네 가게다. 처음에는 서먹해 하던 근처 가게 사람들이 둘째날부터는 "비야, 비야." 하며 파티마보다 더 반긴다. 손님이 없을 때는 나무 의자에 앉아 해바라기씨나 수박씨를 까먹으며 노닥거리다가 비누나 화장품을 사러 온 손님이 한족이면 사람 꼬드기는 실력을 발휘한다.

"저거 헌 하오. 워만 와이궈런 예 헌 시환(이거 참 좋은 거예요. 우리 외국인들도 좋아하지요)."

그렇게 해서 사흘 동안에 자잘한 물건은 물론 이문이 많이 남는 원피스와 코트도 한 장씩 팔았다.

여기 아줌마들은 카슈가르 등 큰 도시를 자주 왕래하기 때문에 굉장히 멋을 부린다. 나름대로 제각기 있는 멋 없는 멋 다 내었지만 내 눈에는 촌스럽기 그지없다. 입술과 눈 주위를 아주 총천연색으로 만들고, 눈썹은 순악질 여사처럼 일자로 그려붙인다.

머리에는 원색의 얇은 망사를 쓰고 무릎까지 오는 치마를 입었는데, 그 안에 내복을 입고 내복 위에 반스타킹을 신고는 초록색이나 분홍색 구두를 신는다. 이목구비 뚜렷한 미모가 아니었다면 정말 목불인견이었을 것이다.

그러나 아줌마들은 정말 친절하고 유쾌한 사람들이다. 중국어를 못하는 아줌마들과는 말이 통하지 않아 순전히 눈치로 의사소통을 하는데, 아줌마들과 내가 서로 좋아한다는 것도 눈치로 전했다. 내가 떠나기 전날에는 각자 자기 집에서 파는 가짜 실크 목도리, 소나무와 학이 그려진 조악한 세수 수건, 향기 좋은 락스비누 등을 정표로 챙겨주었다.

한 회족 식당도 사흘 내내 개근한 곳이다. 숙소를 옮긴 첫날 아침 겸 점심으로 '란저우풍 우육면'을 먹으러 갔다가 주인과 친해졌다. 음식맛도 좋을뿐더러 30대 주인 부부와 필담을 할 수 있어서 좋다. 이들은 한국에도 국수가 있느냐, 마늘을 먹느냐, 높은 건물이 많으냐 등 '남조선'에서 온 나를 외계인 취급하는 경향이 있었다.

하루는 식당에 가니 열 명 정도의 꼬마들이 나를 기다리고 있다. 모두 이 아저씨의 일가친척 아이들인데 나를 '구경시켜' 주려고 데려왔다는 것이다. 주인 아줌마의 안내로 이 동네의 옥가게도 한바퀴 순례하고, 자전거로 마을 근처를 돌아보기도 했다.

흔한 알약 하나가 오지의 생명 구해

그러나 누구보다 반가운 사람은 심청이다. 어느 날 오후 파티마네 노점에서 호박씨를 까먹으며 수다를 떨고 있는데, 멀리서 어떤 꼬마가 전속력으로 달려오더니 씩씩거리며 내 앞에 서는 것이 아닌가. 한참을 쳐다보고서야 나는 아이를 알아보았다.

"아, 심청아."

아이를 힘껏 껴안았다. 정말 반가웠다. 심청이 뒤에는 화려한 스카프로 얼굴을 가린 심청이 엄마가 서 있다. 심청이가 이미 나에 대해 말을 했는지 짧은 설명에도 고개를 크게 끄덕거리며 나를 초대한다.

"칭 이치 취 워더 지아(우리집에 가세요)."

다행히 심청이 엄마는 한족 말을 할 줄 안다. 심청이도 내 손을 잡아끈다. 집이 어디냐니까 자전거를 타고 10분 정도란다. 우체국 차는 모레나 떠나니 시간 걱정은 없다.

심청이와 함께 나무 대문을 열고 들어가니 할아버지가 깜짝 놀라시며 어리둥절해 하신다. 심청이는 집에 들어서자마자 마스크를 벗어버리고는 할아버지에게 뭐라고 뭐라고 신이 나서 말해준다. 그제야 할아버지는 반가워하시며 어서 올라오라며 방을 가리킨다.

이 집은 파티마네 집에 비하면 형편이 조금 나아보인다. 방바닥에는 카펫이 깔려 있고 한쪽 구석에는 화려한 색깔의 이불들이 차곡차곡 개어 높이 쌓여 있다. 젊고 아름다운 심청이 엄마는 수박과 포도, 그리고 우유로 만든 과자를 내온다. 심청이는 내 곁을 한시도 떠나지 않으며 일곱 살짜리 남동생이 내 팔을 잡거나 먹을 것에 손을 대면 아주 근엄한 표정이 되어 꾸짖는다.

엄마의 통역으로 심청이의 아버지는 호탄에서 일을 하고 있는데, 심청이와 할아버지가 그를 만나러 갔다오는 길에 나와 같은 차를 탔었다는 것을 알게 되었다. 심청이가 차에서 '남방 사람'(광저우나 상하이 등 남부에서 온 사람)하고 같이 앉았는데, 그 아줌마가 창쪽으로 앉혀주어서 구경도 잘하고, 사진도 같이 찍었다고 자랑을 했다는 것이다. 나는 중국 사람이 아니라 한국에서 왔다고 하니까 그 큰 눈을 더 동그랗게 뜨고는 놀라움을 감추지 못한다.

"니 스 와이궈런(당신 외국 사람이에요)?"

이런 때 늘 갖고 다니는 한국 엽서와 열쇠고리가 있었으면 설명하기가 좋으련만 큰 배낭을 시내 숙소에 두고 온 것이 아쉽다.

말을 주고받다가 우연히 심청이 엄마의 발 근처로 눈이 갔는데, 왼쪽 발목에 깊은 상처가 있는 것이 눈에 띈다. 자세히 살펴보니 곪은 자리가 복사뼈가 다 드러나도록 패어 있고, 주위에 노랗게 성이 나 있다. 몇 주일 전 쇠연장에 찧었는데, 자꾸 곪고 또 곪고 하더니 이렇게 되었다고 한다.

저런 상처는 깨끗이 소독한 후 마이신을 바르면 훨씬 괜찮아질 텐데 비상약품도 숙소에 두고 온 큰 배낭에 들어 있다. 아무래도 안 되겠다. 약을 가져와야지.

"자전거 좀 잠깐 빌려 주세요."

그날 숙소에 가서 비상약품 가져오기를 참 잘했다. 오후에 큰일이 생겼기 때문이다.

비상약품 주머니를 뒤져보니 하필 마이신 연고가 없다. 파키스탄 훈자 마을에서 다 쓴 것을 보충하지 않은 것이다. 다행히 먹는 마이신이 몇 알 남아 있어서 캡슐을 깨고 내용물을 꺼내 바셀린에 개어서 임시 연고를 만들었다. 정수 알약으로 만든 소독물로 상처를 닦고 이 '자가제조' 연고를 듬뿍 발라주었다. 나머지도 조그만 비닐봉지에 싸주며 하루에 세 차례 바르면 곧 나을 거라고 말했다.

일회용 주삿바늘을 비롯해 각종 알약이 잔뜩 들어 있는 비상약품 주머니를 보신 할아버지는 나를 전문 의료인이라고 생각했는지 이가 아프다는 시늉을 한다. 입 안을 보니 어금니들이 뭉개질 정도로 썩어 있다. 내가 치과의사도 아닌데 어떻게 이를 뽑을 수 있나. 그래도 어떻게 해 주고 싶은 마음에 진통제를 반으로 잘라 두 번에 걸쳐서 드시라고 했더니 당장 반 알을 입안에 넣는다. 몹시 아프셨던 모양이다.

오지에 사는 사람들은 아주 기본적인 약에도 큰 차도를 보인다는 것을 나는 경험으로 잘 알고 있다. 예전에 방글라데시 비야푸르 마을에서 나는 잠깐 의신(醫神) 노릇을 했었다. 어떤 사람의 팔목이 썩어 문드러졌는데, 그 상처에 마이신을 발라주어 이틀만에 낫게 했던 것이다. 또 한 아줌마가 배가 아프다면서 자꾸 하품을 하는 것이 체한 것 같아 소화제와 진통제를 반 알씩 주었다. 그랬더니 한 30분쯤 있다가 말끔히 나았다.

만성으로 배가 아프다고 호소하는 아이는 배가 탱탱한 것으로 보아 혹시 기생충 때문이 아닐까 해서 회충약을 주었더니 다음날 더이상 안 아프다고 했다. 그런 일이 몇 가지 겹치자 소문이 어떻게 났는지 한번은 한 달째 하혈이 그치지 않는다는 아랫동네 여자를 데리고 왔다.

먹지 못하고 피를 쏟고 있다니 우선 임시변통이나 하려고 포도당 가루를 듬뿍 타서 먹였다. 그 덕인지 모르겠으나 그 다음날 하혈이 줄어들었다며, 남편이 고맙다고 망고 한 바구니를 들고 인사를 왔었다. 나는 아는 것 하나도 없이 '무늬만' 한국의 슈바이처였다.

세계 오지를 다니다 보면 정말 딱한 사람들이 많고도 많다. 지사제와 포도당 가루가 없어 설사병으로 죽은 아이도 보았고, 안약이나 안연고만 있었더라도 장님이 되지 않았을 아이도 만났다. 어렸을 때 고열을 내며 앓다가 귀가 안 들리게 되었다는 예쁘장한 처녀아이도 있었다. 그때 해열제랑 소염제만 있었더라도 그 지경은 되지 않았을 게 아닌가.

정말 안타까울 때가 한두 번이 아니다. 내가 세계일주 여행만 할 것이 아니라 약간의 의학상식과 유용한 약품을 가지고 다녔더라면 얼마나 좋았을까. 이럴 때마다 의사나 간호사들이 너무나 부럽다. 그들은 아주 중요한 순간에 작은 조치로도 사람 목숨을 구할 수 있을 테니까. 그런데 우연하게도 여기 타클라마칸 사막 남단 마을에서 내가 그런 역할을 하게 되었다.

심청이의 동생이 어떻게 빼기고 다녔는지 조금 있자니 마당 가득 동네 아이들이 몰려든다. 아이들이 서로 내 손을 잡으려고 하면서 알아들을 수 없는 위구르말로 뭔가를 열심히 물어본다. 나도 알고 있는 몇 마디 위구르말로 한참 아이들 이름을 물어보았다. 바로 그때다. 함께 재미있게 놀던 일곱 살 정도의 아이가 갑자기 앞으로 픽 고꾸라지는 것이 아닌가. 놀라서 쳐다보니 눈동자가 돌아간 아이는 사지를 떨며, 입에 거품을 물고 있다.

나는 우선 다른 아이들을 멀리 쫓아보내고 혀를 깨물지 않도록 머리 스카프를 풀어 입에 물린 다음 심청이의 엄마를 불렀다. 쓰러져 사지를 뒤틀고 있는 아이를 보고는 심청이 엄마가 깜짝 놀라며 어쩔 줄 모른다.

당황하는 사람들을 보니 내가 오히려 침착해진다. 할아버지의 도움으로 아이를 꼭 붙잡고 청심환을 꺼내 녹여 입에 부었다. 그러고는 시원하도록 몸에 찬물을 뿌려준 다음 평상 위에 뉘었다. 청심환 덕분인지 30분쯤 지나니까 아이는 누운 채 어리둥절한 표정으로 까만 눈동자만 동글동

글 굴린다. 드디어 정신을 차린 것이다. 아마 이 아이는 선천성 간질환자였나 보다.

할아버지와 심청이 엄마는 자기 아이도 아니면서 수십 번 고맙다고 인사를 한다.

지난번 베이징에 갔을 때 한겨레신문 특파원 이길우씨가 준 북한제 청심환이 이렇게 요긴하게 쓰인 것이다. 이길우 씨는, "이거 쓸 일이 없었으면 좋겠지만…"이라고 말하며 주었었다. 그런데 이렇게 잘 썼다고 꼭 말해줘야지.

심청이 엄마는 그날 저녁 내가 좋아하는 위구르 국수를 만들었다. 그런데 가만히 보니 국수 재료가 한국에서도 모두 구할 수 있는 것들이다. 집에 가서 해 먹으려고 공책을 꺼내 요리 과정을 하나하나 자세히 적었더니 심청이 엄마는 얼굴을 가리며 부끄러워하고 심청이는 깡총깡총 뛰면서 재미있어한다.

저녁을 먹고는 차를 마시면서 식구들에게 한국 그림엽서를 보여주었다. 경복궁이나 다른 경치 엽서보다 남산에서 본 서울 풍경 등이 나오니까 환호성을 지른다. 고층빌딩과 자동차들이 좋아보였나 보다. 심청이는 그날 자기집에서 자고 가라고 성화다. 엄마와 할아버지도 거든다.

"나도 그러고 싶지만 외국인을 재우면 안 되는 법이 있다는데요."

내가 말했더니 며느리의 통역을 들은 할아버지의 얼굴색이 변하면서 화가 나서 삿대질까지 하며 뭐라고 한다. 엄마가 중국말로 통역해준다.

"상관없어요. 여기는 우리집, 우리 땅이니까."

내 옆에서 온갖 아양을 부리는 심청이는 할아버지만 잘 돌보는 것이 아니라 엄마도 잘 도와주고 동생도 잘 돌보는 정말 똘똘한 아이이다. 나는 심청이 엄마에게 왜 딸을 학교에 보내지 않느냐고 물었다. 엄마는 할아버지 눈치를 보며 자신은 보내고 싶은데 할아버지가 여자는 학교를 다니면 못쓴다며 못 가게 한다는 것이다. 맙소사, 우리에게도 그리 멀지 않은 옛날에 이와 같은 말도 안 되는 행태가 있었던 것을 생각하니 그것이 남의 일 같지 않다. 영리하고 호기심 많은 심청이가 공부만 한다면 한몫을 톡톡히 할 텐데. 그러나 완고한 할아버지를 설득시키기에 하룻밤은 너무 짧다.

초경도 아직 먼 나이에 벌써부터 마스크로 얼굴을 가리고 다니는 아이, 학교는 근처에도 가보지 못한 이 아이는 앞으로 어떤 인생을 꾸려 나가게 될까? 내 앞에서 무슨 일엔가 신이 나서 깔깔거리는 심청이를 보니 괜히 눈물이 나려고 한다. 저 아이는 자신의 인생이 어떻게 펼쳐질지 알고 있는 걸까.

물론 할아버지도 할아버지의 방식으로 아이에게 줄 수 있는 최대한의 행복을 준비하고 계신다는 것을 안다. 그래서 학교에 보내지 않는다는 것도 잘 안다. 그러나 사람으로 태어났으면 적어도 자기 생각을 글로 쓸 줄 알고, 다른 사람의 생각과 경험을 읽을 줄은 알아야 하지 않는가.

중국 인민이면 누구나 받아야 하는 의무교육이 왜 이곳에서는 실시되지 않는 건지. 어느 곳에서나 소수민족 편이었던 나는 지금은 중국 편에 서고 싶다. 강제적인 의무교육을 통해서라도 아이가 교육을 받았으면 좋겠다고 생각하기 때문이다.

그러나 나의 염려도 소위 문명인으로서의 오만과 편견일지 모른다. 어떻게 내가 가진 잣대로 아이의 행, 불행을 가늠할 수 있겠는가. 이 아이는 내가 생각하는 것과는 달리 문맹으로서 큰 불편과 불만 없이 살 수도 있을 것이다. 나의 이런 복잡한 마음을 아는지 모르는지, 내가 자고 가는 것이 좋아서 싱글벙글 하고 있는 심청이를 있는 힘껏 꼭 껴안아 주었다. 심청이의 '행복'을 간절히 빌면서.

종씨가 모는 우체국 차로 사막을 달리다

내가 로아짱으로 가는 우체국 차를 기다리고 있다는 사실은 치에무에서 알 만한 사람은 다 안다. 무스타크 호텔 부지배인 하심, 숙소 옆의 회족 식당 부부, 파티마 아줌마와 시장 사람들, 그리고 내가 묵고 있는 숙소 종업원 등이다.

모두들 우체국 차가 오면 알려주겠다고 했는데 제일 먼저 알려준 사람은 역시 소식이 빠른 하심이다. 우체국 차가 도착했다는 전화를 해 주었다. 그 다음 선수는 회족 식당 아저씨. 자전거를 타고 숙소로 찾아와 우체국 차가 왔으니 빨리 가서 자리를 알아보라고 한다.

점심을 먹고 파티마네 가게로 놀러가니 시장 아줌마들이 기다렸다는 듯 한자로, '워 야오 취 로아짱(나는 로아짱에 가야 합니다).' 이라고 쓴 메모까지 준비해서 운전사에게 보여주라고 한다. 한자를 알지 못하는 아줌마들이 누구에게 부탁해서 써 온 것이 분명하다.

부랴부랴 운전사를 찾았는데, 의외로 쉽게 차를 타고 가도 좋다는 약속을 받아냈다. 가격도 처음에는 1백 위안이라고 하더니 내가 50위안 낼 셈치고, 학생이 무슨 돈이 있느냐며 30위안만 하자고 왕창 깎았더니 군말없이 '커이(좋아요)' 한다. 더 깎을 걸 그랬나.

다음날 새벽 4시경, 차를 타러 우체국으로 갔다. 정문 앞에는 놀랍게도 스무 명 정도가 아주 큰 짐보따리들을 가지고 기다리고 있다. 우체국 차가 트럭처럼 오픈된 것도 아닌데 저 사람들과 짐이 어떻게 다 들어가나 은근히 걱정이 된다. 그런데 다 되는 법이 있더라니까.

운전사가 편지와 소포 보따리가 들어 있는 우편 화물칸을 열고 사람과 짐을 한꺼번에 태우더니 바깥에서 문을 잠그려고 한다. 멕시코에서는 대형 컨테이너 차에 숨어 불법으로 국경을 넘다가 숨이 막혀 죽기도 한다던데 저렇게 해도 되는지 모르겠다.

선선하니망정이지 6, 7월 찜통더위에 창문도 하나 없는 철통에 저렇게 타고 가다간 정말 죽기도 하겠구나 싶다.

나는 어디로 끼여 가야 좋을까 두리번거리고 있는데, 나를 본 운전사가 운전석을 열며 올라타라는 시늉을 한다. 오, 땡규 땡큐! 아니, 위구르말로 해야지. 라흐메트, 라흐메트!

그런데 이 위구르 아저씨의 이런 호의가 순수하지만은 않은 것 같다. 배낭을 챙겨서 차에 오르는데 도와주는 척하면서 엉덩이를 만지는 것을 보면 말이다. 좀 신경쓰이게 생겼다.

그런데 차가 떠날 때 보니 위구르족 아저씨는 조수고, 정작 운전사는 한족이다. 서른다섯 살이라는데 차림새며 매너가 깔끔해서 마음에 든다. 이름을 물어보니 한윈펑〔韓雲峰〕이란다. 농담삼아 나도 한씨고 우리 오빠 이름이 한스펑〔韓石峰〕이니까 우리는 서로 종친간이라고 이야기했더니 그도 좋아한다.

"한씨 뿌리에 관심이 있으면 헤이룽장성 끝 러시아 국경 근처에 있는 '한가원자(韓家圓子)' 라는 곳을 가보세요. 지명대로라면 거기서 진짜 뿌리를 찾을 수 있을지도 모르잖아요?"

내가 한씨 타령을 하니까 한윈펑 씨가 놀린다. 내가 덧붙였다.

"한국에서는 음력 10월 1일에 한씨 시제를 성대하게 지내고 종친회도 아주 크게 하니 한국에 오면 꼭 참석해서 '혈연의 정' 을 발휘하세요."

윈펑씨는 그런 것은 중국에서는 들어보지 못한 일이라며 반신반의한다. 아무튼 한국에서는 본이 청주 한씨 하나라 한씨 성을 가진 모든 사람을 일가로 치니 나이가 많은 나를 따제〔大姐, 누나〕라고 하라니까 부끄러워하면서도 그렇게 하잔다. 나는 이 사람을 남동생이라는 뜻인 '띠디' 라고 불렀는데 이런 '피로 엮인' 사이가 아니더라도 중국어를 할 줄 알고, 그게 안 통하면 필담이라도 할 수 있으니 얼마나 속이 시원한지 모르겠다.

한윈펑 씨는 다롄〔大連〕에서 왔다는데 지성적으로 보이기까지 한다. 나중에 안 일인데 중국에서는 운전기사가 돈도 많이 벌고 사회적 지위도 높아 아주 인기가 좋은 직업이란다. 자기 옆에 나를 태울 때는 은근히 다른 뜻도 있었던 위구르 아저씨는 한씨끼리 갑자기 다정해지자 졸지에 개

나를 태우고 사막을 건네 준 우체국 차와 운전사 한원펑씨.

밥의 도토리가 되었다.

로아짱은 50년대까지만 해도 오로지 낙타와 당나귀로만 갈 수 있었다는데 지금도 우체국 차와 도로보수를 하는 차량 외에는 다른 차들이 다니지 않는다. 길가에 가끔씩 나타나는 건물들은 민가나 마을이 아니고 모두 도로관리와 보수에 관계된 것들이란다.

이 구간에서는 모든 종류의 사막을 볼 수 있다. 사하라 사막같이 편편히 모래만 있는 곳, 점점이 풀포기들이 있는 곳, 큰 돌들이 섞여 있는 곳. 그리고 젊은 여자의 보디 라인을 연상하게 하는 실루엣이 아름다운 모래 언덕까지.

왼쪽으로 끊어질 듯 이어지는 풀 한 포기 없는 고동색 산들은 아주 단단하게 생긴 것이 마치 보디 빌딩하는 남자 근육 같다. 남성적인 산과 어우러진 여성스런 사막 경치가 정말 장관이다. 한원펑 씨는 좋은 경치가 나오면 사진 찍으라고 일부러 천천히 달리기도 하고, 지형 설명도 친절하게 해 준다.

로아짱을 80킬로미터 앞에 둔 시점에서 거짓말처럼 오아시스 마을이 나타난다. 마을에 내리니 수로를 따라 물이 콸콸 흘러내리는 게 신기하다. 차에 탔던 사람들은 어느 과수원으로 들어가 이곳 특산물인 배를 사느라 모두들 혈안이다.

나도 개평으로 주는 배를 집어 한 입 깨물어보고 깜짝 놀랐다. 나는 우리 나라 먹골배, 나주배가 세상에서 제일 맛있는 배인 줄 알았는데 이곳 배도 거기에 못지않은 맛이다. 껍질이 얇고 물이 많은 이 배는 사각사각 입안에서 씹히는 맛이며 단맛이 말 그대로 천과(天果), '하늘이 내린 과일' 이다.

한원평 씨는 로아짱에 도착하면 미란 유적지를 보고 가라고 귀띔해 준다. 물론 나도 유명한 불교 왕국이었던 이 유적지에 대해 알고 있었고, 꼭 가보려던 참이었다. 이 유적지에는 3세기에서 5세기에 지어진 불교 사원터가 있고, 티베트 문서 및 가죽갑옷 등이 출토되어 티베트 문화의 영향을 엿볼 수 있다는 것이다. 더욱이 날개 달린 천사와 남녀군상 벽화 등에서는 헬레니즘 문화의 영향까지도 느낄 수 있다고 한다.

그러나 다른 곳에서는 이 유적지에 대한 세부적인 정보를 알 수 없어서 로아짱에 와서 그곳이 개방지구인지, 대중교통편이 있는지 알아볼 셈이었다. 한원평 씨는 친절하게도 우체국 차 중에서 미란까지 가는 차가 있는지 알아봐주겠다고 한다.

한원평 씨가 내게 친절을 보이는 사이에 단단히 삐친 위구르 아저씨는 나와는 한 마디도 나누지 않고 앞만 보고 있다. 사탕을 건네주어도 받지 않는다. 한원평 아저씨와 아쉬운 이별의 악수를 나누는 동안에도 이 아저씨는 나에게 싸늘한 눈길을 보낼 뿐이다. 정말 웃기는 짜장면, 아니, 웃기는 위구르 국수다.

위구르말로는 '차리클릭' 이라고 부르는 이곳 로아짱에는 국립여행사 직원이 모두 출장 중이라 유적지에 관한 정보를 전혀 얻을 수 없다. 어쨌거나 한원펑 씨가 물색해준 미란 가는 우체국 차가 내일 아침 6시에 떠난다니 일단 가보기로 했다.

나는 요즈음 시중에 나오는 여행기나 답사기에서 한 목소리로 부르짖는 '아는 만큼 보인다' 는 말에 동의하기도 하지만 5년 동안 세계여행을 하면서 꼭 그렇지만은 않다는 것을 알게 되었다.

몰랐으면 그냥 스쳐 지나갔을 것을 알기 때문에 관심있게 볼 수 있고, 아는 것에 대한 애정이 생긴다는 것은 명백한 사실이다. 하지만 알고 보기 때문에 어쩔 수 없이 생기는 편견과 이미 아는 것이 아니면 중요하지 않다는 잣대가 답사나 여행을 방해하는 경우도 종종 있다. 어느 때, 어느 곳은 전혀 아는 바가 없어서 오히려 훨씬 잘 보고 좋은 느낌을 받은 적도 많았으니 말이다. 미란 고성은 어느 쪽이려나.

다음날 오전 11시쯤 미란에 도착했다. 오는 길에 우체국 사람들은 한원펑 씨가 내게 전해주라고 했다는 배를 한 봉지 건네준다. 고마워요, 한원펑 씨. 이래서 종씨는 좋다니까.

여기까지는 좋았는데, 미란에 도착해 보니 문제가 생겼다. 내가 내리려는데 우체국 아저씨가 묻는다.

"통행증은 있으시죠?"

"네? 통행증이 있어야 해요? 그거 어디서 받으면 되지요?"

"여기서는 못 받아요. 치에무 같은 큰 도시에서나 받을 수 있을걸요."

낭패다. 그래도 여기까지 와서 이대로 물러설 수는 없다. 고성까지는 7킬로미터라니 걸어서라도 갈 수 있는 거리 아닌가. 일단 밥이나 먹자고 들어간 식당에서 밑져야 본전으로 아줌마에게 물었다.

"아줌마, 나 미란 고성 가야 하는데 방법이 없을까요?"

그랬더니 당장 "커이(물론)"라며 잠깐 기다리란다. 잠시 후 아줌마는 오토바이가 있다는 아저씨를 데리고 왔다. 사각모자를 쓴 아저씨는 갈 수는 있는데, 20위안은 주어야 한다고 단호하게 못을 박는다. 이 아저씨가 자기딴에는 많이 부른 줄 아는 모양인데 나는 1백 위안이라도 갈 판이었다. 얼마나 걸리느냐니까 왕복 두 시간은 걸린단다. 불안할 정도로 일이 잘 풀린다.

그러나 우리는 시내를 벗어나자마자 길을 막고 서 있던 한족 꽁안에게 제지를 당했다. 꽁안은 물론 통행증 검사를 했고 내가 없다고 하자 한 마디로 안 된다며 아저씨에게 거만한 태도로 큰소리를 친다. 어찌나 심하게 몰아붙이는지 내가 민망해서 쥐구멍을 찾고 싶을 지경이다. 결국 미란 고성은 '7천 미터 앞에다 두고' 돌아서야 했다. 아저씨에게 미안하다고 하니까 오히려 씩씩거린다.

"우리 땅인데 왜 마음대로 못 들어간다는 거야. 한족놈들은 여기서 다 몰아내야 해."

되돌아오는 길에 경치좋은 곳에 내려달라면서 아저씨더러 우체국 사람들에게 가서 돌아가는 길에 나를 실어가라고 부탁 좀 해달라고 했다. 가지고 간 물이 몇 모금 남지 않아 걱정이 좀 되었지만 미란 고성도 못 보았는데, 실크로드 경치를 놓칠 수는 없는 일이다.

일망천리. 나무 한 그루 없는 산들이 끝없이 이어지고 풀 한 포기 없는 사막이 지평선을 따라 막막하게 펼쳐진다.

실크로드를 말하자면 빼놓을 수 없는 모든 사람들이 이 길을 지나갔다. 기원전 1세기에는 중국에 서역과 유럽을 처음 알린 장건, 7세기 때는 〈대당서역기〉의 현장법사, 13세기에는 여행가 마르코 폴로가 바로 여기를 지났다. 그후 〈동방견문록〉을 따라 수백 년간 묻혀 있던 이 길을 가면서 무수한 불교 유적지를 발굴한 스웨덴의 스웬 헤딘과 둔황 석굴에서 1만 점 이상의 고문서와 미술품을 가지고 간 영국 탐험가 스타인까지.

그들은 무슨 생각을 하며 이 길을 걸어갔을까? 이 험하고 끝이 없을 것 같은 사막길을.

5세기 때 이곳을 지나간 법현법사는 타클라마칸 사막 여행의 어려움을 이렇게 토해냈었다.

사하(沙河) 속에는 악귀와 열풍이 있다.
만나면 곧 모두 죽고 하나도 온전한 자가 없다.
하늘에는 나는 새도 없고 땅에는 기는 짐승도 없다.
어느 곳을 바라보아도 그저 아득할 뿐
거리를 가늠해 보려도 기준삼을 데가 없다.
다만 죽은 자의 뼈로써 가는 길의 이정표를 삼을 뿐

바로 그런 길을 나도 가고 있는 것이다.

사막 경치를 실컷 감상하는 것까지는 좋았는데, 물도 없고 그늘 하나 없는 한낮 땡볕아래 다섯 시간 넘게 앉아 있었더니 탈수 증상이 나타난다. 어질어질하면서 머리가 빠개질 듯 아프다. 입 안은 모래를 한 줌 넣고 씹고 있는 듯 껄끄럽고 손발은 전기가 오르는 것처럼 찌릿찌릿하다. 열이 나는 것 같기도 하다. 차가 빨리 오면 좋으련만 5시가 되어가는데도 감감 무소식이다. 그 아저씨가 말을 전해주지 않았나? 그렇다 하더라도 내가 못 보았을 리 없다. 로아짱까지 가는 길은 오로지 이 길뿐이니까.

어지러워서 시내까지 가기는커녕 일어날 힘도 없다. 모래 먼지 때문인지 눈앞에 자꾸 뭔가 왔다갔다한다. 사막에서 물이 떨어진다는 것이 바로 이런 것이로구나.

이 죽음의 타클라마칸 사막에서.

배꽃 하얗게 피고 지는 타클라마칸 사막

서유기 주인공들의 석상이 있는 투르판 치엔포똥 앞

낙타가 사라진 사막

로아짱에서 동쪽으로 가는 데는 두 가지 길이 있다. 하나는 미란을 지나 계속 서진을 하여 둔황까지 가는 길이고, 다른 하나는 타클라마칸 사막의 오른쪽을 돌아 쿠얼라로 가는 길이다.

현장법사나 마르코 폴로가 한 것처럼 여기서 바로 둔황으로 갈까도 생각해 보았지만 기왕에 실크로드를 따라왔으니 적어도 투르판, 우루무치는 가야 할 것 같아 처음 계획대로 쿠얼라로 가기로 했다.

로아짱의 숙소 앞에 대형 트럭이 있길래 지나는 말로 쿠얼라 쪽으로 가느냐고 했더니 그렇다며 내일 새벽에 떠난단다. 무슨 일이 그래, 이렇게 술술 잘 풀리나.

다음날 트럭 앞자리의 푹신한 의자에 앉아 가는데도 울퉁불퉁 오장이 흔들릴 지경이다. 로아짱부터 쿠얼라까지는 악명높은 비포장도로다. 버스를 탔으면 어쩔 뻔했나, 정말 이 트럭이 구세주다.

또다시 시작되는 모래벌판. 그래도 단조로운 모래밭 경치가 질리지 않는다. 오히려 오늘이 지나면 더이상 타클라마칸 사막을 볼 수 없다는 것이 서운하다. 그런데, 열흘 이상 사막을 돌면서도 사막의 배라는 낙타를 단 한 마리도 보지 못했다. 사막 안으로 더 들어갔다면 볼 수 있었을까?

운전사에게 물어보니 옛날 카슈가르에서는 일요시장에서도 사고 파는 낙타를 얼마든지 볼 수 있었지만 이제 이 지방에서는 일상생활에서 낙타가 사라진 지 아주 오래되었다고 한다. 낙타가 사라진 사막이라! 아니, 낙타가 소용없어진 사막이라. 어쩐지 허전하다.

차가 잠깐 설 때 만져본 모래가 마치 분가루같이 곱다. 타클라마칸 사막 여행 기념으로 필름통 하나 가득 모래를 담는다.

나의 가장 중요한 기념품은 바로 이런 것들이다. 칠레 아타카마 사막에서 가져온 플라밍고 깃털, 파키스탄 고산에 핀 노란 야생화, 나일강에서 주운 돌멩이, 과테말라 화산 폭발 때 튀어나온 화산석. 모두 그 물건 자체로는 아무 가치가 없는 시시콜콜하기만 한 자연의 파편들이지만 내게는 추억과 어우러져 가장 소중한 기념품이 된다.

마을이 곧 나타난다는 표시인 낯익은 포플러 숲이 보인다. 마을마다 예외없이 벌여놓은 주먹만한 연한 노란색 배가 특히 반갑다. 이곳 배는 향리(香梨)라는 이름 그대로 정말 향기가 좋다. 수분도 많아 한입 베어 물면 배물이 팔뚝을 타고 주르륵 흘러내린다.

배꽃이 피는 봄이면 경치가 기가 막히겠다. 사막에 피는 하얀 배꽃이라. 쿠얼라가 다가오니 양떼가 보이기 시작한다. 그 양들이 또 마치 활짝 핀 배꽃 같다. 올 때 많이 보았던 망울 터뜨린 목화 같기도 하고. 배꽃과 양떼와 목화가 하얗게 피고 지는 타클라마칸 사막이여!

해질녘에 위구르 운전사는 세워놓은 다른 차를 보더니 그 옆에 차를 댄다. 저녁기도를 하려는 모양이다. 모슬렘들은 반드시 기도 전에 손과 발을 씻는데, 물이 없는 사막에서는 모래로 손발을 씻고 한줄로 늘어선다. 한 사람이 구성지게 선창을 하자 그에 맞추어 메카를 향해 일제히 무릎을 꿇고 머리를 조아린다.

"알라와 아크바르(알라는 위대하도다)."

"라일라 일알라(알라 이외에는 신이 없도다)."

"무하마드 라술라(무하마드가 하느님의 사도이시다)."

사막 서쪽 지평선으로 지는 해는 숯덩이같이 환한 주홍색이다.

깜깜한 새벽에 로아짱에서 출발하여 깜깜한 밤에 쿠얼라에 도착했다. 카슈가르를 떠난 지 열흘 만에 타클라마칸 사막을 반 바퀴 돈 셈이다. 여기까지 오고 나니 계획했던 루트를 완주했다는 성취감이 들기도 했지만 한편으로는 여러가지 아쉬움도 남는다.

우선 사막남로를 따라 남아 있는 유적지들은 모두 도시에서 멀리 떨어져 있어 가기가 아주 어렵다. 또한 유적지에 갔다 하더라도 남아 있는 것이 너무 적어 전문 가이드의 설명이 필요할 뿐 아니라 설명을 듣는다 해도 대단한 상상력이 필요할 것 같다. 그리고 유적을 돌아보기 위해서는 특별한 허가가 필요해 비용이 아주 많이 든다. '환상의 왕국' 이라는 누란〔樓蘭〕 유적지만 해도 혼자서는 허가증 신청조차 할 수 없고, 단체로 해도 우리 돈으로 4백만 원 정도나 되는 터무니없는 큰돈이 필요하다.

시간도 많이 들어서 랜드로버를 빌려 타고 일주일 정도나 걸려야 유적을 돌아볼 수 있다고 한다. 학자도 아닌 일반 여행자가 '그냥 얼굴 한번 보자고' 그렇게 막대한 시간과 돈을 들일 수는 없는 노릇이지만 그래도 아쉬운 마음은 지울 수 없다.

또 하나, 사막남로에 남아 있는 깊숙한 위구르 마을에도 한족의 영향을 느낄 수 있어 소수민족 동네에 왔다는 생각이 덜하다는 것이다. 아무리 조그만 마을에도 중심에는 십자대로가 있고, 번듯한 콘크리트 건물이 있고, 정복을 입은 한족 공안과 군인을 쉽게 볼 수 있다. 거리 이름도 해방로, 인민로 등 위구르족과는 아무 상관이 없는 이름들 천지다.

그러나 이런저런 불만이나 미진함에도 불구하고 이 길로 오길 정말 잘했다는 생각이 든다.

여행에는 여러 경우가 있다. 중간 과정은 무시하고 되도록 빨리 목적지에 도착해야 하는 경우도 있고, 목적지를 향해 가는 그 자체가 여행인 경우도 있다. 이번 사막남로 여행은 뒤쪽인 셈이다. 옛사람들이 다니던 유명한 길을 답사한다는 것 그 자체의 의미가 큰 것이었다.

거기에 또 한 가지의 보너스는 위구르족의 생활모습을 보면서 중국의 소수민족 정책을 확실히 알았다는 것이다. 이것은 앞으로 할 소수민족 중심의 중국 여행에 큰 도움을 줄 것이다.

처음 중국의 소수민족 정책은 매우 이상적이었다. 그들은 헌법에 '모든 소수민족은 그들이 다수를 점하는 지역에서 지역자치를 실시하고, 인민해방군에 참가함과 동시에 지방 인민공안부대를 창설할 수 있고, 그들 자신의 언어와 문자를 사용함과 동시에 풍습과 습관을 유지 발전시킬 수 있다.' 고 명시했다.그러나 통치권이 안정되어가자 중국 공산당의 정책은 중앙집권적 통제와 한족의 소수민족 지배를 강화하는 쪽으로 변했다. 왜냐하면 소수민족의 자치는 항상 정치적인 불안 요소가 잠재되어 있게 마련이어서 민족주의적 저항의 가능성이 높기 때문이다.

따라서 저항지역에서는 삼엄한 경계와 엄격한 통제를 한다. 군인과 경찰, 고위 공무원 등이 한족으로 바뀌었고, 한족의 변방 이주를 장려하여 소수민족의 자치구에서 한족의 수를 늘리는 데 주력하고 있다. 소수민족의 한족화를 유도하려는 것이다. 중국의 이런 동화정책 속에서도 위구르족은 고유의 문화와 종교, 언어, 관습을 그대로 유지하고 있으며 티베트의 장족, 내몽고의 몽골족과 함께 늘 중앙정부의 주요 관찰대상이 되고 있다.

한족이 더 많아진 소수민족의 땅

쿠얼라에서 우루무치까지는 오랜만에 기차를 타고 가기로 했다. 신장에서는 유일한 기차 노선이다. 기차가 있는 곳에 오니 괜히 오지여행이 끝난 것 같은 섭섭한 느낌이다.

'버스를 타고 갈까?'

그러나 내 불쌍한 엉덩이 사정도 봐줘야지. 앞으로 여정이 6개월 이상 남아 있으니 살살 달래서 데리고 다니는 것이 상책 아닌가.

"위구르 결혼식 한번 보실래요?"

몽골말로 '아름다운 초원' 이라는 우루무치에서 결혼식에 초대를 받았다. 쿠얼라에서 우루무치까지 오는 기차 안에서 30대 중반의 변호사를 만났는데, 자기 친척인 위구르족 여자와 일본인의 신식 결혼식이 내일 모레 있다는 것이다. 전통 결혼식이라면 더 좋았겠지만 그만 해도 운이 좋은 셈이다.

다음날 변호사의 아파트를 찾아갔다. 부인도 주 정부의 경제분야에서 일하는 인텔리인데 대단한 멋쟁이다. 이 부부는 소수민족의 하나인 시보족이다. 이들은 18세기 때 만주로부터 와서 용감하게 국경을 지켰던 만주 군단의 후예인데 고향으로 돌아가지 않고 여기에 눌러앉은 사람들이다. 만주에서는 이미 더이상 쓰지 않는 고유의 글과 말을 지금까지 지키고 있는, 자부심이 강한 소수민족이다.

그날 결혼식에 가려고 모인 열 명 정도의 친구들은 시끌벅적 유쾌하고 재미있는 사람들이었다. 그들이 나를 아무 호칭 없이 '한페이예에〔韓飛野〕'라고 부르는 것이 이상했는데 나중에 알고 보니 중국에서는 친한 친구끼리는 이렇게 이름과 성을 다 부른다는 것이다.

사실 결혼식 자체는 좀 싱겁다. 그럴 수밖에 없는 것이 결혼식은 여러 가지가 겹쳐진 '버라이어티 쇼' 가운데 하나의 프로그램이었던 것이다. 의식은 없이 신랑 신부의 얼굴이나 보고, 먹고 마시기 위한 자리인 것처럼 보였다. 내 보기에는 아무래도 피로연인 것 같다.

축배를 들고, 케이크를 자르고, 무대에서 밴드와 가수가 노래를 부르며 흥을 돋우고, 전통무용이 공연된다. 특이한 것은 갑자기 음악과 불이 꺼지고, 무대에 스포트라이트가 들어오면서 키가 크고 삐쩍 마른 패션모델 여섯 명이 야회복부터 수영복까지 패션쇼를 벌이는 것이다.

그리고 뒤이어 이어지는 댄스파티. 신랑과 신부를 위한 자리인데 우리는 신혼 부부가 자리를 뜨는 것도 모른 채 밴드 연주자들까지 합세하여 광란의 춤판을 한판 신나게 벌였다. 위구르풍, 한국풍, 중국풍, 서양풍 등 느리고 빠른 모든 장르를 망라하면서.

이곳 우루무치에서는 위구르족의 한족화가 빠르게 진행되고 있다는 것을 한눈에 알 수 있다. 보통 신장이라고 부르는 이곳의 행정적인 명칭은 위구르 자치구이다. 그런데도 신장의 성도(省都)인 우루무치에는 위구르 족보다 한족이 훨씬 많다.

1955년 신장이 위구르 자치구로 이름이 바뀔 때만 해도 인구 5백만 명 중 3백50만 명이 위구르족이고, 한족은 겨우 20만 명 정도였다는데 말이다. 63년 란저우〔蘭州〕에서 우루무치까지 철도가 생기면서 한족의 대량 이주가 시작돼 불과 40년 만에 한족 인구가 5백60만 명으로 28배나 늘어났단다. 소수민족의 땅에서 소수였던 한족이 이제는 다수가 되었으니 신장도 만주처럼 한족으로 동화되는 것은 시간문제가 아닐까 하는 우려를 떨쳐버릴 수가 없다.

우루무치에 가면 꼭 가보아야 한다는 티엔츠〔天池〕는 나중에 섭섭할 것 같아서 가보긴 했지만 안 가보아도 별로 서운하지 않을 것 같다. 이미 시장바닥 관광지가 되어 있기 때문이다.

하지만 별 게 있을까 하고 가본 박물관에서는 재미를 톡톡히 보았다. 이곳에는 두 개의 상설전시관이 있는데, 하나는 신장성에 사는 소수민족들의 민속전시관이고, 다른 하나는 실크로드에서 발굴된 역사유물 전시관이다.

특히 방금 지나온 서역남로에 대한 전시물이 흥미롭다. 석기, 옥기, 문서, 직물 등이 수천 점 있는데 모직물이나 견직물의 색이나 올이 1천여 년 전의 모습 그대로다. 건조한 사막 기후 덕분일 것이다. 특히 비단은 생산지에 따라 투르판 비단, 카슈가르 비단, 호탄 비단 등으로 부르는 것이 실크로드답다.

내가 사전 지식 없이 간 치에무, 로아짱 등에서 그렇게 중요한 유물이 발굴되었다는 것이 신기하다. 전시물 중에서 제일 흥미를 끈 것은 다름아닌 미라다. 미라의 대부분이 유럽인종인데, 치에무 미라는 유럽인과 몽골인의 혼혈인이라고 한다. 도대체 이들은 누구이며 어디에서 왔을까.

8개월에서 10개월짜리 치에무 아기 미라도 있는데, 3천 년 전의 이 미라는 네모난 까만 돌로 눈가리개를 하고 있다. 아기 부장품으로는 양털로 만든 덮개, 양 젖꼭지로 만든 우유병, 컵으로 쓰는 소뿔, 장난감 등이 있어 완전한 놀이방 꼴을 갖추었다.

이 박물관의 하이라이트라는 '누란 미녀' 도 보았다. 1980년, 중국에서는 고고공작자라고 부르는 고고학자들에 의해 발굴된 4천 년 전의 미라인데, 45세의 여자로 키는 157센티미터, 미라 무게 10.1킬로그램이다. 이 미라도 역시 높은 코, 짙은 눈썹에 크고 깊은 눈의 유럽 인 얼굴인데 최근 연구에 의하면 이 여인은 인도및 이란에 살던 인도 유럽어족의 아리안계가 분명하단다.

그러나 박물관과 뒷골목 시장말고는 내 눈에 들어오는 것이 별로 없다. 이만한 규모의 도시에서 서울로 콜렉트 콜도 되지 않는다니 더욱 실망스럽다. 서울에 전화한 지가 벌써 두 달이 넘었는데. 투르판에 가서도 콜렉트 콜이 안 되면 그때는 천금을 주고서라도 전화해야지. 돈 조금 아끼려다 식구들 애간장 다 태우겠다.

투르판에서는 사랑에 말이 필요없어

숙소로 잡은 투르판삔관 지하 기숙사방에 들어가니 일본 여자 둘과 서양 남자 여행자 하나가 눈인사를 한다. 일본인들은 내가 일본사람인 줄 알고 '곤니찌와?(안녕하세요)' 한다. 내가 '안녕하세요' 라고 한국말로 대답을 하니 깜짝 놀란다.

"앗, 고멘나사이. 강고꾸진 데스네(앗, 미안해요. 한국 사람이군요)."

눈을 동그랗게 뜨고 입을 손으로 감춘다.

아까부터 우리를 쳐다보고 있던 서양 여행자가 작은 노트에 무엇인가를 적어 내게 내민다. 얼굴을 보니 귀공자 타입으로 피부가 곱고 푸른 눈동자의 동그란 얼굴이다. '다니면서 여러 여자 마음 설레게 했겠군.' 생각하며 메모를 들여다보았다.

'나는 청각장애자입니다. 이름은 리처드, 영국사람이에요. 만나서 반가워요.'

깜짝 놀라 그의 얼굴을 다시 쳐다보았다. 리처드는 아주 선하고 잔잔한 미소를 지으며 고갯짓으로 다시 인사를 한다. 나도 얼른 노트에 썼다.

'반가워요. 내 이름은 비야, 한국에서 왔어요. 여행 중?'

'네. 실크로드를 타고 파키스탄까지 가서 인도로 갈 생각이에요. 비야는?'

'나는 동쪽으로 가는 중. 투르판은 언제 왔어요?'

'비야 오기 5분 전에.'

일본 아이들은 처음 만난 사람들이 무슨 말을 그렇게 열심히 주고받나 궁금해 한다.

"이 사람은 귀가 안 들린대."

"아, 그래요. 그런데 어떻게 여행을 할까? 아주 어려울 텐데."

"그러니까 훌륭한 사람이지."

이번에는 리처드가 우리끼리 하는 이야기를 궁금해 하는 표정이다. 내가 수화(手話)로 '쟤네들이 너 아주 멋있는 사람이란다' 라고 말해주었더니 눈이 동그래지며 수화로, '수화를 할 줄 알아요?' 한다.

거의 다 잊어버렸지만 나는 영어 수화를 배운 적이 있다. 88년 서울 올림픽 때 단지 국제홍보학을 전공하는 한국 대학원생이라는 이유만으로 미국 올림픽 조직위원회에서 일을 하게 되었다.

올림픽 전후와 올림픽 기간 동안 바쁜 일과 중이었지만 나는 장애자 올림픽 조직위원회에서 홍보 자원봉사를 했었다. 시각장애자와 청각장애자 선수들이 담당이어서 틈틈이 수화를 배웠었는데 그 옛날에 배운 수화를 여기서 써 먹다니.

'배웠는데 지금은 다 잊어버렸어요. 투르판에 있는 동안에 많이 가르쳐

줘요.'

'물론이지요.'

리처드는 환하게 웃으며 어린아이처럼 좋아한다.

투르판 일주를 하기 위한 버스를 대절하느라 우리 네 명과 다른 방에 묵고 있는 여행자를 합해 여섯 명이 일행이 되었다. 승합차를 타고 이틀 동안 다닌 곳이 손오공이 등장하는 훠옌산〔火焰山〕, 사막 밑을 흐르는 지하 수로 카레즈, 불상과 벽화가 아름답다는 치엔포똥〔千佛洞〕, 그리고 실크로드의 고성 등이다.

투르판에는 산이 두 개 있다. 하나는 저 멀리 눈을 이고 있는 높고 높은 톈산〔天山〕이요, 다른 하나는 투르판의 상징인 훠옌산이다. 이 산은 아침에 보아도 붉은 기운이 돌며 불꽃이 하늘로 올라가는 듯한 모양이었는데, 저녁의 붉은 노을 밑에서는 정말 불타는 것 같다.

이 불꽃산이 투르판의 더위를 부채질하는 것일까? 투르판의 별명은 훠저우〔火州〕, '불의 땅' 이다. 여름 평균 기온이 40도란다. 해발 마이너스 154미터로 이스라엘의 사해에 이어 세계에서 두 번째로 낮은 지대인데, 한여름 무더위는 지났다지만 햇볕 아래서는 '아, 더워.' 하는 소리가 저절로 나온다. 나는 좀처럼 땀이 나지 않는 불한당(不汗黨)이지만 유난히 땀을 많이 흘리는 리처드는 이마에 와이퍼를 달았으면 좋겠다는 시늉을 해서 일행을 웃겼다.

투르판에는 고성(古城)도 두 개 있다. 하나는 원나라 초기까지 이 지역의 정치 · 경제 · 문화의 중심지였던 까오창〔高昌〕 고성이고, 다른 하나는 까오창 왕국 이전에 번영했던 찌아오허〔交河〕 고성이다.

까오창 고성은 듣던 대로 정말 방대한 규모다. 당나귀 마차나 낙타를 빌려타고 한 시간을 다녀도 겨우 한바퀴를 돌까 말까다. 이곳이 현장법사가 인도에 가는 길에 한 달간 머물면서 왕에게 설법을 했던 곳이라고 가이드가 설명한다. 다 무너지고 부서져 흔적만 남은 까오창 고성이 7천 미터 앞에 두고 보지 못한 미란 고성을 보는 듯해서 반갑다.

나지막한 언덕 위에 있는 찌아오허 고성 아래로는 푸르른 과수원이 있다. 성의 규모는 까오창 고성에 비해 작지만 유네스코가 지정한 세계문화유산 중의 하나이기 때문인지 사원, 관청, 개인 집, 우물의 흔적이 뚜렷하고 보존 상태가 훨씬 양호하다. 안내도 잘 해준다. 조금만 상상력을 발휘하면 곧 1천 년 전으로 시간여행을 할 수가 있는 흥미로운 곳이다.

치엔포똥 입구에 서유기의 주인공인 손오공, 저팔계, 사오정과 말을 탄 현장법사의 상이 있다. 내가 리처드에게 서유기 줄거리를 간략하게 이야기해 주면서 서역을 여행하는 우리들을 서유기 등장인물에 비유하면, 나는 동분서주하니 원숭이 손오공이고, 너는 귀가 안 들리니 사오정이라고 우스갯말을 했다. 리처드는 이 말을 못 알아듣고 엉뚱한 소리를 한다.

'사오정말고 멋있게 말을 탄 현장법사 하면 안돼요?'

내가 속으로 중얼거렸다.

'리처드, 넌 진짜 사오정이다.'

이틀 동안 리처드와 다니면서 아주 색다른 경험을 하게 되었다. 청각장애자와 다니면 번거롭고 불편할 거라는 선입견이 말끔히 가신 것은 물론 정상인인 내가 많이 돌봐줘야 할 거라고 막연히 생각했던 것이 오히려 부끄러울 지경이다. 리처드는 정상인과 하나도 다름이 없다.

'태어날 때부터 귀가 들리지 않았으니 소리가 들린다는 것이 얼마나 편하다는 것을 모르지요.'

리처드는 글을 읽을 수도, 쓸 수도 있으니까 의사소통을 하는 데는 큰 지장이 없다며 농담까지 한다.

'30년 동안 청각장애자로 살아보니 나름대로 노하우가 생기던데요.'

그는 컴퓨터 프로그램을 개발하는 일을 하고 있어서 직장에서도 못 듣는 것 때문에 문제가 되지는 않는다고 한다.

'정상인들은 언제나 그렇게 이야기하지요. 얼마나 불편하세요? 그리고 연민의 눈빛을 보내면서 말하지요. 뭐라도 도와줄까요? 그럼 나는 이렇게 말해요. 고맙습니다. 하지만 생각하시는 것만큼 불편하지는 않아요. 그리고 저도 뭔가 도와드릴 일이 있으면 꼭 말씀해주세요.'

리처드는 '이해하기 힘들겠지만 청각장애자에게도 세상은 충분히 아름답답니다.' 라고 하더니 생각났다는 듯 지갑을 열어보인다.

'제 여자친구 보실래요?'

주근깨가 다닥다닥 붙은 얼굴의 붉은 머리 아가씨가 환하게 웃고 있다.

'이름이 로사예요. 같은 청각장애자인데 이 친구 별명이 뭔 줄 알아요? 채터박스(수다쟁이)라고요.'

아, 그렇겠다. 소리가 나지 않는 수다도 있긴 있겠다.

'나는 로사를 깊이 사랑해요. 내 마음의 장미꽃이지요.'

그 말을 하는 리처드의 눈은 로사를 향한 그리움으로 가득하다. 사진 속의 그녀를 보고 내가 말했다.

'안녕 로사. 너는 아주 멋있는 사람을 애인으로 두었구나.'

청각장애자에 대한 내 편견이 사라진 것보다 더 신선한 경험은 그와 같이 있는 시간 내내 서로에게 최대한 집중하게 된다는 것이다.

나는 종종 리처드가 듣지 못한다는 사실을 깜빡 잊고 그냥 말을 시작하곤 했다. 그러다가 한참 후에 딴짓을 하고 있는 그를 보고는 '아차' 하며 팔을 건드린다. 그때서야 그는 나를 쳐다보며, '자, 말해보세요. 들을 준비가 되어 있으니까' 라는 표정을 짓는다. 그러고 나서야 드디어 대화를 할 수 있다.

리처드 역시 마찬가지다. 내 어깨를 건드리든지 손을 잡아끌든지 하여 주의를 환기시킨 후에야 이야기를 시작한다. 들을 준비가 되어 있는 사람과 말을 나누는 것은 참으로 행복한 일이다.

게다가 내가 말을 할 때는 내 입을 열심히 쳐다보고 있어서 당황해질 지경이다. 대학교 다닐 때 사귀던 남자친구가 말하는 내 입을 뚫어지게 쳐

포도의 고장 투르판 시장에 쌓여 있는 건포도 더미들

다보던 생각이 나서 가슴이 뜨끔하기까지 했다. 이것이 창각장애자들의 일반적인 습관이라는 것을 잘 알면서도 말이다.

어쨌든 이런 집중과 관심 때문인지 리처드를 안 지 이틀밖에 지나지 않았는데도 아주 오래 사귄 사람처럼 친밀감과 편안함이 느껴진다.

이틀간의 '공식 단체여행'이 끝난 다음날, 나와 리처드는 자전거를 빌려 타고 포도밭 계곡으로 갔다. '포도의 도시'라는 말 그대로 투르판은 어디를 가나 포도밭이다. 시내 거리에까지 포도넝쿨이 타고 올라가는 아치형 터널이 만들어져 있다. 이 포도들은 관상용으로 따먹으면 15위안의 벌금을 문다는 경고문이 붙어 있다.

시내를 조금 벗어나면 포도밭 군데군데에 미니 아파트 같은 포도 말리는 건물이 보인다. 바람만 들어오고 햇볕은 차단해 주도록 설계된 나무 건물 안에는 시렁이 걸려 있어 그 위에 포도를 말린다. 이렇게 한 달 정도 지나면 쫄깃쫄깃한 건포도가 된다.

이 건포도는 전국으로 퍼져나가는데 나중에 가본 시장에서는 초록색,

갈색, 노란색 건포도들을 산처럼 쌓아놓고 삽을 든 사람이 그 위에 올라가 정리하고 있었다. 여자들은 그 '산' 옆에 앉아 초록색 포도와 붉은 포도를 일일이 손으로 가려내느라 분주했다. 삽으로 건포도를 자루에 퍼넣던 사람들은 이리저리 기웃거리며 자기 산 앞을 지나가는 우리에게 한줌씩 건포도를 건네주었다.

관광지로 조성한 대형 포도원에도 갔다. 세상에 저런 포도도 있었나 싶은 여러가지 모양과 갖가지 빛깔의 포도들이 주렁주렁 달려 있다. 이것도 관상용이라 따먹을 수는 없단다. 파는 포도를 한 바구니 사서 근처 호숫가에 앉았다.

엄지손가락처럼 길쭉하게 생긴 연두색 포도는 껍질도 얇고 씨가 없어서 그야말로 한입에 쏙쏙이다. 포도가 아니라 잘 익은 대추를 깨무는 것처럼 아삭거리는데, 어찌나 향기롭고 달콤한지, 한 알 한 알 맛있다, 맛있다 하면서 먹다보니 어느새 한 소쿠리를 다 먹었다.

'더 먹을까?'

내가 리처드에게 물었다.

'그럴까요. 이렇게 맛있는 포도는 난생 처음 먹어봐요.'

'왜 그런지 알아? 나랑 먹어서 그래.'

내가 농담을 하니까, 리처드는 '정말 그런가 봐요.' 하며 진지하게 맞장구를 친다.

'근데 한 바구니는 좀 많지 않을까?'

'우리 둘 실력이면 순식간일걸요.'

내가 얼른 한 소쿠리를 더 사가지고 돌아와 보니, 리처드 손에 포도 한 송이가 들려 있다. 장난기가 발동한 리처드가 따지 말라는 포도를 슬쩍한 것이다. 훔친 사과가, 아니, 훔친 포도가 맛있다? 우리는 공범이라는 유대감에 킬킬거리며 사온 포도를 배낭 안에 넣고 포도원을 빠져나왔다.

자전거를 타고 오면서 훔친 포도 한 송이를 주거니받거니 했다. 포도 송이를 건네주다 손이 잠깐 스쳤는데 전기가 오른 것처럼 찌릿하다. 괜히 얼굴이 화끈해진다. 이런 내 마음을 들키지 않아야 할 텐데.

그날 이후 리처드는 떠나는 순간까지 시도때도 없이 계속 내게 포도를 사다 주었다. 내가 포도를 아주 좋아하는 줄 알았나 보다. 사실 나는 모든 과일을 좋아하지만 포도는 예외적으로 즐기지 않았다. 포도는 맛은 있지만 먹을 때마다 한 알 한 알 갈등이 생기기 때문이다. 포도 껍질을 뱉자니 번거롭고 먹자니 질기고, 씨도 역시 뱉자니 번거롭고 먹자니 포도맛을 버리겠고.

그러나 지금부터는 좋아하게 될 것 같다. 그리고 청포도를 먹을 때마다 리처드가 생각날 것이다. 그 당당하고 진지하며 사랑스러웠던 리처드.

리처드가 우루무치로 떠나는 날, 버스 정거장까지 배웅을 나갔다.

'비아씨 덕분에 아주 즐거웠어요. 이번 여행 부디 무사히 끝내기를 진심으로 바랍니다.'

리처드는 형식적이고 외교적인 인사를 한다.

'리처드, 부디 로사와 행복하게 살아요.'

이별인사로 가볍게 포옹을 하고 막 떠나려는 버스에 올라타려던 리처드는 급히 내리더니 나를 힘껏 껴안는다.

'당신은 참 사랑스런 여자예요.'

그러고는 다시 버스에 올라타는 리처드. 아무래도 내 마음을 눈치챈 것 같다.

둔황, 도시 전체가 사막 속의 거대한 박물관

둔황 버스터미널 바로 앞에 있는 뻬이티엔삔관에 여장을 풀었다. 여기 오니 갑자기 한여름에서 초가을로 넘어온 기분이다. 가로수들은 이미 황금빛으로 변해 있고 아침저녁으로는 모자 달린 겨울잠바가 생각날 정도다. 길거리에는 군고구마 장수도 보인다.

숙소 로비에서 만난 미네꼬상과 우선 일몰이 멋있다는 밍샤산을 가보았다. 광고회사에 다닌다는 이 아가씨는 아주 어렵게 일주일간의 휴가를 얻어 왔다는데 그날 비행기로 와서 아침에 모까오쿠〔莫高窟〕를 보고 다음날은 투르판으로 간다고 한다. 자전거를 타고 조금 가니 거대한 모래언덕 밍샤산이 바로 눈앞에 나타난다. 미네꼬는 흥분을 감추지 못한다.

"와, 스고이(와, 멋있다)!"

모래 언덕을 세상에 태어나서 처음 본다고 한다. 솔직이 밍샤산이 아름답기는 하지만 내게는 자연적으로 생긴 것이라기보다 관광객을 위해 지어놓은 영화 세트 같다. 산 자체가 그렇다는 것이 아니라 거기에 새까맣게 모여 있는 관광객들 때문이다. 미네꼬는 낙타를 타면서도 너무나 행복해 하는 표정이다. 내가 낙타를 처음 탔을 때도 저런 표정이었을까.

미네꼬와는 모래 언덕 꼭대기에서 만나기로 하고 나는 맨발로 산꼭대기로 올라가 해지기를 기다렸다. 일몰은 산 정상에서부터 엷은 갈색 커튼이 조금씩 조금씩 내려오는 것같이 시작되었다.

해가 서쪽으로 넘어가기 직전에는 아주 신비스러운 빛을 던져 모래 언덕을 농도와 명암이 다른 수십 가지의 갈색으로 바꾸어 놓는다. 미네꼬상이 나타나서는 또 감탄을 한다.

"이 세상에 태어나서 보는 제일 멋진 일몰이에요."

그때는 막상 지는 해가 구름에 걸려 있어 그다지 멋있지 않았는데도 말이다. 이것이 바로 경험의 주관성이다. 남에게는 평범에도 이르지 못하는 것이 어떤 이에게는 생애 최고로 느껴질 수도 있다. 지금 이 순간 그런 행복을 느끼는 미네꼬상이 부럽다. 내가 여행을 너무 오래 하고 있나보다.

다음날은 둔황 석굴이다. 4세기 중엽 특별한 계시를 받은 한 스님이 사막 가운데 솟은 밍샤산에 굴을 판 것을 시작으로 1천년에 걸쳐 수많은 사람들에 의해 천불동이 이루어졌다.

둔황 39호굴의 비천도

물론 종교적인 열정으로 굴을 만든 사람도 있겠지만 집안의 복을 빌기 위해, 내세의 평안을 위해, 장사가 잘 되게 해 달라고 굴을 파서 불교 사원을 만든 사람들도 있었을 것이다. 이들이 파고 없애고 또 파고 한 것들을 합하면 정말 1천 개도 넘었을 텐데, 현재는 492개가 남아 있다. 긴 돌산에 비둘기 구멍처럼 파놓은 모양이 인도의 아잔타 석굴과 아주 흡사하다.

여러 시대에 걸쳐 조금씩 만들어졌기 때문에 각 시대의 풍습이나 불교의 변천을 볼 수 있어 더욱 흥미롭다. 실크로드의 요지로서 천년간 번영을 누렸던 둔황은 15세기 말 해상 루트가 개척되면서 교역로로서 그 의미가 퇴색한데다 명나라가 지아위관〔嘉峪關〕 서쪽에 있는 땅의 통치를 포기해 그후 수백 년간 모래 속에 방치되어 있었다.

그렇게 기억 속에서 사라진 실크로드가 다시 세상에 모습을 드러낸 것은 1907년 앞에서도 말한 스타인과 다음해의 프랑스 동양학자 펠리오에 의해서였다. 이들이 처음 이곳을 찾았을 때 모까오쿠는 라마승 몇 명만이 지키고 있는 폐허에 불과했다. 이들은 여기에서 불상, 벽화 등 세계적인 불교미술품과 귀중한 고문서들을 무더기로 수집해 자기 나라의 박물관에 옮겨 놓았다.

우리 나라 혜초스님의 〈왕오천축국전〉은 펠리오에 의해 프랑스로 옮겨져 지금까지도 돌아오지 못하고 있다. 이 둔황 석굴은 '둔황학'이라는 학문을 탄생시킬 만큼 학문적 가치가 대단한 곳이다.

둔황 석굴은 외국인들에게는 다섯 배 이상의 비싼 요금을 물리는 대신 영어, 일어 가이드를 붙여주어 훨씬 많은 굴을 볼 수 있다. 다른 외국인 관광객들과 함께 여자 영어 가이드를 따라갔는데, 그 여자의 영어를 도저히 알아들을 수가 없다.

혼자 다니고 싶은 마음이 굴뚝 같지만 가이드와 함께 가지 않으면 들어갈 수 없는 곳이라 울며 겨자먹기로 따라다닌다. 좀 더 있고 싶은데 어찌나 쏜살같이 지나가는지. 얼렁뚱땅 많이 보는 것보다 몇 군데라도 집중적으로 보면 좋으련만.

여기에는 여러가지 모양과 형태의 굴이 있지만 대부분은 중앙에 부처님상을 모시고 사방벽과 천장에 벽화가 그려져 있다. 그렇게 주마간산식으로 보아도 당나라 전성기에 만들어졌다는 제96호 굴은 아주 인상적이다. 많은 수의 불상을 비롯해 석가모니의 일대기와 까만 소가 도를 닦아 하얀 소가 되었다는 불교 설화도 흥미롭지만 불교 유적이면서도 옥색과 푸른 색을 주로 쓴 것이라든지 벽을 장식하는 나뭇잎이나 기하학적 모티브가 이슬람 사원을 연상케 한다.

특히 천장에 그려진 비천도는 정말 멋있다. 천녀는 벽화의 단골 소재다. 이곳에는 제96호굴뿐만 아니라 2백70여 곳에 비천도가 있는데, 그려진 천녀의 수가 1천5백 명이나 된다고 가이드가 설명한다. 당나라 때 만들어진 굴에는 당나라 미인이 모델이 되었는지 통통한 천녀가 날아가고, 또 어느 굴에서는 인도에서처럼 부러질 듯 가는 허리에 풍만한 가슴을 가진 천녀가 아주 선정적으로 몸을 비틀면서 날아간다. 부처님 안전에서 저런 요염한 자태를 취하다니.

천상에서 하계를 내려다보며 꽃잎을 뿌리고 있는 호리호리한 천녀들도 아주 요염하다. 옷자락을 휘날리며 당장이라도 날아오를 것 같은 이 천녀들은 모르긴 해도 앙코르와트에서 본 춤추는 천녀 압사라, 인도 중부 카주라호 신전의 벌거벗은 천녀 조각, 서양의 날개 달린 천사들, 그리고 우리 나라 범종에 새겨져 있는 천녀와 같은 '조직'일 것이다.

어느 굴에선가 한쌍의 새를 보았는데 아마추어인 내 눈에도 전형적인 페르시안 모티브이며, 또 어느 굴 벽화에서는 지중해 근방에서 온 듯한 사람이 열심히 부처님의 강론을 듣고 있다. 하얀 피부, 그리스식 코와 짙은 눈썹, 아먼드 모양의 눈이 단박에 그쪽에서 온 사람이라는 것을 알아볼 수 있게 한다.

어느 굴에 가니 벽화 하나가 집중적인 손전등 세례를 받고 있었다. 수줍은 듯 웃고 있는 동그란 얼굴에 가는 눈썹, 가는 눈을 한 보살이다. 별명이 '중국의 모나리자' 라는데 차분하고 아름다운 미소지만 어쩐지 깍쟁이 같은 느낌이다. 그 불상을 보면서 나는 왜 서산 마애불의 그 후덕한 웃음이 그리워지는 걸까.

좀더 자세히 보고 싶어서 두 시간의 휴관시간을 기다렸다가 오후에 다시 들어갔다. 운좋게도 일본 NHK 방송 문화답사팀을 만났는데, 내가 좀더 얻어들을 것이 있나 하고 기웃거리는 게 기특했는지 나중에는 아예 나를 답사팀의 일원으로 끼워준다. 그래서 비싼 입장료를 따로 내야 들어갈 수 있는 굴에도 '묻어서' 들어갈 수 있고, 전문가의 해설을 들을 수 있었던 것이 대단한 수확이다. 이 팀장은 둔황 석굴을 오랫동안 연구하신 노교수님이라는데 내게 답사 소감을 묻는다.

"둔황 석굴은 실크로드 덕분에 천년에 걸쳐 만들어진, 사막 속의 대단한 조각관이자 미술관이라고 생각합니다."

갑작스런 주문에 임시 변통으로 영어 가이드 북에 있는 말을 했는데, 내 대답에 팀장을 비롯한 모든 팀원들이 "에라이(훌륭해요)." 하고 박수를 보내주었다. 이 한 마디로 공짜 굴 구경값은 한 것 같다.

유명한 곳은 반드시 유명한 이유가 있는 법. 둔황은 밍샤산과 모까오쿠만으로도 충분히 사막을 달려 올 만한 가치가 있다. 그러나 유명한 관광지일수록 물가도 비싸고 현지인들과 섞이기도 쉽지 않다. 더구나 다른 관광객들과 보조를 맞추느라 빨리빨리 해야 한다는 생각에 마음이 편치 않다. 그래서 유명한 곳은 기껏해야 3, 4일 일정으로 볼 것만 딱 보고는 다음 도시로 서둘러 가게 된다. 둔황도 마찬가지다.

하루빨리 하미, 란저우를 거쳐 시안으로 가야겠다.

실크로드 1만 킬로미터를 관통하다

서역 사람의 흔적을 찾을 수 있을까? 호인(胡人)이나 색목인(色目人)으로 불리던 사람들 말이다.

명나라 전까지 장안(長安)으로 불리던 이 도시는 그 전성기를 구사했던 당나라 시절 인구가 무려 1백만이나 되는 국제도시였다. 그때는 우리나라의 통일신라시대였는데 그 전체 인구를 3백50만에서 5백만 정도로 추정하고 있으니 1백만이란 얼마나 대단한 숫자인가.

장안은 서역에서 막 도착했거나 그리로 떠날 장사꾼들과 짐을 가득 실은 낙타들과 각국에서 온 사신과 유학생과 수도자들로 북적거렸다. 갖가지 얼굴과 말과 복장이 뒤섞인 고대판 뉴욕이었다. 그러나 물론 주를 이루는 사람들은 상인들이고, 사람마다 가게마다 주거래 상품인 비단을 팔고 사는 소리가 시끄러웠을 것이다.

황성으로 들어가는 주작대로를 가운데 두고 동시(東市)와 서시(西市)로 나뉘었는데 동시에는 동쪽에서 온 사람들이, 서시에는 서쪽에서 온 사람들이 살았단다. 당나라 때 여기 있던 호인들은 거의 페르시아 사람들이라고 한다. 호인 사제만도 70명 정도가 상주하고 있었는데 그후 많은 페르시아인들이 아랍 침입을 피해 이곳에 눌러 살았다고 한다.

후에는 무역 왕래나 외교활동으로 장안에 사는 아랍 상인의 수가 급격히 늘었단다. 이들을 따라 서역 종교도 들어왔는데 페르시아에서 온 배화교, 로마에서 온 크리스트교가 있었다. 뒤이어 이슬람교도 들어왔다.

비가 올 것 같은 구질구질한 날씨에도 불구하고 시내 중심의 종루를 지나 아주 크게 형성되어 있는 회족 타운을 찾아갔다. 중국 안의 이슬람 교인 동네이다. 그 회족 거리는 거대한 음식시장이다. 어쩌면 그렇게 먹을게 많은지. 한쪽에는 양고기를 주렁주렁 걸어놓고 다른 한쪽에서는 펄펄 고깃국을 끓이고 한쪽에서는 화덕에서 고기만두를 굽는다. 간판마다 칭쩐〔淸眞〕이라고 써 놓은 것이나 사람들이 하얀 빵떡모자를 쓴 것이 회족들의 심장부임을 한눈에 알게 한다.

한 집 건너 하나씩 있는 이슬람 교 성물(聖物) 가게에서는 기도할 때 쓰는 개인용 카펫이나 하얀 회족 모자들을 팔고 있다.

시장에서 조금 가니 칭쩐쓰〔淸眞寺〕라는 이슬람 사원이 있다. 한꺼번에 1천 명 이상이 예배를 볼 수 있다는 아주 큰 사원이다. 이곳은 카슈가르에서 보던 그런 중동풍이 아니라 중국식 건물의 사원이다.

중국에 있는 모슬렘들은 크게 두 그룹으로 나눌 수 있다. 한 그룹은 중앙아시아, 아랍, 페르시아에서 와서 한족과 결혼한 후예들인데 그들이 바로 회족이다. 다른 그룹은 서역에서 온 터키계의 모슬렘으로 위구르, 카자흐, 키리기, 타지크라는 종족 이름을 가지고 있다.

1990년 중국 정부에서 발표한 인구조사에 따르면 중국 내의 이슬람 교도들은 1천7백만 명이다.

회족은 장족과 만주족에 뒤이어 중국에서 인구가 세 번째로 많은 소수민족이다. 약 9백만 정도로 추정된다.

나중에 중국 여행을 계속하면서 알게 된 사실인데 신장성과 회족 자치구인 닝샤성〔寧夏省〕은 물론 윈난성〔雲南省〕 서쪽과 장족들의 고향인 티베트의 라싸 한복판에서도 쉽게 만날 수 있을 만큼 전국적으로 퍼져 있다. 그리고 이들은 중동의 이스라엘과 팔레스타인, 동유럽의 보스니아와 인도 카슈미르 지방에서처럼 종교 때문에 대립을 하거나 문제를 일으키지 않고 다른 종교와 사이좋게 지내고 있는 것 같다.

그 옛날 동시와 서시로 나뉘어 살면서도 사이좋게 지냈던 것처럼 말이다. 생각해 보면 다 착하게 살자고 가르치는 종교끼리인데 무슨 충돌이 있겠는가. 그것을 이용해 세력을 불리고 이익을 취하려는 사람들이 문제이지.

시안을 중국 최대의 관광지로 만든 것은 단연 진시황의 무덤을 지킨다는 병마용이다. 나는 그곳에서 진흙으로 만든 군사나 말을 보고도 놀라움을 감추지 못했지만 그 병마용 굴의 출입문을 지키는 아저씨의 식별력에 더욱 입을 다물지 못했다.

이곳의 입장료는 내국인 35위안, 외국인 80위안이라서 많은 배낭 여행자들이 근처 숙소에서 가짜로 학생증을 만들어 사용하고 있다. 가짜 학생증 값이 30위안이라 이곳에 한 번만 들어가는 데 성공해도 본전은 뽑는 것이고, 아직도 외국인 이중가격이 실시되는 신장 지방으로 가는 사람들에게는 필수적이다. 나도 베이징에서 만든 학생증이 있다. 벌써 두 개째인데 가지고 있으면 내국인 가격을 낼 수 있는 이 가짜 학생증은 지난해에는 상하이 문화센터의 요리전공에서 올해는 하이난성〔海南省〕의 대학생이고 전공도 무역으로 바꾸었다.

시안 진시황 무덤 검표원 아저씨의 신기에 가까운 식별능력에 대해서는 실크로드를 거쳐오면서 많은 여행자들에게 들은 바가 있다. 가짜 학생증으로는 도저히 들어갈 수 없다는 거다. 그러나 나는 자신이 있었다. 여태껏 단 한 번도 외국인 요금을 낸 적이 없었기 때문이다. 처음에 중국말을 전혀 못할 때는 무조건 못 알아듣는 척했다. 요즘에도 중국말을 잘 못하기는 하지만 홍콩이 중국에 반환되어 홍콩인을 내국인으로 치는 바람에 내가 중국 사람이라고 우기면 열이면 열 홍콩인으로 봐주었다.

아니나다를까. 가짜 학생증으로 표를 사는 것까지는 문제가 없었는데 입구에서 그 아저씨에게 걸리고 말았다.

"안 돼. 이건 가짜야."

"무슨 소리예요. 이건 진짜예요."

"내 눈은 못 속여. 이건 베이징에서 만든 가짜 학생증이야."

이 아저씨는 가짜 학생증의 족보까지 죽 꿰고 있다. 진짜 대단하다. 그러나 이대로 물러설 수는 없다. 외국인과 내국인 입장료의 차액이 무려 45위안. 이틀치 방값이다.

"아저씨, 가짜 학생이 어떻게 이렇게 중국 말을 잘 해요? 공부했으니까 알죠."

"잘하긴 뭘 잘해. 아가씨 한국 사람이지? 잔소리 말고 얼른 가서 외국인 표로 바꿔와요."

이 아저씨, 말소리로 국적까지 알아본다. 더 이상 어떻게 해볼 여지가 없다. 그래도 이 아저씨가 말투처럼 표정은 그렇게 딱딱하지 않아 이번에는 애교작전을 펴본다.

"아저씨는 정말 때국 사람이다. 왜 그렇게 의심이 많으세요?"

"나는 말이야, 가짜 학생은 척 보면…."

아저씨가 나에게 일장 연설을 하려는 순간 누가 부른다.

"리시엔셩(이선생)!"

다른 출입구에서도 가짜 학생증 시비가 붙은 모양으로 거기를 지키고 있던 신참이 이 아저씨의 도움을 청한다. 이 고참 아저씨가 잠깐 한눈을 파는 사이에 옳다구나 하고 그 신참 아저씨에게로 갔다.

"빨리 빨리 해요. 시간이 없단 말이에요. 저리로 간 아저씨가 벌써 검사했어요."

어수선을 떨며 얼렁뚱땅 입구를 통과했다. 그 고참 아저씨가 충분히 저지할 수 있는 거리인데도 그냥 놔둔 것은 물론 손까지 흔드는 걸 보면 내가 그렇게 밉게 억지를 부린 것은 아닌 것 같다.

이렇게 이곳에 도착함으로써 나는 한 달 반에 걸쳐 카슈가르에서 시안에 이르는 중국의 실크로드를 한 번 걸어 보았다. 한꺼번에 쭉 다니지 않았다 하더라도 실크로드의 서쪽 끝인 로마에서 시작하여 터키, 이란, 투르크메니스탄, 우즈베키스탄을 거치는 초원길도 가보았고 이란, 파키스탄을 거치는 서역남로 길도 거쳐왔으니 1만여 킬로미터, 동서양을 잇는 실크로드 전체를 한 번 답사한 것이 되었다.

동쪽에서 온 동방인들은 시안부터 시작해서 서쪽으로 서쪽으로 가서 로마에 이르게 되지만 나는 동방인이면서도 서쪽에서 시작해서 동쪽으로 동쪽으로 와서 드디어 목적지에 도착한 것이다.

옛날 실크로드를 타고 온 서역 상인들은 향료, 악기, 유리 등을 가져와서 비단, 금, 도자기와 바꾸어 갔다는데 나는 과연 무엇을 가져오고 무엇을 얻어가는 것일까.

이 비단길을 따라서.

리틀 티베트, 고원의 욕심 없는 삶

그림같이 아름다운 고원마을 랑무스

배가 모자라 안타까운 란저우 먹자 골목

란저우에서 청두〔成都〕까지는 예전에 국민당군에 쫓긴 홍군이 퇴각하던 길을 따라간다.

이왕 중국을 누비는 중이니 뒷길이나 시골길로 가보고 싶은데 이 길이 바로 그런 길이다. 목숨이 경각에 달한 홍군이 괴력을 발휘하여 도저히 길을 낼 수 없는 험한 산과 초원에 이 길을 만들었단다.

중국을 오래 여행한 사람들은 이 길이 티베트보다 더 티베트다운 작은 마을들과 쓰촨성〔四川省〕의 아름다운 경치를 따라 이어져 있어서 중국에서 가장 흥미로운 길이라고 말한다. 나는 이 길을 따라 란저우, 샤허〔夏河〕, 랑무스, 쑹판〔松板〕을 거쳐 청두로 갈 계획을 짰다.

황허강 유역의 란저우는 중국의 동서남북을 잇는 교통의 요지라는데 내게는 무엇보다도 음식의 요지로 다가온다. 중국 여행 최대의 즐거움은 뭐니뭐니해도 먹거리다. 실크로드를 여행할 때, 특히 신장 지방에서 '란저우풍면〔蘭州風麵〕' 을 파는 식당을 수없이 본 터라 이곳으로 올 때는 드디어 내가 맛의 고향으로 들어가는구나 하고 즐거워했다. 그래서 란저우에 도착, 숙소인 여우이 판디엔에 짐을 내려놓자마자 도시 서쪽 끝에 있는 먹자 골목으로 갔다.

중국집 철가방처럼 생긴 네모난 통에 숯을 넣어 구운 양고기 꼬치와 양콩팥구이 냄새가 골목 입구에서부터 군침을 돌게 한다. 한 5백 미터쯤 되는 거리에 촘촘히 붙어 있는 식당과 좌판에는 만두며 국수며 떡이며 고기며 볶은 채소며 없는 게 없다.

골목을 한 바퀴 돌아보고 나서 란저우 명물이라는 돌냄비국수를 먹었다. 발이 굵은 국수에 다시마 길게 썬 것, 두부, 당면, 대파, 양고기 등이 적당히 섞여 아주 특이한 맛을 낸다. 진짜 맛있다. 단돈 6위안으로 얻을 수 있는 최고의 맛이 아닐까 싶다.

다음날은 일어나자마자 칼로 친 국수를 먹으러 다시 골목으로 갔다. 어제도 먹고 싶었는데 배가 불러서 더이상 먹을 수 없었던 국수다. 단단하게 반죽한 밀가루를 어깨에 걸친 채 칼로 베어 납작하고 네모난 국수발을 만드는데, 주방장 손이 어찌나 빠른지 그것을 찍으려고 사진기를 꺼내는 동안에 벌써 한그릇 분량의 국수를 다 베어버렸다.

구운 양고기 만두 2인분까지 곁들여 뚝딱 먹어 치웠다. 맛은? 물론 띵호아〔頂好, 가장 좋다〕, 띵호아다.

그렇게 먹고도 돌아서니 '어머, 저걸로 먹을걸' 이라는 말이 절로 나온다. 더 맛있어 보이는 음식이 천지이기 때문이다. 빨리 배가 꺼졌으면 좋겠다, 또 먹을 수 있게. 로마제국 때 귀족들이 하루 종일 먹고 새 깃털로 목구멍을 간지럽혀서 토한 후 또 먹었다는데, 란저우에서는 나도 그러고 싶을 정도다.

'식욕은 생욕(生慾)' 이라는 말이 맞다면, 이런 주체할 수 없는 식탐은 삶에 대한 애정이 넘친다는 증거가 아닐까. 사실은 많이 먹는 것이 좀 창피하니까 억지로 핑계를 끌어다 대는 중이다.

간쑤성〔甘肅省〕에서 버스로 이동을 하려면 다른 곳에는 없는 여행자 보험증을 사야 한다. 다른 보험은 소용없고, 이 성에서 발행하는 것을 사야 버스표를 살 수 있다.

터미널로 오다가 뚜껑이 없는 맨홀에 빠질 뻔해서 기겁을 했는데 이런 때를 대비한 생명보험인가? 그러나 아니다. 나중에 알고 보니, 1991년 이곳을 여행하다가 버스 사고를 당한 일본인 여행자의 부모가 간쑤성을 상대로 소송을 벌여 이긴 후 전 외국인에 대한 '보호' 인지 '보복' 인지의 차원에서 이런 보험제도를 만들었다고 한다.

특히 샤허로 가는 외국인들은 보험증을 사지 않을 재간이 없다. 외국인 이중가격에 보험료까지 내야 한다니. 아까운 생각이 들어 망설이는데, 터미널에서 샤허로 간다며 호객하는 개인영업 버스가 다가온다.

“샤허, 샤허. 니 취 날(어디 가세요).”

“샤허 가요. 그런데 보험증이 없어요.”

“메이 꾸안시. 져우바(상관없어요. 타세요).”

그 말을 믿고 버스를 탔다가 큰 코 다쳤다. 1시간쯤 가니 버스 차장이 차비를 걷으러 와서 중국인 요금 37위안을 주었더니 더 내라고 한다.

“1백 위안 내요.”

“뭐라고?”

“당신 외국인 맞지? 그러니 외국인 표를 사야 해.”

이런 웃기는 말을 듣고 내가 가만히 있겠는가. 그야말로 소가 웃을 일이다. 네가 아까 보험증이 없어도 괜찮다고 하지 않았느냐, 떳떳하게 25위안 주고 보험증 사고 학생증으로 표를 사도 62위안인데 1백 위안을 내라니 말이 되는 소리냐? 되지도 않는 중국어로 떠드니까 시끄러웠는지 그냥 50위안만 내란다.

“50위안은 무슨 50위안? 37위안 받으려면 받고 싫으면 내릴 테니 여기서 세워!”

배짱을 부리느라고 소리를 빽 질렀다.

그런데 괘씸죄에 걸렸는지 운전사가 아주 험악한 얼굴로 진짜 허허벌판에서 차를 세우고는 어깨까지 잡아끌며 내리라고 소리를 지른다.

‘이놈아, 네가 무서운 척하면 돈 내면서 사정할 줄 알았지. 아직도 해가 많이 남아 있는데 어디든 걸어서는 못 가겠냐?’

빨리빨리 하라는 차장의 소리를 무시한 채 목에 힘을 주고 될수록 천천히 버스 지붕 위에 올려 놓은 큰 배낭을 내리면서 씩씩거렸다.

아이고, 그런데 이게 웬 생고생? 버스를 내릴 때의 기개는 가상했는데 하루 종일 배 쫄쫄 굶고 벌판 바람 실컷 맞아 꽁꽁 동태가 되어 저녁 무렵에야 겨우 차를 얻어타게 되었 때는 풀이 팍삭 죽어버렸다. 그날, 샤허까지는커녕 반도 가지 못하고 린샤〔臨夏〕라는 회족 마을에서 하루를 묵어야 했다.

50위안 내라고 할 때 그냥 타고 갈걸 그랬나.

샤허, 도를 찾아 떠도는 사람들

리틀 티베트.

티베트에 갈 시간이 없는 사람에게 티베트 맛을 보고 싶으면 꼭 가보라고 권하는 곳이 바로 샤허다. 대도시 란저우에서 버스로 일곱 시간밖에 안되는 거리인데, 정말 다른 나라에 온 것 같다. 고원지대라서 그런지 차에서 내리자마자 새파란 하늘과 찌르는 듯한 햇빛이 먼저 인사를 한다.

거리는 붉은 승복을 입은 스님 반, 검은 장족 외투를 입은 사람 반이다. 티베트 불교의 6대 성지라는 라부랑스 사원이 있어서 그런가 보다. 1709년 청나라 강희제 때 세워졌다는 라마교 사원 라부랑스에는 현재 승려가 1천7백여 명이나 거처하고 있단다.

여자들은 머리를 두 갈래로 땋아 꽁지에서 묶고, 터키석으로 장식을 하고 다닌다. 아이 어른 할것없이 볼이 터서 발갛고, 모두 감기에 걸린 것처럼 콧물을 흘리며 훌쩍거린다.

라부랑스 초대소에 여장을 풀었다. 라부랑스 사원에서 직접 운영하는 숙소로 복잡한 시내에서 10여 분 정도 벗어난 라부랑스 사원 맞은편에 있다.

차나 마실까 하고 동네 식당으로 갔다. 햇볕은 따뜻하지만 그늘에만 들어가면 옷을 여며야 할 정도로 쌀쌀하다. 시내에는 선물가게들이 즐비하고 외국인 여행자들도 심심치 않게 보인다.

슬쩍 들여다본 가게에는 촛대, 작은 부처님상, 수공예품, 민속의상 등 기념품들 사이에 놀랍게도 티베트의 살아 있는 신이며, 독립운동을 주도하고 있는 14대 달라이 라마 사진이 끼여 있다. 티베트에서는 절대 팔 수 없을뿐더러 소지만 해도 엄벌을 받는다는 사진이다.

길에서는 아주 좋은 냄새가 난다. 냄새의 진원지를 살펴보니, 길 한귀퉁이에서 마른 전나무 가지를 향처럼 태우고 있다. 그 향내음이 마을에 배어 있다. 마을이 차분한 것이 일단 마음에 든다.

외국인이 즐겨 찾는다는 야크식당으로 갔다. 식당 안에는 삭발을 하고 허름한 회색옷을 입은 파란 눈의 중년 남자가 차를 마시고 있다.

'위구르 족이 여기까지 왔네.'

별 관심을 두지 않고 차와 티베트 만두를 시켜놓고 식당을 둘러보는데 그 파란 눈의 남자와 눈이 마주쳤다. 그 사람이 먼저 선한 웃음을 지으며 인사를 한다.

"곤니찌와(일본 인사 '안녕하세요')."

위구르족이 느닷없이 곤니찌와는 웬 곤니찌와?

그런데 알고 보니 네덜란드에서 왔다는 아리라는 이 사람은 선불교 스님으로 일본에서 3년간 수도생활을 했단다. 지금 인도와 몽골, 중국, 티베트 등을 다니면서 앞으로 4, 5년 정도 조용히 정신수련을 할 곳을 물색 중이라고 한다. 차분한 눈빛이나 단아한 행동거지에서 수도하는 사람의 분위기가 풍긴다.

나더러 뭐하는 사람이냐고 해서 이런저런 이유로 이런저런 여행을 하고 있다고 했더니 혼잣말처럼 중얼거린다.

"비야씨도 도를 닦고 있는 중이군요."

내가 도를 닦고 있다고? 정말 그런 건가?

나는 한 번도 그렇게 생각해보지 않았지만 그렇게 생각하면 또 그럴 법도 하다. 어쨌거나 아리는 불교, 특히 라마교에 대해서 해박하고, 티베트 문화와 전통에 관해서도 많이 알고 있어서 그곳에 있는 동안 무료 가이드 역할을 톡톡히 해 주었다. 게다가 내 다음 여행지인 티베트를 방금 다녀왔기 때문에 아주 실용적이고 따끈따끈한 정보도 많이 알려 준다.

샤허에서 만난 도인들. 맨머리가 아리고 수염털보가 얀이다.

내가 묵은 숙소에는 '도'와 관계가 깊은 사람이 또 하나 있다. 얀이라는 50대 초반의 남자로 역시 네덜란드인이다. 동그란 얼굴에 목소리가 크고 언제 어디서나 웃고 있는데, 차를 같이 마시면서 이야기를 해 보니 이 사람도 특이한 이력을 가졌다.

재작년 어느 날 어느 순간 하늘과 자기가 하나라는 것을 깨닫고는 천상의 희열을 느꼈단다. 그는 이것을 해탈의 순간이라고 굳게 믿고 있다. 인도 북부 라닥에서 있었던 일인데, 이제 다시는 고향에 돌아가지 않고 티베트에서 자연과 더불어 살다가 죽을 결심이라고 한다.

이번 겨울은 여기서 티베트 말을 배우며 지내고, 따뜻해지면 라싸까지 걸어가면서 마음에 드는 곳을 찾아 정착하겠다는 것이다. 일단 눌러 살 곳이 결정되면 여권과 출생증명서 등 자기의 존재를 증명하는 세속의 모든 서류들을 몽땅 불태워버리는 의식을 거행하겠다고 한다.

밝은 분위기와 맑은 눈동자는 그런대로 수도자 같기도 한데, 너무 수선스럽게 말이 많아 자기가 해탈했다는 말을 이 사람 저 사람에게 자랑삼아 떠드는 것을 보면 아닌 것 같기도 하다.

다음날 아침에 일어나니 땅에 얇은 이불을 덮은 것처럼 눈이 와 있다. 첫눈이다. 널어놓은 빨래에는 고드름이 주렁주렁 달려 있다. 수돗가에도 살얼음이 얼어 있다. 숙소를 관리하는 스님이 아침 내내 난로와 연통을 설치하느라 분주하고, 점심때에는 마차 가득 석탄이 들어온다. 리틀 티베트의 본격적인 겨울이 시작되는 모양이다.

샤허에 있는 사흘 동안 아침마다 아리를 따라 라부랑스 사원 둘레에 설치되어 있는 수백 개의 경륜통을 돌리며 아침 순례를 했다. 구리로 만들어진 경륜통은 긴 원통형으로 꼭 미니 드럼통 같다. 통 가운데가 기름친 추로 고정되어 있어서 슬쩍 돌려도 잘 돌아간다.

크기는 1미터 정도부터 3미터가 넘는 것도 있는데, 표면에는 불경이나 '옴 마니 뻬드메 훔'이라는 진언이 새겨져 있다. 신심이 깊은 이들은 경륜통을 한 번 돌리면 거기에 새겨진 불경을 외우는 것과 같은 효과가 있다고 한다. 경륜통을 돌리고 사원이나 불상에 참배를 하는 예식을 '코라'라고 하는데 티베트족들에게는 건너뛸 수 없는 일상생활의 하나다.

경륜통을 돌리는 사람들 가운데는 아주 먼 곳에서 온 순례자들도 많다. 거의 누더기라고 해도 좋을 만한 까만 옷을 걸치고 얼굴과 손은 언제 씻었는지, 머리는 또 언제 마지막으로 빗었는지 모르게 꾀죄죄한 사람들. 할머니, 할아버지, 어머니, 아버지 그리고 조그만 아이들까지 한 줄로 서서 경륜통을 돌리는 모습에서는 종교의식의 경건함보다 단란한 가족 나들이 같은 편안한 분위기가 묻어난다.

일주일에 기껏 한 번씩 절이나 교회, 성당에 참배하는 일이라면 경건하고 엄숙해야 마땅하겠지만, 매일 일상적으로 하는 참배라면 이런 캐주얼한 분위기가 어쩌면 당연한지도 모르겠다.

그들은 호기심 어린 눈으로 우리를 훔쳐보다가 이쪽에서, "테쉬달레(안녕하세요)." 하고 인사를 하면 당장 얼굴이 환해지면서, "테쉬달레" 하고 답례를 한다.

한 시간 정도 걸리는 이 코라 길을 어떤 아줌마가 오체투지로 순례하는 것을 보았다. 무릎까지 내려오는 가죽 앞치마에 손에는 캐스터네츠 같은 나무판을 쥐고는 합장한 손을 이마에 한 번, 입에 한 번, 가슴에 한 번씩 댄 후 무릎을 구부린 다음 온몸과 팔을 완전히 땅에 대고 합장한 손을 머리 위로 올리고 일어난다. 일어나서 세 발짝을 걷고, 다시 온몸을 던지는 기도를 되풀이한다.

이것은 나중에 티베트에 가서 더욱 많이 보게 된 아주 신심 깊은 기도이다.

이곳에 와서 벌써 일주일째라는 아리와 그날 오후 사원을 돌아보았다. 아리가 라마교의 한 종파인 '노란 모자파'에 대한 신학적인 설명을 장황하게 하는데 나는 무슨 말인지 잘 모르겠다.

오후 4시쯤 되자 아주 근엄하게 생긴 스님 몇 분이 자주색 가운을 입고 용마루 형태의 노란 모자를 쓰고 법당 앞에서 독경을 한다. 그러자 다른 젊은 스님들도 그 스님들보다는 장식이 덜 달린 노란 모자를 쓰고 경을 읽는다. 그래서 '노란 모자파' 라고 하나 보다.

라부랑스 사원은 생각보다 훨씬 규모가 크고 보존상태가 좋다. 문화혁명의 그 험난한 소용돌이를 어떻게 견뎌냈는지 모르겠다. 이 절이 생기면서부터 샤허의 역사가 시작되었다고 할 만큼 절은 큰 영향력을 가지고 있다. 절이 마을을 거느리고 있다고 해야 옳을 것 같다.

절 한가운데에서 햇빛을 받아 더욱 번쩍거리는 금빛 지붕의 미륵불전이 절의 중추를 이루고 있다. 절의 본전인 대경당은 1985년 화재로 소실되었다가 90년에 재건되었다고 한다.

샤허는 티베트 마을이면서 회족들도 많이 눈에 띈다. 회족 남자들은 노소에 상관없이 원통형 흰 모자를 쓰고, 여자들은 초록색 혹은 검은색 망토를 뒤집어쓰고 다닌다.

곳곳의 모슬렘 사원(淸眞寺)은 돔형의 중동식이 아니라 날아갈 듯한 지붕을 얹은 중국식 건축물이다. 여자들이 인민복 위에 이슬람식 망토를 쓰고 다니는 것과 함께 절의 이런 건축 형태는 종교의 토착화라는 말을 실감나게 한다. 아리의 말에 의하면 라마교의 성지인 라싸에도 회교 사원들이 있다고 한다.

저녁을 먹으면서 아리에게 물었다.

"이런 질문 많이 받았지요? 어떻게 불교 수도자가 되었느냐고요?"

"나는 불교와 애초부터 깊은 인연이 있었나 봐요."

아리는 회사에 다니다가 일본 출장을 가게 되었는데, 거기서 불교입문서를 보고는 '바로 이 길'이라는 생각을 했다고 한다. 하지만 쉽지 않은 길이어서 한 5년 동안 고민하다가 일단 일본에 가서 견습 스님으로 있어 보자고 한 것이 계를 받게까지 되었단다.

"세상을 살면서 제일 중요한 것은 가슴으로 강하게 느껴지는 바로 '그것'을 따르는 일이라고 생각해요. 자기가 하고 있는 일이 결과적으로 자신에게 무엇을 가져다줄 수 있는가 하는 것보다 그 일을 하는 자체가 행복한가를 살펴야 한다는 거죠."

"그렇게 볼 때 아리씨는 행복하세요?"

"그렇습니다. 비야씨는요?"

"나도 행복한 사람이네요. 아리씨가 말한 행복의 정의로 보면 말이에요."

그날 '행복한' 우리는 좀더 행복해져 볼까 하고 비디오방으로 갔다.

3평 정도의 작은 방에는 아주 나쁜 화질에 소리는 있는 대로 크게 틀어 놓은 작은 텔레비전이 있다. 방의 기다란 나무 벤치에는 수십 명의 젊은 스님들이 꽉 끼여앉아 화면에서 눈을 떼지 못한다. 그것이 마치 엄숙한 종교의식이기라도 한 양 스님들이 열심히 보고 있는 영화는 주윤발과 장국영이 나오는 홍콩영화 〈영웅본색〉이다.

우리가 비디오를 보고 늦게 나타나니까 '해탈승' 안이 무슨 데이트를 이틀 동안 계속하느냐며 내일은 자기에게도 기회를 주어야 한다고 너스레를 떨며 내 어깨를 감싸안는다. 이 사람, 사람은 좋은데 아무래도 사이비 해탈승 같다.

랑무스, 무채색 수채화의 새벽

아리와 길동무가 되어 샤허를 떠나는 날, 야크 식당에서 콘셉시온이라는 브라질 여자를 만났다. 40대 후반쯤으로 보이는데, 스키복으로 중무장을 해서 걸을 때마다 서걱서걱 소리를 내는 것이 재미있다. 자기도 랑무스를 거쳐 쑹판, 청두로 가는 길이라며 같이 가도 좋으냐고 묻는다. 그래서 자연스럽게 우리 셋은 일행이 되었다.

콘셉시온은 브라질에서 은행원으로 일하고 있었는데 어느 날 '계시'를 받아 회사를 그만두고 티베트와 티베트 사람들이 많이 사는 곳을 여행 중이라고 한다. 이 여자는 몇 번이나 환생한 자기생(生) 중 한 번 이상은 분명히 티베트 인이었다고 굳게 믿고 있다.

내가 희한한 사람을 유난히 많이 만나는 건지, 티베트 근처에는 이런 사람들이 많이 모이는 건지, 만나는 사람마다 평범하지 않다. 콘셉시온도 티베트병이 단단히 들었다.

랑무스로 바로 가는 버스가 없어서 허쭈워〔合作〕에서 하루를 묵고 다음날 새벽차를 탔다. 지난밤 콘셉시온 코 고는 소리로 숙소 지붕이 무너져내리지 않은 것이 천만다행이다. 잠들면 시체가 되는 내 잠도 깨울 정도이니 앞으로 한 방 쓰는 데 어려움이 따르겠다.

랑무스까지 가는 길의 새벽풍경은 오래도록 잊지 못할 것이다. 동도 트지 않았는데 망태기를 지고 까만 옷을 입은 티베트 여자들이 눈덮인 허허벌판에서 야크 똥을 줍고 있다. 마치 하얀 도화지에 박힌 까만 점 같다. 그 사람들 역시 우리 버스를 보면 하얀 벌판에 달리는 점 같다고 하겠지.

옹기종기 모여 있는 텐트 마을에서 새어나오는 아침짓는 연기. 한 무리의 양과 야크들은 벌써 풀을 찾아나섰다. 저렇게 두꺼운 눈이 덮인 곳에서 무엇을 찾아 먹을 수 있을까?

우리는 이미 해발 3,000미터의 고도를 넘고 있다. 멀리 야트막한 언덕을 보면서 고개를 넘으면 또 끝없이 펼쳐지는 하얀 눈밭. 바람이 몹시 부는 벌판에 야크를 타고 가는 사람들이 있다. 이렇게 추운 곳에서 사람들은 무엇을 먹고 살까. 이렇게 척박한 환경을 살아가는 사람들의 수고에 자연은 합당한 보상을 주고는 있는 걸까.

랑무스는 두말하면 잔소리인 티베트족의 마을이다. 라싸에서 훨씬 떨어진 시골에서 두 달이나 묵었다는 아리도 여태껏 보았던 어느 마을보다 여기가 더 티베트답단다. 그러고 보니 이 동네에는 검은 외투를 입지 않거나 흰 모자와 망토를 하지 않은 사람이 거의 눈에 띄지 않는다. 한족이 없다는 이야기다.

머리가 아파서 쉬어야겠다는 콘셉시온을 방에 두고 아리와 나는 동네 뒷산으로 올라갔다. 눈앞에는 넓은 평지요, 평지를 둘러싸고 있는 것은 잘 생긴 돌산들이다.

산중턱에 절이 있다. 바람이 몹시 불어 절 근방 여기저기에 걸려 있는 무지개색 깃발이 곧 이륙하려는 헬리콥터의 프로펠러처럼 무섭게 펄럭인다. 회칠을 한, 사람 키만한 향로에도 깃발을 단 솟대같은 장대가 꽂혀 있어 절이라기보다 무슨 무당집 같다.

자세히 보니 깃발마다 불경 몇 마디와 말〔馬〕이 그려져 있다. 깃발의 다섯 가지 색은 하나하나 뜻이 있는데, 노란색은 땅, 파란색은 물, 빨간색은 불, 초록색은 공기, 그리고 흰색은 마음과 정신이란다. 그리고 말은 하늘에 소원을 배달하는 기도 배달꾼으로 건강과 부, 행운을 가져다 주는 역할을 한다고 아리가 설명해준다.

리틀 티베트 지역 들판의 양떼들

어느 곳에서나 눈에 띄는 경륜통은 이곳이 티베트 마을이라는 것을 새삼 확인시켜 준다. 마을 가운데를 흐르는 시내에는 군데군데 물레방아의 원리로 돌아가는 난쟁이 집처럼 작은 경륜통이 있다. 또 언덕에 있는 절 지붕에는 바람으로 돌아가는 경륜통이 있고, 사람들은 걸어다니면서 장난감같이 생긴 경륜통을 돌린다.

여기서는 사허에서는 볼 수 없던 마니단이 있다. 마니단은 우리 나라의 서낭당처럼 돌탑이나 돌무더기를 쌓아놓은 것인데 티베트인이 순례와 삶의 안녕을 빌며 순례 중에 하나씩 쌓아올린 것이다. 마니는 진언(眞言), 혹은 경(經)이란 의미인데, 그래서인지 '마니석'이라고 부르는 돌들 하나하나에는 경문이나 여행의 안전을 담당하는 보살의 이름이 씌어 있다.

이곳은 날씨가 좋으면 가을, 흐리면 겨울이다. 도착한 지 며칠 후 해가 쨍 나길래 한참을 걸어 산에 올라가 보았다. 영암 월출산처럼 기암괴석 사이사이에 평원도 있고, 냇물도 있고, 굴도 있고, 바위 봉우리도 있어 아기자기한 맛을 자아낸다. 산에는 가을이 한창이다. 노랗고 빨갛게 물든 갖가지 단풍과 상록수의 초록색 빛이 어우러져 터키산 양탄자를 덮어놓은 것 같다.

산에서 내려오는데, 갑자기 하늘이 까매지면서 까마귀떼가 날아든다. 파란 하늘에 날개를 활짝 펴고 저공비행을 하는 까마귀떼가 아주 멋있다. 아리는 어딘가에 양이나 말이 죽어 있을 것이라고 말한다. 역시 산중턱쯤에 가죽과 뼈만 남은 양이 굴러 있다. 뼈에는 살 한 점 남아 있지 않다. 까마귀떼가 이렇게 양 한 마리를 먹어치우는 데는 불과 십여 분밖에 걸리지 않는단다.

우리는 버스 정류장 근처의 숙소 4인실에 들었는데 거기는 장작으로 물을 데우는 가마솥이 있어서 아쉬운 대로 고양이 샤워를 할 수 있다. 또 해가 지면 조개탄으로 난로도 피워 준다. 떠나기 전날, 콘셉시온은 자기는 추운 것은 영 못 참는다고 해서 기꺼이 난로 옆 침대를 양보해 주었는데 그것이 화근이 되었다.

그날 연통이나 난로에 문제가 있었는지 아니면 노란 연기를 내는 조개탄 때문이었는지 느지막이 일어나 콘셉시온을 깨우려고 했더니 입 주위에 거품을 물고 있다. 깜짝 놀라 마구 흔들어도 마취된 사람처럼 반응이 없다. 순간 '가스 중독이다!' 하는 생각이 스쳤다. 반사적으로 벌떡 일어나 창문과 방문을 모두 활짝 열었다. 그러고는 허리를 꽉 죄고 있는 속바지를 벗기고 브래지어를 풀고 있는데 산책을 나갔던 아리가 들어왔다.

"아리, 아리. 인공호흡할 줄 알아요?"

내가 다급하게 물으니까 놀란 아리가 얼른 콘셉시온 배 위로 올라가 인공호흡을 시작했다.

내가 찬물을 뜨러 나갔다가 들어오니 그 사이에 난롯재를 빼러 방에 들어왔던 숙소 아줌마가 혼비백산해서 얼굴을 가리고 방을 뛰쳐나온다. 사정을 알 리 없는 아줌마는 남녀가 벌건 대낮에 문까지 다 열어 놓고 일을 벌이고 있는 줄 알았을 거다. 아리가 스님이라니까 볼 때마다 합장을 하던데 얼마나 놀랐겠는가. 내가 콘셉시온 옷을 벗겨 그냥 방바닥에 놓았으니 현장이 더 그럴 듯하게 보였겠지.

다행히 콘셉시온은 찬물로 얼굴을 닦고 내 물파스를 코 밑에 바르고, 결정적으로는 아리의 인공호흡 덕분에 곧 정신을 차렸다. 그런데 내가 먼저 자기를 발견해 목숨을 구해주었는데도 나한테는 고맙다는 말 한 마디는 커녕 눈길도 주지 않으면서 아리에게는 껌뻑 죽는다.

"무차스 그라시아스 아모르(정말 고마워요, 내 사랑)."

한술 더 떠서 시한부 환자의 마지막 길이라도 가는 양 아리에게 한사코 침대 옆에 와서 자기 손을 잡고 있어달라고 애원한다.

그렇게 조금 지나니 코고는 소리가 바깥 베란다에서 책을 읽고 있는 내게까지 들린다. 콘셉시온이 괜찮아져 곤한 잠에 빠지자 내 마음도 놓인다. 방에 둘만 놔두고 나온 것이 좀 신경이 쓰였는데 말이다.

허쭈워에서 콘셉시온이 내게 귀엣말로 아리에 대한 자기 감정을 털어놓았기 때문이다.

"저 사람 은근히 섹시한 멋이 있지?"

아리의 어디에서 섹시함을 느꼈을까? 나한테는 아리가 그냥 열심히 도 닦고 있는 사람으로만 보이는데. 자기가 무슨 황진이라고 스님을 넘본담. 콘셉시온(C' oncepcion)이라는 이름이 '성모 마리아의 무염시태(無染始胎, 원죄 없는 잉태)' 라는 뜻이어서 그런 건가.

그날 오후 나도 질세라 사고 하나를 쳤다. 전대를 재래식 화장실에 빠뜨린 것이다. 여권과 돈과 그밖의 모든 중요한 증명서가 들어 있는 전대를 나는 제2의 피부처럼 언제나 허리에 차고 다닌다. 그런데 그날 배가 더부룩해서 전대를 느슨하게 매고 있었는데, 그것을 깜박 잊고 화장실에 간 것이다.

볼일을 보고 일어서는데 '어어어' 할 사이도 없이 전대가 스르르 풀려 똥통으로 빠져버린 것이다. 그리 깊지는 않지만 똥 반, 오줌 반이라 손으로는 건질 수 없다.

결국 숙소 아줌마에게 부탁을 해서 동네에서 허드렛일을 도맡아 하는 총각을 불러왔다. 총각이 장대로 화장실을 휘젓는 사이 어떻게 소문을 들었는지 동네 사람들이 이 진기한 광경을 보려고 몰려들었다. 작업은 10분 만에 성공적으로 끝나 장대로 전대를 건져 올렸다. 총각에게 수고비조로 20위안을 주니 깜짝 놀라면서 고맙다고 여러번 머리를 숙인다. 주인 아줌마는 총각이 뭘 했다고 그렇게 많이 주느냐고 한다.

똥통에서 건져낸 오물범벅의 전대가 반가우면서도 한심스럽다. 저걸 어떻게 한담. 할 수 없이 나무젓가락으로 집어 수돗가로 가져가서 물로 수십 번 헹군 다음, 안에 있는 것을 몽땅 꺼내고는 다시 세숫비누로 몇 차례 씻었다. 그것도 모자라서 전대를 끓인 물에 몇 시간 담가 놓았다. 이 정도면 똥독은 빠졌겠지.

전대 안에 여행자수표는 없었고, 여권과 현금은 비닐에 한 번 더 쌌기에 망정이지 하마터면 이번 여행이 끝날 때까지 똥 묻은 여권과 돈을 가지고 다닐 뻔했다. 그래도 전대에서는 당분간 똥냄새가 날 것이다.

이런 일들이 벌어지자 아리가 농담을 한다.

"샤허에서는 두 여자와 같이 다니게 되어 여복이 터졌다고 좋아했는데, 오늘 두 사람이 번갈아 가며 사고치는 것을 보니 아무래도 여자 없이 사는 편이 좋겠어요."

물론 그래서는 아니겠지만, 우리가 조이게〔若蓋〕로 떠나기로 한 날 아침, 아리는 당분간 이곳에서 머무르고 싶다고 말한다. 주변의 자연이며 이곳 사람들에게서 상당한 마음의 평화를 얻을 수 있을 것 같다며 여태껏 자기가 찾던 곳이 여기가 아닐까 싶단다. 콘셉시온은 갑작스런 아리의 결정에 몹시 당황하고 서운해 하면서 나더러 자꾸만 같이 가자고 졸라보라고 한다.

'내 사랑이라며? 자기가 잡아보지그래.'

섭섭한 마음이야 나도 마찬가지지만 정말 그러고 싶지 않다. 아리가 이곳에서 원하는 것을 찾을 수 있을 것 같다지 않은가. 떠나는 날, 콘셉시온은 아리에게 매달리는 듯한 포옹을 풀지 않으며 이별을 아쉬워한다. 버스의 시동소리가 들릴 때까지도 아리를 독점하고 있는 바람에 나는 인사도 제대로 할 수 없었다. 버스가 막 떠나려고 할 때 아리는 나에게 이렇게 말했다.

"내가 보기에 비야씨에게는 선근(善根)이 있어요. 열심히 정진하시기 바랍니다."

"나무 관세음보살. 아리도 부디 마음의 평화를 찾으시길."

야크버터 냄새나는 유목민들의 향기로운 인심

조이게에서 쑹판까지 가는 버스 안은 이제 완전히 겨울이다.

창문에 잔뜩 낀 성에를 긁어내고 밖을 보니 어렴풋한 새벽빛에 드러난 황금빛 초원에 까만 점이 잔뜩 박혀 있다. 이번에는 야크다. 말을 탄 쬐끄만 계집아이가 채찍을 들고 야크 사이를 누비며 야크들이 먼 데로 흩어지지 않도록 모으고 있다. 자기보다 몇 배나 더 큰 야크들을 다스리고 있는 아이의 모습이 너무나 당당해 보인다.

어느 고개를 넘으니 끝날 것 같지 않았던 초원과 벌판이 갑자기 침엽수림이 가득한 산으로 바뀐다. 쓰촨성으로 들어선 것이다.

쑹판에 와서는 반드시 해야 할 일이 있다. 아니, 많은 여행자들이 이것을 하기 위해 쑹판에 온다. 바로 말타고 하는 산수유람이다. 나와 콘셉시온도 내리자마자 승마여행 교섭을 받았다. 숙식 포함해서 하루에 50위안이란다. 믿을 수 없는 가격이다. 거창한 승마 여행비가 당시 환율로 하루에 우리 돈 5천 원 정도밖에 안 된다니.

같이 갈 일행은 콘셉시온과 나, 가이드 두 명에 말 네 마리다. 친절한 내 모슬렘 가이드의 이름은 조이이고, 말 이름은 람보란다. 다음날 우리는 4일간의 '애마부인' 여행을 떠났다.

쑹판을 나서자마자 티베트족 사람들이 무슨 곡식인가를 커다란 나무틀에 널어 말리는 광경이 눈에 띈다. 산길로 접어들자 머리에 빨간 머플러를 두른 티베트족 여자들이 보인다. 유목생활을 하는 랑무스 근처의 사람들에 비해 같은 티베트족이라도 얼굴에 윤기가 흐르고 차림새도 훨씬 깨끗하다.

그들을 보자 벌써 썩은 야크버터 냄새가 나는 유목민들이 그립다. 몸에서는 고약한 냄새가 나도 마음은 참으로 향기로운 사람들이다. 랑무스 근처에서 추위에 떨며 무려 6시간 동안이나 버스를 기다릴 때 만난 아줌마들을 나는 잊지 못할 것이다.

아주머니 일행이 넷인데, 라면 한 개를 반으로 잘라 반은 내게 주고 자기들은 반을 가지고 넷이서 나눠먹었다. 또 열 개밖에 없는 사탕을 다섯 개를 내게 주고 아주머니들은 한 개씩만 먹었다. 얼마 남지도 않은 참파라는 보릿가루를 손으로 푹푹 집어주기도 했다. 잘 씻지 않은 손이 지저분해 보일 수도 있었지만 내게는 전혀 그렇게 느껴지지 않았다.

누더기를 걸친 열 살 남짓한 양치기 소녀는 또 어떻고. 하도 추워서 우리가 나무 부스러기를 모아 불을 피우고 둘러앉아 쬐고 있으려니까 어디서 구했는지 통나무 한 토막과 잔나무 가지들을 주워다가 수줍게 놓고 가는 것이다. 티베트족 유목민들의 그런 고귀한 인정을 내 어찌 가볍게 넘길 수 있으리.

산을 오르락내리락하면서, 들판을 가로질러 아름다운 폭포가 있다는 국립공원으로 갔다. 말굽소리도 경쾌하고 말이 걸음을 옮길 때마다 흔들리는 리듬감도 기분좋다.

앞뒤가 모두 뾰족뾰족하고 향기로운 전나무가 있는 곳에 야영을 했다. 가이드 둘이 한 장의 천으로 아주 원시적인 텐트를 쳤는데, 너무 허술해서 들뜬 공간으로 람보도 드나들 수 있을 것 같다.

해가 지자 기온이 뚝 떨어져 가이드가 땔감을 해 왔다. 어찌나 많이 해 왔는지 쌓아놓고 보니 인도 바라나시에서 사람 화장하려고 준비한 장작 더미보다 더 많다. 우리 네 사람 몇 시간 따뜻하자고 저렇게 많은 나무를 없앤다는 것이 마음에 걸린다. 이렇게 가다가는 몇 년 못 가 이곳 나무도 동이 날 것이다. 가이드들에게 이제 그만 되었다고 해도 이곳은 나무가 많아서 얼마든지 때도 괜찮다며 막무가내다.

콘셉시온은 밤새 몹시 추웠나 보다. 아침에 일어나자마자 간밤에 한잠도 못 잤다면서 당장 쑹판으로 돌아가겠다며 짐을 꾸린다. 하지만 나와 조이는 여정을 계속하기로 했다.

구름 뒤로 들어갔다 나왔다 하는 햇볕을 받으며 말을 타고 또 다른 국립공원에 도착했다. 날이 흐리더니 기어코 우박이 떨어진다. 그래도 한시간 정도만 들어가면 멋진 경치가 있다니 안 들어갈 수 없지.

이곳의 하이라이트는 여러 가지 이름이 있는 커다란 호수다. 노란 물꽃이 잔뜩 피어 있는 호수의 한 부분은 소화호(素花湖), 소박한 꽃이 피어 있는 호수라는 뜻이다. 조금 더 가니 물 속의 물풀이 소나무처럼 보인다. 여기는 이름하여 와송연수(臥松蓮水), 누운 소나무가 물 속의 연꽃이 되었다나. 뒤이어 제법 깊은 초록색 호수가 나오는데, 이름이 명경대(明鏡臺)다. 말할 것도 없이 명경 같다는 뜻이다. 그리고 호수가 끝나고 나타나는 넓은 초원은 초해(草海). 중국 사람들은 이름도 잘 붙인다.

다음날 간 곳은 설산(雪山). 산길로 접어드니 가파른 비탈길이다. 드디어 내 말은 이름값을 하느라 길이 있어도 굳이 길이 아닌 곳으로 가려고 한다. 말이 좀 제멋대로라 이름이 람보라는데도 여태까지 한 번도 심통을 안 부려 기특하다고 생각했었는데 드디어 시작인가 보다. 급경사를 한 발 한 발 한 시간쯤 오르자 시야가 탁 트이면서 가을산이 눈에 들어온다.

양지 바른 남향에 야영할 자리를 잡았다. 조이는 전날 너무 춥게 잤다며 오늘은 텐트 안에서 불을 지펴 밥도 해 먹고 몸도 녹이잔다. 텐트 안에서 수제비를 끓여 먹고 불을 때는 건 좋은데 공기가 제대로 통하지 않아 텐트 안은 완전히 너구리굴이 된다.

가이드 조이는 아주아주 친절하고 마음씨 착한 스물두 살 회족 청년이다. 조이는 혼자서 밥하고, 나무하고, 텐트치고, 말 관리하고, 사진 찍어주고, 틈틈이 중국말까지 가르쳐주느라 너무 바쁘다. 그래도 늘 웃는 얼굴이고 내게 뭐 불편한 게 없나 살피는 마음이 아주 고맙다.

조이는 내게만 잘하는 것이 아니라 람보에게도 정성이다. 보기만 하면 사람인 양 쓰다듬어 주고 오르막길을 오를 때 힘들어 하면 "자, 다 왔다."며 격려하기도 한다. 또 산에 놓아 먹일 때도 좋은 풀밭으로 데려다 주고 말이 여기저기 다니면서 몸에 나뭇잎을 잔뜩 묻혀오면 정성스럽게 털어준다.

다음날 쑹판으로 돌아가는 길에 운 좋게 내내 푸른 하늘을 볼 수 있었다. 쑹판까지 가는 길은 해발 5,000미터 이상의 설산들이 파노라마를 이루고 있다. 따뜻한 햇볕 속을 느긋하게 걸으며 산과 초원이 번갈아 나타나는 경치를 충분히 즐겼다. 내 애마 람보도 주인 마음을 눈치챘는지 만만디 만만디, 아주 천천히 걸어주었다.

리지앙 산수는 백리 동양화

아무리 사진을 잘 찍어도 그 아름다움을 다 담을 수 없는 명승 리지앙

관광팀 따라가니 장강삼협도 귀찮아

처음에 나는 중국 서남지방의 유명한 관광지는 어메이산〔娥眉山〕 이외에는 갈 계획도 없고, 큰 기대도 하지 않았다. 어메이산은 '아름다운 여인의 눈썹' 이라는 이름만으로도 신비롭고 아름다운 산일 것이라고 생각했다.

더구나 중국 무협지마다 어메이산을 무대로 한 어메이산파의 금정신모(金頂神母)와 신모를 따라다니는 황금 원숭이 등이 하도 많이 나와서 전혀 낯설지가 않았다. 게다가 이 산은 중국 불교의 4대 명산 중 하나라고 한다. 중국에서는 아직 제대로 올라가 본 산이 없어, 이 산만은 며칠이 걸리더라도 천천히 3,077미터 정상까지 오르고 싶었다.

하지만 나는 어메이산 등산은 물론 러산〔樂山〕의 대불(大佛)과 충칭〔重慶〕에서 시작해 3박 4일 배를 타고 하는 장강유람 등을 열흘간의 '일반 관광객' 코스로 가게 되었다.

왜냐하면 이 여정에는 동행이 있었기 때문이다. 아주 반가운 사람, 중국에 임상실험차 온 한의사 이근명 씨, 바로 내 작은 형부다. 작은 형부는 '한다면 하는' 의지의 한국인이다. 교편을 잡고 있다가 마흔이 훨씬 넘은 나이에 미국으로 가 한의학을 공부했다. 남 돕는 일이라면 입은 옷도 벗어주고 입에 들어간 음식도 꺼내주는 사람이니, 한의사가 된 것도 '남을 보다 전문적으로 도우려는 것' 임을 암암리에 알 만한 사람은 다 안다.

가이드인 조선족 이희 씨는 그녀의 여동생이 미국에서 어학 연수를 할 때 작은 언니 옷가게에서 아르바이트한 것이 인연이 되어 알게 되었단다. 일본어를 전공한 스물다섯 살의 아주 싹싹한 아가씨다.

청두에서 만난 우리는 그 다음날 부랴부랴 어메이산으로 향했다. 불교 성지답게 산 속에는 스무 개 정도의 절이 있다. 우리는 2박 3일로 돌아오는 일주코스를 택했다. 산정에서 그 유명한 일출을 보지는 못했지만 아주 아름답게 핀 눈꽃은 실컷 보았다. 어메이산은 전체가 선경이라지만 특히 정상에서 신선봉까지 내려오는 길이 제일 멋있다. 비록 두꺼운 군용점퍼를 빌려입고도 달달 떨어야 하는 추운 길이지만.

옛날 신선화를 보면 안개 낀 뾰족뾰족한 산에 폭포가 흐르고 잘생긴 소나무 밑에서 신선들이 바둑을 두는 광경이 자주 나타나는데, 우리 나라에는 없는 이 풍경들은 바로 이곳을 배경으로 한 것이 아닌가 싶다. 안개가 끼었다가 벗겨졌다가 하는 것이 더욱 신비감을 자아낸다.

한 가지 아쉬운 점은 중국의 다른 유명한 산과 마찬가지로 산꼭대기까지 '친절하게' 돌계단을 만들어 놓아 산을 오른다는 기분을 망친 것이다. 더욱이 산정까지 올라가는 케이블 카와 아예 두 명이 드는 인력거로 산정을 오르는 사람들의 떠들썩한 소리 때문에 더 그렇다.

무협지에 나오는 금정신모가 있는지는 모르겠지만 원숭이는 정말 많다. 이 원숭이들은 떼를 지어 다니면서 먹을 것을 구걸하는 차원이 아니라 갈취하고, 안 주면 협박까지 하는 아주 간 큰 놈들이다.

러산의 대불은 중국에서 제일 큰 불상이다. 1천 2백 년 전에 만들어진 이 불상에는 수많은 석공들의 90년 세월이 고스란히 바쳐져 있다. 돌산을 통째로 깎아 만들었는데 불상이 앉아 있는데도 높이가 71미터, 넓이가 30여 미터에 달한다. 귀의 크기가 7미터 50센티에 엄지발가락 하나의 길이가 무려 8미터 50센티이니 가히 그 크기를 짐작할 수 있으리라.

이렇게 크다 보니 전체를 보려면 그 불상 앞을 흐르는 강에서 배를 타고 멀리서 바라보는 수밖에 없다. 유람선은 다음 코스로 빨리 가야 한다며 불상 앞을 10여 분만 왔다갔다하고 말아 김이 샌다.

충칭에서 시작하는 장강삼협(長江三峽) 여행도 썩 만족스럽지 못하다. 양쯔강이라 부르는 장강은 티베트에서 발원하여 황해로 빠져나가는 총 길이 6,300킬로미터의 강인데, 이름대로 세계에서 세 번째로 길다.

중국인들은 여기를 유람하는 것이 평생 소원이라며 외국인들에게도 부담이 되는 요금을 척척 내고 탄다. 나는 협곡의 아름다움도 아름다움이지만 세계 4대 문명의 발상지인 이 강에서 갠지스강이나 나일강에서 느꼈던 옛 문명의 도도한 숨결 같은 것을 느낄 수 있으리라는 막연한 기대가 있었다.

하지만 이들이 그렇게 자랑스러워하는 강은 완전히 똥물이다. 원래 물색깔이 엷게 탄 초코 음료같이 탁한데다가 배에 탄 중국 사람들이 플라스틱 도시락 등을 포함한 모든 오물과 쓰레기를 그대로 강물에 버려서 그렇게 되었다. 어디를 보아도 하얀 스티로폼 도시락, 귤껍질, 맥주병, 신문지 등이 둥둥 떠다닌다. 이 강이 황해로 빠진다는데 그러면 저것들이 흘러서 우리 나라 어딘가에 쓰레기더미를 만드는 것은 아닐까 염려가 된다.

같은 선실에 탄 산둥성〔山東省〕에서 온 시인이라는 50대 아저씨가 똥물을 그윽히 바라보다가 멋진 시 한 수를 짓는다.

"아, 이 강은 정녕 영웅 호걸들이 흘린 눈물이로구나."

나도 이 부근이 조조가 화공을 쓰다 처참하게 패한 적벽이라는 사실을 잘 알지만 도저히 그 아저씨와 같은 감흥을 느낄 수는 없다.

그래도 하이라이트를 꼽으라면 큰 배에서 내려 작은 보트를 타고 가는 소삼협이다. 어찌된 것인지 그곳은 물이 초록색으로 맑고 깨끗해 작은 배를 타고 가는 맛이 별다르다. 그러나 이제 몇 년 후 이곳에 댐이 완공되면 이 삼협은 영원히 물에 잠겨버린다고 한다.

바다같이 넓은 강을 가다가 배가 양쪽 절벽에 닿을 듯 좁아지는 협곡, 빨라지는 물살, 강가로 펼쳐지는 기암절벽이 몇 시간 계속되다가 또다시 나타나는 큰 강. 멋있다고 생각하면 얼마든지 멋있다고 할 수도 있는 광경이다. 중국 사람뿐 아니라 외국인들도 여기에 이르면 '아, 장강!' 하고 감탄하는 사람이 많다니 그럴만도 하다.

그러나 관광 스케줄 자체가 시간이 부족한 일반 관광객들이 짧은 시간에 되도록 많은 것을 보도록 짜놓은 것이라 나 같은 장기여행자에게는 그

다지 매력이 없다. 빡빡하게 짜여진 일정대로 관광코스를 따라가자니 마음에 드는 곳에 오래 머물 수도 없고, 별 흥미없는 곳도 들러야 하니 말이다.

그리고 나는 경치나 볼거리보다 오랜만에 만난 가까운 사람과 여행을 한다는 것이 더 기대가 됐었는데 그것이 생각 같지 않아 흥이 나지 않는다. 그나마 형부와 이희 씨가 즐거워하는 것 같아 다행이다.

웨양[岳陽]에서 하선한 우리는 열흘간의 동반여행을 마치고 헤어졌다.

"처제, 어떻든 몸조심해. 내가 2월쯤 다시 중국에 올 일이 있으니까, 곧 다시 보자고."

형부 눈에는 정말로 바닷가에 어린애를 혼자 내보내는 것 같은 걱정이 들어 있다. 아무튼 집안 윗사람들은 손아래를 보면 그 사람이 몇 살이건 언제나 어린애 취급이라니까.

나는야 입에 햄버거칠하는 홍콩 거지

홍콩으로 가는 기차.

오지 여행 중에 세계에서 손꼽히는 번화한 도시를 일부러 가는 데는 두 가지 이유가 있다. 하나는 중국 여행 비자기간이 며칠 후로 만료되어 새로 비자를 받을 때 아예 6개월짜리 상용비자를 받으려는 것이고, 다른 하나는 앞으로 쓸 여행자금과 티베트, 몽골 등 추운 지방을 여행할 때 필요한 겨울 장비를 공급받기 위해서다.

서울에 있는 올케에게 홍콩까지 와서 돈과 물건들을 배달해 달라고 부탁해 놓았다. 오는 김에 영양크림 등 화장품과 식구들, 친구들 편지도 걷어 와 달라고 말해놓았다. 홍콩이 처음인 올케가 오면 홍콩 구경도 시켜주고, 같이 맛있는 것도 많이 먹고, 배타고 마카오도 가야겠다.

이제 홍콩에 가면 며칠 동안 밤잠은 다 잤다. 그동안의 수다를 풀어놓으려면 잠잘 시간이 어디 있겠나. 내가 너무나 좋아하는 올케가 오고 있다는 것이 빈 속에 마신 커피처럼 가슴을 두근거리게 한다.

그런데 홍콩에 도착한 다음날, 몇 시 비행기로 오는지 물어보려고 한국에 전화를 했다가 날벼락을 맞았다. 글쎄, 우리 엄마가 목욕탕에서 나오다가 미끄러지며 다리가 부러져서 입원을 하셨다는 것이다. 아이고, 우리 엄마, 딱하게 되셨다. 앞으로 깁스하고 계시려면 얼마나 답답하실까. 그런데 타이밍을 참 잘못 맞추셨다. 시어머니가 입원해 계신데 외며느리를 어떻게 홍콩으로 부르느냐 말이다.

이런 낭패가 없다. 아는 사람 한 명 없는 땅에서 무일푼 신세가 되었으니. 비상용으로 가지고 다니는 국제 신용카드도 유효기간이 끝나서 현금 서비스가 불가능하다. 홍콩에서 올케 만날 것을 의심치 않았기 때문에 스타킹 안에 꼬불쳐 둔 마지막 비상금까지 톡톡 털어 형부에게 주고 와서 수중에 남은 돈으로는 중국 비자값 내기도 모자란다. 예전에 다니던 회사의 아시아 지역 본부가 홍콩에 있는데 내가 아는 사람 누구 남아 있을라나 몰라.

그런데 이게 웬 솟아날 구멍이냐? 망연한 상태로 전화기를 놓고 돌아서려는데 소리가 들린다.

"혹시 한비야 씨 아니세요?"

양복을 빼입은 젊은 남자가 나를 부른다. 홍콩에서 보이차, 우롱차 등을 수입해 가는 차 수입상인데 자기 누나 때문에 내 책을 '강제' 로 읽고는 애독자가 되었단다.

"여기서 만나다니 정말 반갑습니다."

"그건 내가 할 소리예요. 돈 있으면 나, 돈 좀 꿔줘요."

이분은 마침 홍콩에서 볼일을 다 보고 내일 떠나기 때문에 남은 돈이 별로 없다고 탈탈 털어 9백 달러를 주면서 오히려 미안해 한다. 오직 '얼굴을 담보' 로 돈을 빌렸으니 책 쓴 덕을 톡톡히 보았다.

9백 달러면 아쉬운 대로 3개월 정도는 여행할 수 있으니 나머지는 베이징에 가서 아는 분을 통해 보충하면 될 것 같다.

홍콩. 거대한 빌딩 숲 사이를 흑인, 커피색인, 황인, 백인 등이 섞여 다니는 대도시. 상점마다 전세계의 물건들을 산더미같이 쌓아놓은 이 풍요의 도시에서 나는 겨우 '입에 햄버거칠을 하는' 극빈자가 되었다. 돈을 공수받지 못해 어떡하든 아껴 써야 한다는 강박관념이 생겼는지, 아니면 중국과 비교해 갑자기 2, 3배로 비싸진 물가에 적응을 못해서인지 중국 비자 나오기를 기다리는 이틀 동안 제일 싼 총킹맨션 내의 기숙사에 묵으면서 가장 값싸게 끼니를 때울 수 있는 맥도날드 햄버거로 식사를 대신했다.

예전에 이곳으로 출장을 오면 최고급 호텔에 묵으면서 풀코스 만찬만 먹었는데 내 처지가 어쩌다가 5년 만에 이렇게 되었나.

사제간 사랑이 깊으니 모녀보다 가까워

홍콩에서 다시 광저우〔廣州〕로, 광저우에서 야간 침대버스를 타고 열다섯 시간 밤을 달려 양수오〔陽朔〕로 갔다. 웬만큼 큰 중국 지도가 아니면 나와 있지도 않은 곳이다. 양수오는 우리가 잘 알고 있는 구이린〔桂林〕의 바로 옆 동네, 구이린에서 버스로 두 시간을 가면 나오는 조그만 마을이다.

중국에서 제일 아름다운 곳을 꼽으라면 대부분의 중국인들이 주저하지 않고 구이린을 꼽는다. '계림산수천하지미예(桂林山水天下之美藝)' 라고 하지만 실제로 구이린 시 자체는 중국의 여느 대도시와 다를 바가 없다. 보통 그림엽서나 달력에서 볼 수 있는 구이린 산수화는 바로 리지앙〔璃江〕이 흐르는 양수오 풍경이다.

이곳은 외국인 배낭여행자들 사이에 중국에서 가고 싶은 곳으로 1, 2위를 다툴 정도로 인기가 높다. 중국인 여행자라면 십중팔구 구이린 시에서 묵는데, 외국 배낭여행자들은 백이면 백 모두 양수오로 몰린다. 나도 그런 배낭여행자 중의 한 사람인 것이다.

아침에 양수오에 도착해 오후 늦게까지 잤다. 깨어보니 밖에는 보슬보슬 비가 내리고 있어 저녁을 먹으러 나가기가 귀찮아진다. 가방 안에 있던 과자 등으로 끼니를 대충 때우고는 앞으로의 여행계획을 세웠다. 홍콩에서 6개월 비자를 받았으니 이제는 집에 갈 때까지 비자 연기할 걱정은 안 해도 되겠다. 새로운 비자를 받아서 그런지 시작한 지 열한 달이나 된 여행을 처음부터 다시 시작하는 기분이다.

정초에 한국을 떠날 때는 다음해 구정쯤 여행을 끝낼 생각이었는데 아직 윈난성도 못 가고 있으니 그때까지는 어림도 없다. 아무리 시간을 넉넉하게 잡아도 모자라는 것이 여행이지만 중국은 정말 한도 끝도 없다. 그래도 무한정 할 수는 없는 것, 대강의 일정을 잡아보았다.

일단 윈난성에서 11, 12, 1월을 보내고 2월은 티베트를 다니자. 소수민족이 많이 살고 있는 윈난성 여행이 3개월 정도로 충분할까? 2월에 티베트에 가게 되니 추워서 고생 좀 하겠네.

일기장에 이런저런 계획을 써보는 것만으로도 신이 난다. 5년간 신발이 닳도록 돌아다녔는데도 여행계획을 세울 때마다 가슴이 벅차고 흥분되는 걸 보면 이것이 업(業)이고, 팔자라는 말이 맞는 것 같다. 어찌 되었든 이곳 양수오에서는 머물고 싶은 만큼 머물면서 그동안의 여독을 충분히 풀고 새로운 에너지도 충전해야겠다.

다음날 아침, 빨래를 널려고 옥상으로 갔다가 깜짝 놀랐다. 눈앞에는 아주 오래되어 이끼가 잔뜩 낀 비석처럼 생긴 봉우리가 떡 버티고 있고, 평지에서 솟은 산들이 멀리서 파도가 밀려오듯 겹겹이 다가오는 광경이 한눈에 들어온다. 양수오는 신비경으로 유명하다더니 호텔 옥상에서 보는 경치가 이 정도면 배를 타고 리지앙을 거슬러 가며 보는 광경은 어떨까.

상상이 가지 않는다.

내가 묵은 곳은 외국인 거리에 있는 시하이〔四海〕호텔 4인실 기숙사인데, 아주 다정해 보이는 두 일본 아주머니와 한방을 쓰게 되었다. 한 분은 몸집이 조그만 60대 할머니이고 또 한 분은 40대 중반의 상당히 지적으로 생긴 아줌마다. 얼굴이나 몸집은 하나도 닮지 않았는데 분위기가 어딘지 비슷하다. 서로 통성명을 하고 나서 물었다.

"두 분이 모녀간이세요?"

그랬더니 젊은 나오꼬상이 웃으며 되묻는다.

"그렇게 보이세요?"

알고 보니 두 분은 초등학교 때의 선생님과 제자다. 이번에 스승인 야마다상이 정년 퇴직을 해 그 기념으로 중국 여행을 왔다고 한다.

"사람들이 다들 엄마와 딸로 보죠. 우린 피만 안 섞였지, 사실 그 이상이랍니다."

이렇게 말하는 나오꼬상을 야마다 선생님은 편안하고 뿌듯한 얼굴로 바라본다. 두 사람은 나오꼬상이 초등학교 3학년 때 담임선생님과 학생으로 만났는데, 나오꼬상이 마침 야마다 선생님 옆집에 살았단다. 장사를 하느라 자주 집을 비운 부모님 대신 아이가 없는 야마다 선생님 부부가 나오꼬상을 돌봐 주는 일이 많았다고 한다.

다른 지방으로 이사를 간 후에도 두 사람은 연락을 계속했고, 다시 도쿄에서 고등학교에 다니게 되었을 때는 아예 야마다 선생님 집에서 살면서 대학교까지 마쳤단다. 사범대학에 진학한 것도 선생님의 영향이고, 결혼과 이혼이라는 중대한 인생사도 친엄마 곁이 아니라 바로 선생님과 같이 겪었다고 한다.

"작년에 남편이 세상을 떠났어요. 난 이제 나오꼬뿐이에요."

야마다 선생님은 나직하게 말하며 나오꼬상의 손을 꼭 잡는다. 이야기를 듣고 보니 더욱더 친모녀처럼 보인다. 맞다. 꼭 자기 속으로 낳아야만

딸이고, 그 배에서 나와야만 엄마인가. 저렇게 서로를 아껴주고, 힘이 되어주고, 고마워하고, 사랑하면 딸이고 엄마지. 스승과 제자이면서도 어머니와 딸이 되기도 하는 관계, 정말 부러울 정도로 아름다운 사이다.

내게도 생각만으로도 마음이 따뜻해지는 스승이 있다. 홍익대학교 영문과 김정숙 선생님. 그분은 내 늦깎이 입학생 때부터 지금까지 변함없는 관심과 뜨거운 애정과 따끔한 질책을 아끼지 않으신다. 입학시험 때 나를 면접하셨는데 눈을 똑바로 치켜뜨고 또박또박 대답하는 것을 보면서 '저 당돌한 녀석, 뭐가 돼도 될 것 같은데.' 라고 생각하셨단다. 나는 눈을 가만히 뜨고 있는데도 사람들은 치켜뜨는 것으로 본다

선생님과 의기투합된 나는 재학시절 내내 선생님 연구실을 내 집 드나들듯 드나들면서 박사논문 준비로 바쁘신 시간도 많이 빼앗고, 커피며 과자며 점심이며 정말 숱하게 얻어 먹었다. 캠퍼스 커플이었던 내가 실연했을 때 선생님은 가장 따뜻하게 쓰린 내 마음을 어루만져 주셨지만 공부에 대해서만큼은 자만하지 않도록 쐐기를 박으셨다.

"비야가 여기서는 잘하는 것처럼 보일지 몰라도 나가 봐라, 너만큼 하는 사람 쌔고도 넘쳤다. 그 정도 해 가지고 어디에 명함도 못 내민다고."

유학 중에도 내 생일을 잊지 않으시고 선물로 은목걸이를 보내주셨고, 큰언니 다음으로 제일 많은 편지를 주고받았다. 세계 여행 다니면서 기회가 있을 때마다 안부전화를 드리면 어떻게 딱 맞춰 그때마다 연구실에 계시는지, 참으로 불가사의했다. 지난번 아프리카, 중동 여행에서 돌아왔을 때는 몸보신하라며 녹용까지 사 주셨다. 누가 누구 보약을 지어 드려야 하는 건가.

선생님의 최대 결점은 예나 지금이나 나의 능력을 과대, 과잉 평가하신다는 점이다. 새로 시작하는 일에 엄두가 나지 않아 망설일 때마다 이렇게 부추기신다.

"내가 비야를 잘 알고 하는 소린데, 넌 그거 잘할 수 있어. 실컷 잘난 척

해 봐야지."

입학 때부터 이날 이때까지 한결같이 쓰시는 말이다. 이제는 레퍼토리 바꾸실 때도 되었는데. 선생님의 기대가 부담스러우면서도 이 한 마디가 기죽지 않고 앞으로 나가게 하는 큰 힘이 되었다.

벌써 17년간 이어져 온 '불가분의 관계'라 이제는 선생님이라기보다는 인생의 언니로서 친자매 같은 감정이 더 강하게 느껴진다. 내 인생에 이렇게 아름다운 인연이 있다는 것이 정말 고맙고도 자랑스럽다.

김정숙 선생님, 사랑해요. 앞으로 더 열심히 할게요. 그런데 선생님도 나같이 동서남북 날뛰는 제자를 두시니 색다른 재미가 있으시지요?

구이린 경치는 그림이 못 따라와

배를 타고 가며 보는 강과 강변 산봉우리의 조화는 가히 '선경(仙景)'이라 할 수 있다. 1백 위안을 주고 아침 9시부터 저녁 4, 5시까지 하루 종일 타고 가는 유람선이라 지루해질까 봐 읽을 책까지 챙겨갔는데, 지루하기는커녕 배에서 내릴 때 '내일 한 번 더 탈까 보다' 하는 생각이 들 정도로 아주 즐거웠다. 같이 갔던 나오꼬상과 야마다 선생님도 감탄사를 연발하며 정신이 없다.

"기레이! 도떼모 기레이데스네(멋있다! 정말 멋있어요)."

중국에서 이렇게 맑은 강물을 본 적이 없다. 배가 상류로 올라갈수록 강폭이 넓어지는데, 봉우리들이 물에 비쳐 마치 도화지를 반으로 접어 한쪽에 그림을 그리고 접어놓은 것 같은 풍경이 몇 시간이고 계속된다. 그대로 한폭의 동양화다. 그리고 나는 그 동양화 속으로 배를 타고 가는 중이다. 넋이 빠지는 것 같다. '이강산수백리화랑(璃江山水百里畵廊)'이라더니, 말 그대로 백리까지 이어진 그림을 보는 듯하다.

전에 구이린 산수를 그렸다는 동양화를 보면 그런 풍경이 실제로는 있을 리 없는 상상 속의 경치일 것이라고 생각했었는데, 이곳 양수오를 보니 그 화가들은 산수를 보고 그대로 그리는 것도 제대로 못했구나 하는 생각이 들 정도다.

간간이 가마우지를 이용하여 고기 잡는 어부들의 모습도 보인다. 구이린 주변에는 10만 개의 봉우리가 있는데 그 중 3만 개에 이름이 있다고 한다. 이름짓기는 하나도 어렵지 않았을 것이다. 상상력을 동원할 필요도 없이 보이는 대로 지으면 되니까. 거북처럼 생겼으니 거북바위, 버섯처럼 생겼으니 버섯바위, 말타고 가는 남자처럼 생겼으니 말탄 총각바위. 너무나 실물과 비슷한 만물상이다.

혼자 다니면 아무리 좋은 경치가 있어도 그것을 배경으로 사진을 찍을 수 없어서 아쉬웠는데, 여기서는 나오꼬상 덕분에 사진도 실컷 찍을 수 있어 금상첨화다.

배에서 보는 경치만 좋은 게 아니다. 자전거를 빌려 타고 돌아본 근처 마을의 길 옆 풍경도 절경이고, 라디오 송신탑에서 내려다본 양수오와 그 주변 경치도 일품이다. 특히 해가 질 때 갖가지 모양과 크기의 봉우리들이 주홍빛 노을을 역광으로 받아 까만 테두리로만 남아 있는 모습이 인상적이다. 중국의 관광지를 다니면서 소문보다 훨씬 못하다고 투덜댔는데, 양수오는 그 이름값을 톡톡히 한다.

숙소에는 예외적으로 제법 큰 거울이 있다. 그 덕에 아주 오랜만에 얼굴을 들여다보다가 가슴이 쿵 내려앉았다. 여행을 하면서 나보다 훨씬 어린 사람들과 어울려서 나이를 잊고 살았는데, 자세히 보니 빰은 쑥 들어가고, 눈동자는 맑지 않고 피곤한 기색까지 겹쳐 아줌마티가 물씬 난다. 피부도 꺼칠하고 머리도 더벅머리고 옷색깔도 우중충하고.

아무리 여행 중이라지만 정말 이렇게 외모에 신경을 쓰지 않는 것은 사회생활을 하는 사람으로서 직무유기다. 어디부터 손을 써야 좋을지 몰라 갈피를 잡지 못하다가 우선 머리를 자르기로 했다.

양수오 숙소 옥상에서 보이는 리지앙 경치

살펴보니 이렇게 조그만 동네에 미용실이 많기도 하다. 30대의 한 미용사에게 머리를 맡겼는데 이건 영 아니올시다다. 하기야 여기가 중국 하고도 촌구석인 양수오인데 내가 무엇을 더 바라겠냐만 이발소 스타일로 자른 머리가 더 보기 싫게 되었다. 머리는 다시 자라는 것이니 그나마 다행이다.

돈을 내다가 언뜻 보니 문 앞에 '얼굴 마사지 전문' 이라고 써어 있다. 내 의중을 알았는지 미용사가 자기는 원래 마사지 전문이란다. 속는 셈치고 거금 20위안을 들여 마사지를 받았지만, 기름기 많은 크림을 발라 한 15분 정도 아프게 문지른 다음 뜨거운 물수건으로 닦고 마는 원시적인 것이다.

그런데 한참 있어 보니 그곳은 머리를 자르는 것이 본업이 아니라 우리나라의 퇴폐 이발소 비슷한 곳이다. 남자들은 머리를 자르러 오기보다 대부분 머리와 얼굴 마사지를 하러 온다. 머리 마사지는 샴푸 거품으로 두

발과 두피를 문지르는 것인데, 여종업원들이 마사지를 하면 가슴이 남자의 젖혀진 머리에 저절로 닿게 되어 있다. 얼굴 마사지는 커튼 뒤에 있는 침대에서 하는데 안을 슬쩍 들여다보니, 여종업원 얼굴이 남자의 얼굴에 닿을 정도이고 남자의 머리는 완전히 여자의 가슴 사이에 묻혀 있다.

그러나 나는 미용실력과 퇴폐영업 여부와는 상관없이 미용실 여주인 장여인과 친구가 되었다. 밥때가 되었으니 자기 집에 가서 저녁을 같이 먹자는 말 한 마디가 인연이 된 것이다.

집에 가니 식탁 위 커다란 냄비에 육수가 끓고 있고 주위에는 두부며, 몇 가지 푸른 채소, 생선 토막 등이 놓여 있다. 접시에 담긴 재료들을 끓는 육수에 잠깐 넣었다 꺼내서 먹는 요리인데 다른 것도 담백하고 맛있지만 이것저것 넣었다 뺀 육수맛이 그만이다.

서른두 살의 장여인은 자식이 세 명인데 큰딸이 놀랍게도 열다섯 살이다. 시골에서 살다가 도저히 먹고 살 수가 없어 7년 전 둘째아이만 데리고 양수오로 나와 견습공부터 시작했단다. 그동안 남편과는 이혼을 하고 어렵사리 가게를 마련해서 2년 전에야 겨우 친정에 맡겨두었던 아이들을 모두 데리고 왔다고 한다.

시원스럽게 생긴 외모지만 마흔 살이라고 해도 믿을 만큼 나이가 들어 보이고, 순탄치 않게 살아온 사람처럼 느껴진다. 그래도 명랑하고 잘 웃으며 아이들한테나 종업원들에게도 아주 다정하다.

"한족이면서 어떻게 아이를 셋이나 낳았어요?"

내가 물었더니 대답이 기막히다.

"한 명 이상 낳으면 벌금을 물어야 한다는 것을 알고 있었어요. 하지만 아주 시골에서 살았고 너무 어릴 때 시집을 가서 어떻게 피임을 하는 줄 몰랐어요. 사실 우리 아이 중 큰아이만 호구(주민등록)가 있고 나머지 아이들은 없어요. 시골에 가면 많이들 그래요. 먹고 살기도 어려운데 벌금을 어떻게 내겠어요?"

이러니 중국 인구가 얼마나 되는지 정확히 알 수가 없는 것이다. 1949년 중화인민공화국이 들어섰을 때의 인구가 5억 6천만이었는데, 겨우 40년이 지난 90년에 두 배인 11억이 되었단다. 2020년에는 16억까지 가리라는 전망인데, 현재 인구를 13억 정도로 잡는다지만 주민등록이 안 된 아이들이 이렇게 많으니 정확한 숫자는 그야말로 신만이 알고 있는 거다.

다음날 자전거를 빌려 위엘량 언덕에 가 볼 생각이었는데, 마침 일요일이라 아이들에게 같이 가자고 하니 환호성을 지르며 좋아한다. 다음날 아침 떠나기 전에 빵, 과자, 과일을 사서 소풍가방을 챙기고, 자전거를 네 대 빌렸다. 아이들은 이런 새 자전거를 처음 타본다며 아주 좋아한다. 우리는 추수가 한창인 시골길을 신나게 달렸다.

아이들은 자전거 핸들에서 손을 놓고 달리는 묘기를 보이면서 좀 봐달라며 '아이, 아이' 라고 소리를 지른다. 이 '아이' 라는 말은 엄마 또래 아줌마들의 총칭이다. 하루 종일 자전거를 타고, 사진을 찍고 놀다가 양수오로 돌아와 아이들과 함께 외국인 거리에 가서 햄버거와 감자튀김을 토마토 케첩에 범벅을 해서 먹었다. 아이들은 외국인 식당에 있는 것이 쑥스러우면서도 아주 자랑스런 표정이다.

그렇게 먹고 나서도 시장에서 파는 계피새알죽이랑 굵은 사탕수수를 사 먹으며 낄낄거리고 돌아다녔다. 마침 보름이라 달이 휘영청 밝아 그대로 집에 돌아가기가 아깝다. 우리들은 또다시 시내를 빠져나가 봉우리 사이로 난 시골길을 신나게 달렸다. 달빛 아래서.

다음날 5일장이 섰는데, 열세 살짜리 둘째딸이 자꾸만 같이 가자고 조른다. 시장에 들어서니 내 손을 잡고 어딘가로 끌고 간다. 바로 점 빼는 아저씨 좌판이다. 그곳에는 독한 초산, 바늘, 소독약, 솜 등이 어지럽게 널려 있다. 둘째딸은 눈 밑에 있는 점은 빼고 입가에 점문신을 하고 싶은데 혼자 가려니 좀 겁이 났던 모양이다. 내가 눈을 치켜뜨며 지금 그대로가 아주 예쁘다고 하지 말라고 했더니 입을 삐죽거린다. 입가에 점을 만들면

다 신디 크로포드가 되는 줄 아는 모양이지?

중국에서는 무조건 달려야 기차를 탄다

문득 장여인 옆집에 사는 할머니의 전족이 생각난다. 뒤뚱뒤뚱 걷는 모습이 애처롭기만 한데 옛날 중국 남자들은 그런 모습을 보고 성적 매력을 느꼈다니, 오늘을 살고 있는 우리는 정말 이해하기가 힘들다. 실례를 무릅쓰고 발을 좀 보여달라니까 신발을 벗어보이는데 정말 한 뼘이 될까말까할 정도로 작다. 전족을 할 때 얼마나 아팠느냐니까 고개를 절레절레 흔드신다.

"헌 텅러(아주 아팠어)."

옆에서 웃고 있는 할아버지에게 물었다.

"할아버지는 저 조그만 발이 예뻐요?"

그러자 할아버지는 망설이지 않고 대답한다.

"헌 하오칸(아주 예쁘지)."

옛날에는 발이 작을수록 신부의 값이 더 나가고 신랑집의 체면이 서기도 했단다. 그래서 두 살 때부터 엄지발가락만 남겨놓고 나머지를 구부려 천으로 꽁꽁 묶은 다음 커다란 돌로 뼈를 부러뜨려 납작하게 만든단다. 생살이 찢기고 뼈가 부러지는데, 어린아이가 얼마나 아프겠는가. 어머니들은 딸들의 그런 아픔에 가슴이 찢어지면서도 시집을 잘 보내기 위해서는 어쩔 수 없는 일이라고 모진 마음을 먹어야 했단다.

그 뒤에도 발이 자라지 못하도록 평생 동안 발을 친친 감고 다녀야 했다고 한다. 귀한 집 딸일수록 그 정도가 더 심해서 혼자서는 걸을 수도 없을 지경까지 이르렀다는 것이다.

황제들의 첩들로부터 시작되어 할머니 때까지 1천여 년이나 이어진 이 풍습은 지금의 우리에게는 한 번 웃고 마는 이야깃거리에 지나지 않는다.

하지만 발의 크기가 미의 절대 기준이 되던 시절에는 평생을 절뚝발이로 보내는 것도 감수했던 것이다.

여자가 귀해 도망가지 못하게 하기 위한 것이라는 이야기는 사실이 아니란다. 여자의 수가 남자의 수보다 적었던 때는 중국 역사상 없었다고 하니까. 전족을 보면서 사람들은 가학적인 본능이 있는 것은 아닐까 하는 생각을 해 본다. 심한 고통을 치르고 만들어진 후천성 기형을 보고 좋아했으니 말이다.

세계여행을 하다 보니 지역과 시대에 따라 미의 기준이 엄청나게 다르다는 것이 확실히 보인다. 멕시코에 있던 고대 국가에서는 남자들의 머리 모양이 납작할수록 미남이라고 생각하여 아이를 낳자마자 딱딱한 나무판으로 이마와 뒤통수를 고정시켰다고 한다. 또 어느 지역에는 사팔뜨기가 미남이라 갓난아이의 눈 바로 위에 추를 달아놓아 멀쩡하게 태어난 아이들을 사팔뜨기로 만들었단다.

에티오피아 남서부의 하미족 여자들은 아랫입술이 두꺼울수록 미인이라 어려서부터 입술을 약간 찢어 나무토막을 넣고 늘어나게 한다. 그 이웃 마을의 어느 종족은 앞니가 많이 벌어져야 미인이라며 대문니 사이에 가는 나뭇가지를 꽂아놓는데, 아예 두 개의 대문니를 반쪽씩 깨뜨려 '반칙'을 하는 사람도 보았다.

한때 유럽 여성들은 허리를 가늘게 하려고 코르셋으로 졸라매다가 수많은 사람들이 갈비뼈를 부러뜨렸다고 한다. 또 금방이라도 죽을 것 같은 창백한 얼굴이 미인으로 각광을 받았을 때는 피부를 하얗게 만들기 위해 납이나 비소를 사용해 약물중독으로 죽은 여자들이 부지기수요, 초췌한 모습을 만들기 위해 식초를 들이마셔 위장을 망가뜨리기도 했단다.

그런 기형을 즐기고, 기꺼이 기형이 되려고 하는 풍습은 오늘날의 우리들도 다를 바가 없다. 여자들이 무조건 날씬해지려고 하는 것이 좋은 예다. 어느 의학지에 따르면 우리 나라 미스 코리아의 모범체형 36, 24, 36

은 한국인 5만 명 가운데 하나 나올까 말까 한 아주 기형적인 체형이라고 한다.

그러나 정상으로 태어난 많은 여자들은 오로지 '시대가 요구하는 기형의 반열'에 끼여야 한다는 일념으로 무리한 살빼기를 한다. 나는 어떤 '체형'으로 살든 중요한 것은 건강하고 즐겁게 사는 일이라고 생각한다. 그래야 공부도 일도 연애도 그리고 내가 하고 있는 여행도 잘할 수 있으니까. 이제 선택은 각자의 몫이다.

한번은 장여인이 자기 생일이라는 것을 빌미로 나를 위해 거창한 저녁을 차려주었다. 팔뚝만한 생선찜에 삶은 닭, 그리고 열 가지도 넘는 볶은 채소 반찬들을 그 바쁜 와중에 언제 다 만들었는지 정말 고맙다.

내가 유일하게 아는 중국식 축하인사를 했다.

"모든 일이 뜻대로 되고 돈 많이 벌어요."

그랬더니 장여인은 그건 설날에 하는 인사라며 윈난성에 갔다가 춘제〔春節, 중국 음력설〕때 자기 집에 와서 지내라고 신신당부한다. 나중에는 끼고 있던 은반지까지 빼주면서 꼭 온다고 약속하란다.

저녁 늦게 우리 둘만 집을 빠져나와 외국인 거리로 갔다. 이번에는 생일 기념으로 내가 한 잔 사기로 한 것이다. 맥주와 이곳의 명물 구이주〔桂酒〕를 시켜놓고 밤늦도록 이야기했다. 장여인은 앞으로 길어야 10년만 고생하면 아이들을 다 키우게 되니 걱정없다며 지금은 아이들이 모두 곁에 있어 그것 하나만으로도 천국이라고 말한다.

10년이면 강산도 변하는 긴 세월이라고 생각할 수 있는데 장여인은 10년의 세월에 '만' 자 하나를 덧붙여 간단하게 고생과 세월의 무게를 가볍게 만들고 있는 것이다. 맞다. 어차피 겪어야 할 것이라면, 운명에 주눅들지 말고 당당하게 겪을지어다. 나는 장여인에게 미용사로서는 낙제점수를 주었지만 엄마로서는, 그리고 생활인으로서는 아주 후한 점수를 주고 싶다.

자전거까지 배에 싣고 리지앙을 오른다.

구이린에서 기차를 타고 다른 도시로 가는 것은 아주 까다롭다. 구이린이 작은 역이라 기차표의 수가 수요에 비해 턱없이 부족하기 때문이다. 외국인에게 할당된 침대칸도 하루에 겨우 3장이라 예약이 시작되는 첫날 창구를 열기 전부터 기다리다가 낚아채 와야 한다. 내가 표를 사러 간다니까 장여인이 굳이 따라나선다. 외국 사람은 기차표 사기가 어렵고 만약 암표를 사게 되면 중국 사람이 사야 바가지를 쓰지 않는다는 것이다.

"메이여우(없어요)."

내 앞에는 외국인이 한 명도 없었는데 표를 달라고 하니, 없다는 대답이 돌아온다. 반드시 외국인에게 팔아야 할 그날의 할당표 세 장이 어느새 다른 루트로 빠져나간 것이다. 길길이 뛰어봤자 입만 아프다. 장여인도 뭐라고 항의를 해 보았지만 역무원은 눈길도 주지 않는다. 어쩐지 양수오의 외국인 거리에 '쿤밍 가는 기차표. 책임지고 구해 줌' 이라는 광고문에서 말하는 그 '책임' 이 바로 이 '새어나가는 표' 일 것이다.

암표상은 마약사범, 매춘사범과 함께 사형에 처해질 수도 있는 아주 강력한 단속 대상인데, 시안, 란저우, 쿤밍, 구이린, 광저우 등 표 사기 어려운 곳에서는 버젓이 성업 중이다. 암표를 알아보니 원래 표값의 두 배를 달라고 한다. 장여인이 깎아보려고 했으나 말도 못 붙여보았다. 그날 장여인은 본인 생각과는 달리 '무용지물' 이다.

어쨌든 쿤밍으로 가기는 해야 하니 299위안 하는 침대칸 대신 85위안짜리 좌석표를 샀다. 누워서는 못 가지만 서서 가는 것보다는 딱딱한 의자에라도 앉아 가는 것이 나을 것이라고 위안하면서. 그런데 그게 말처럼 쉬운 일이 아니었다.

다음날 배낭을 이고 지고 그것도 모자라서 이 지방 특산물이라는 대형유자 네 개를 양손에 들고 쿤밍으로 가는 기차에 올랐다. 그때 시각이 새벽 2시, 쿤밍에는 다음날 아침 8시에 도착한다고 한다. 30시간 거리다. 혼자 몸 가누기도 어려운 3등칸에 웬 새끼수박만한 유자를 네 개씩이나 가지고 가는가? 거기에는 사연이 있다.

내가 묵었던 호텔 1층에 여행사를 하고 있는 '엉클 밥' 이라는 별명의 작달막하고 영어 잘하는 30대 중반의 아저씨가 있었다. 오며가며 여러가지 이야기를 하게 되었는데 약간 뺀질거리기는 하지만 아주 성실하고 박식하고 능력있는 사람이다. 내가 윈난성의 시쌍판나에 갈 예정이라고 하니까 반색을 한다.

"나 살리는 셈치고 부탁 하나만 꼭 들어주세요."

"무슨 일이기에 아저씨 목숨까지 왔다갔다해요?"

작년에 출장차 시쌍판나에 갔을 때 친구 소개로 저녁을 함께 먹은 참한 아가씨가 있는데, 그 여자가 마음에 쏙 들었단다. 그런데 그 아가씨는 자기에게 별 관심을 보이지 않더란다. 지금까지도 한시도 잊지 못하고 있지만 쌀쌀한 반응에 언감생심 관심있다는 말 한 번 못 꺼내고 있다면서 그 아가씨가 유자를 좋아하니 그것을 좀 전해달라는 것이다. 그러면 자기가 나중에 전화해서 말 붙이기가 쉬울 것 같다며 사정사정이다. 유자 하나로 여자의 마음을 사려는 엉클 밥이 순진하고 낭만적으로 보인다.

"선남선녀를 맺어주는 사랑의 유자배달부라? 한번 해 보지요, 뭐. 좋은 일이니까."

내가 산 기차표는 차량번호만 지정이 되어 있고 지정좌석은 없는 것이다.

대합실에 구름같이 모여 있는 사람들은 개찰을 할 때부터 북새통을 이루더니 개찰구를 나가자마자 그 기차가 마치 마지막 피난열차라도 되는 것처럼 기차를 향해 전력질주를 한다. 그러고는 역시 필사적으로 기차문에 따개비처럼 한덩이로 엉켜 매달려 안으로 돌진한다. 나도 남들이 하는 대로 뛸 때 뛰고 밀 때 밀면서 사람의 물결에 합류했지만 큰 배낭을 앞뒤로 메고 양손에는 대형유자를 한 꾸러미씩 들고 뛰는 모습이 정말로 가관이었을 것이다.

이번 경우는 지정석이 아니라 더했지만 다른 경우라도 중국을 여행할 때 기차나 버스를 타려면 죽어라 뛰는 게 예의이며 기본이다. 큰 도시건 작은 마을이건 버스를 타려면 무조건 다른 사람이 달려가는 방향으로 같이 뛰어야 한다. 어느 때는 차가 텅텅 비어 오고 탈 사람은 열 명이 안 되는 데도 몇 안 되는 사람들 모두가 죽고살기로 뛴다. 왜냐? 남들이 다 그렇게 하니까. 타보지는 않았지만 비행기를 탈 때도 기를 쓰고 뛰어간다니 말 다 했다.

그런데 거기까지는 오프닝 게임이다. 기차에 몸을 올려놓기는 했지만 단 한 발짝도 움직일 수가 없다. 같이 탄 사람도 그렇거니와 사방이 짐이고 먼저 타 있던 사람들은 쓰레기와 가래침에도 불구하고 의자 밑이나 통로에 신문지를 펴놓고 자고 있다.

앞으로도 뒤로도 옆으로도 갈 수 없는 그야말로 진퇴양난이다. 앞으로 30시간을 이렇게 가야 한다니 앞이 깜깜하다. 이러다가 화장실이라도 가고 싶으면 난 끝장이다. 송곳 꽂을 데도 없어 보이는 사람 사이를 간식 파는 장사꾼들은 잘도 왔다갔다한다. 저것도 재주는 재주다.

발이라도 제대로 디딜 데가 있으면 좋겠다. 그 와중에 유자를 담은 비닐 봉지끈이 끊어지려고 한다. 설상가상으로 차 안에는 스팀이 팍팍 들어와 등허리와 이마에 땀이 찔찔 난다. 차 안에서는 중국의 냄새, 그 시큼하고 고린 냄새가 진동을 한다. 제일 신경이 쓰이는 것은 얼굴끼리 닿을 듯 맞대고 숨을 쉬고 있는 사람들이다.

이리 돌려도 얼굴, 저리 돌려도 얼굴, 거기에서도 갖가지 냄새가 난다.

쿤밍까지는 앞으로 29시간 남았다.

소수민족의 땅 윈난성, 따사로운 별천지

전형적인 모계사회를 이루고 있는 루구호의 모소족

'중국 경찰이 외국인을 때려?'

윈난성의 성도 쿤밍〔昆明〕에 도착하자마자 길가 식당에서 간단히 요기를 하고 시쌍판나〔西雙版納〕의 중심지 징훙〔景洪〕으로 가는 버스에 몸을 실었다. 징훙까지는 25시간 가량 걸린단다.

마음 같아서는 구이린부터 30시간을 눕지도 자지도 못하고 힘들게 기차를 타고 왔으니 쿤밍에서 뜨거운 샤워를 하고 죽은 듯이 자고 싶다. 하지만 내게는 징훙에서 하루빨리 전해주어야 할 애물단지 초대형 유자가 있다. 그러니 버스타고 다니다가 힘들어서 죽었다는 사람은 아직 못 보았으니까 내친 김에 '25시간만 더 참고' 징훙에 가서 푹 쉬기로 한 것이다.

윈난성은 초행이 아니다. 연초에 베이징에서 베트남으로 가는 도중 쓰촨성의 성도 청두를 거쳐 윈난성의 리지앙, 다리〔大理〕를 돌아보았기 때문이다. 그때는 지나는 길에 들른다는 기분이었는데 이번에는 본격적으로 돌아볼 참이다.

앞에서도 말한 것처럼 내 세계여행의 일관된 주제는 사람을 만나는 것이다. 중국을 여행하면서도 소수민족에 대해 특별한 관심을 가져왔는데, 윈난성은 중국의 소수민족 55족 가운데 24족이 모여살고 있는 곳이다. 윈난성의 전체 인구 3천 4백만 명 중 3분의 1이 소수민족이라니 내게는 더 바랄 게 없는 여행지인 셈이다.

얼추 따져보아도 라오스와 국경을 마주 하고 있는 다이족 자치구인 시쌍판나, 13세기까지 강력한 왕국이었던 바이족〔白族〕의 고향 다리, 원시 모계사회의 흔적을 지니고 사는 나시족〔納西族〕의 중심지 리지앙〔麗江〕, 동남쪽 미얀마와 국경을 맞대고 있는 바오산 지구 등 절대 빼놓을 수 없는 곳만도 열 손가락이 모자란다. 거기에 오다가다 만나는 사람들 집에 묵는 것까지 감안한다면 윈난성만 적어도 두세 달은 있어야 제대로 볼 수 있을 것 같다.

워낙 버스에서 꿀잠을 자는 사람이라 눈만 감았다 뜨면 징훙일 줄 알았는데 여기서는 그게 안 통한다. 길이 나빠 차가 덜컹거려서 그런 것이 아니라 잠이 들만 하면 나타나는 검문검색 때문이다.

지금 가고 있는 곳은 바로 라오스와 국경을 맞대고 있는 지역이라 밀수꾼과 불법 월경자들이 많기 때문에 검문이 심하다. 검문을 하는 새파랗게 젊은 꽁안들은 대개 한족인데, 소수민족 사람들을 함부로 대하는 게 눈꼴시고 불쾌하기 짝이 없다.

같은 버스를 타고 가던 할아버지가 무슨 증명서가 없었는지 아들뻘인 꽁안에게 두 손을 모으고 빌며 사정사정했지만 꽁안은, "팅 뿌동(당신 말 알아들을 수 없어)!" 이라며 매몰차게 할아버지를 끌어내린다. 소수민족으로 보이는 할아버지는 한족 말을 잘 못하나 보다. 사연이 얼마나 절박한지 모르지만 할아버지는 왜 저렇게 비굴하게 빌어야 하며, 꽁안은 또 왜 나이 많은 이를 죄인 다루듯 하는 걸까. 속에서 뜨거운 것이 치민다.

새벽녘에 다시 검문이 있다. 나는 쿨쿨 자고 있는데 차례가 되었는지 거칠게 팔을 흔들며 소리를 지른다.

"시언푸언찌엉(신분증)!"

잠이 덜 깨어 어리벙벙해 하는 순간, 꽁안이 다른 사람에게서 걷은 신분증을 내 이마에 닿을 듯이 흔들며 소리를 지른다.

"니 깐 션머. 콰이 콰이(너, 무슨 수작하는 거야. 빨리 빨리)."

미친 놈! 누구한테 하던 유세를 나한테까지 부리는 거야. 화가 치민 나, 가만 있을 수 없다.

"너야말로 뭘 하는 거야? 난 외국인이야. 중국 꽁안이 외국인을 때려? 네 상사 오라고 해."

목청을 돋우며 길길이 뛰었더니 이놈이 깜짝 놀란다. 주위에 있던 다른 사람들도 감히 꽁안에게 대드는 사람이 누군가 하고 더 깜짝 놀라 다들 쳐다본다. 이런 소란 속에 나이든 꽁안이 올라오자 젊은 꽁안은 약간 겁이 났던지 나를 안 때렸다고 결백을 설명하는 것 같다. 사실 신분증은 내 이마에 닿지도 않았다.

젊은 꽁안의 변명을 듣던 나이 든 꽁안이 내게로 온다.

"니 쓰 나궈런(당신 어느 나라 사람인가)?"

"워 쓰 한궈런. 중궈더 꽁안 커이 따 와이궈런 마(나는 한국인이다. 중국의 인민공안은 외국인을 때리는가)?"

"메이여우, 메이여우(아니오, 아니오)."

그 꽁안은 여권을 슬쩍 훑어보고는 그냥 가려고 한다. 이대로 그냥 보낼 수는 없지. 젊은 꽁안을 불러세웠다.

"이것 봐! 나한테 미안하다고 해야 되잖아?"

내가 목에 힘을 주어 말하니 젊은 놈이 벌레 씹은 표정을 짓는다. 그 순간 나이 든 꽁안이 "쳐우바(내리자)."라며 황급히 버스를 내린다.

그렇겠지. 여기가 아직은 꽁안의 서슬이 시퍼런 사회주의 국가인데 꽁안 체면에 민간인, 그것도 외국인에게 어떻게 미안하다는 소리를 하겠나. 거기까지 바라지는 않았지만 화가 나서 그냥 한 번 찔러 보았을 뿐이다. 괜히 나에 대한 화풀이로 다음에 오는 한국인에게 해꼬지나 안 했으면 좋겠다.

이런 소란을 피우느라 새벽잠이 다 달아난 덕분에 산꼭대기에서 그 아래로 펼쳐지는 드넓은 하얀 구름의 바다를 볼 수 있었다. 산중턱에 걸린 구름들 위로 솟은 봉우리들은 바다 위의 섬처럼 푸르게 혹은 검게 떠 있고, 그 사이사이를 새로 튼 새하얗고도 몽실몽실한 솜이 채우고 있는 듯하다.

'윈난〔雲南〕' 이 구름의 남쪽이라는 뜻이니까 바로 저 구름 밑이 시쌍판나인가 보다. 남쪽으로 내려가는 것을 확인이나 시켜주듯 시간이 갈수록 구름이 열어지면서 창 밖으로는 화려한 색의 큰 꽃들이 나타나기 시작한다.

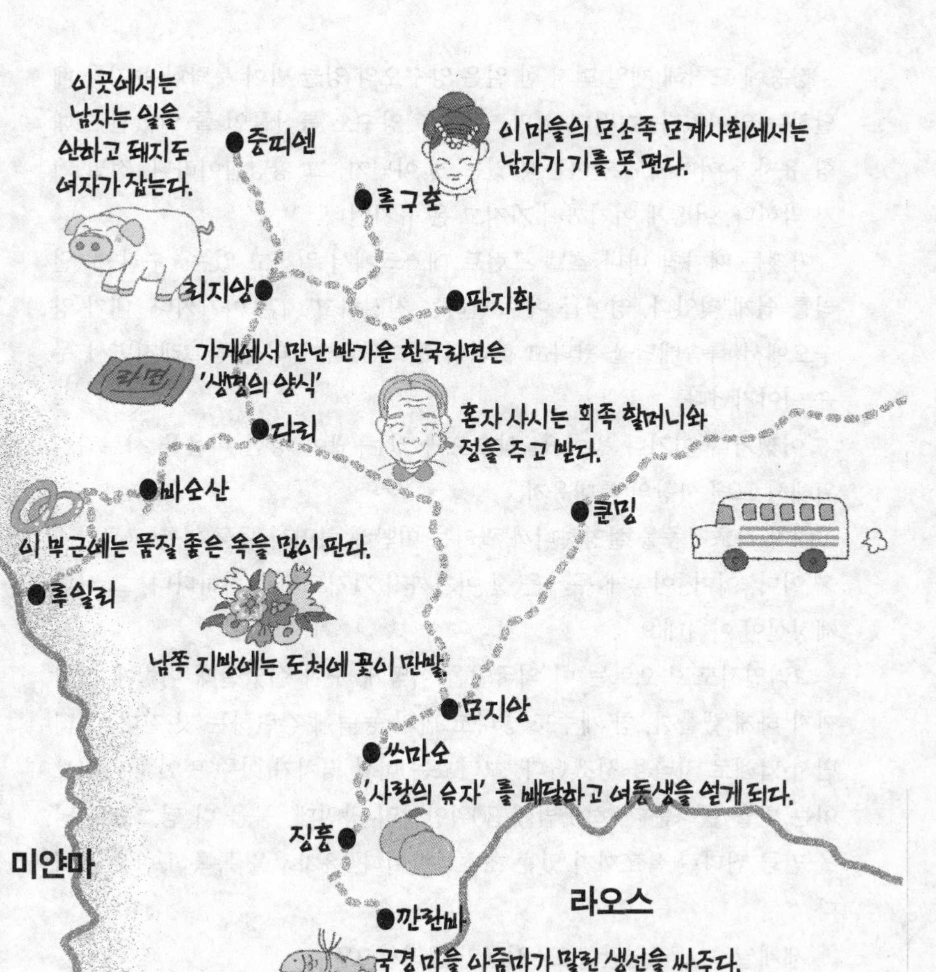

이곳에서는
남자는 일을
안하고 돼지도
여자가 잡는다.
중띠엔
루구호
이 마을의 모소족 모계사회에서는
남자가 기를 못 편다.
리지앙
판지화
가게에서 만난 반가운 한국라면은
'생명의 양식'
라면
혼자 사시는 회족 할머니와
정을 주고 받다.
다리
빠오산
쿤밍
이 부근에는 품질 좋은 옥을 많이 판다.
루일리
남쪽 지방에는 도처에 꽃이 만발.
모지앙
쓰마오
'사랑의 유자'를 배달하고 여동생을 얻게 되다.
징훙
미얀마
라오스
깐란빠
국경 마을 아줌마가 말린 생선을 싸주다.

사랑의 유자 전달하고 특실에 민박집까지

징홍에 도착해 제일 먼저 한 일은 양수오의 엉클 밥이 부탁한 유자를 배달하는 일이었다. 그런데 실망스럽게도 양수오 특산물인 줄 알았던 초대형 유자가 여기에도 얼마든지 있는 게 아닌가. 그 황당함이라니, 정말 기가 막힌다. 어떻게 여기까지 가지고 온 유자인데.

어쨌든 때마침 바나 호텔 프런트 데스크에서 일하고 있는 '수취인' 릴리를 쉽게 찾았다. 영어를 아주 잘하는 친절하고 예쁜 아가씨다. 내가 양수오에서 특송배달을 왔다고 했더니 동그란 눈이 더욱 동그래지면서 무슨 이야기냔다.

"어쨌거나 이거나 받아요. 양수오에 있는 밥이 당신 마음을 사로잡기 위해서 보낸 사랑의 특대유자."

내가 자초지종을 설명하니까 릴리는 미안해 하면서 몸둘 바를 모른다.

"어머, 어머, 이렇게 무거운 걸 여기까지 가져오게 부탁하다니, 그 사람 제정신이 아니네요."

그러면서도 속으로는 이 외국인을 어떻게 구워 삶았길래 이렇게 배달까지 하게 했을까, 참 재주도 좋다고 밥의 능력에 감탄하는 것 같다. 그러면서 답례로 저녁을 사겠단다. 그러고는 바깥 경치가 아주 멋있게 내다보이는 방을 골라준다. 하룻밤에 30위안짜리 방인데, 몸을 다 담그고도 남을 만큼 커다란 욕조까지 있는 초호화판이다. 유자값을 톡톡히 받은 셈이다.

"세계일주요? 5년간이요? 시골만 골라서요?"

저녁을 먹는 내내 릴리는 입을 다물지 못한다.

"우리는 홍콩에도 갈 수 없어요. 여권을 내려면 막대한 돈이 들거든요. 여행비용은 또 어마어마하지요. 대학을 나온 내 월급이 한달에 7백 위안이니 어느 세월에 돈을 모으겠어요."

릴리는 부러움 반, 자조 반이다.

"릴리. 내가 릴리만할 때는 내게도 세계일주가 그림의 떡이었어. 그때 우리 나라는 중국처럼 돈만 내면 여권이 나오는 상황도 아니었거든. 그렇지만 세계일주를 하겠다는 꿈을 끝내 버리지 않았더니, 정말 이렇게 진짜로 다니게 되었네."

내가 아무리 말해 주어도 무슨 꿈나라 이야기인가 하는 표정이다. 그러면서 그녀는 언제까지 여기 있을 거냐고 묻는다. 자기 집은 모지앙〔墨江〕이라는 하니족이 사는 동네인데 이번 주말에 시간이 있으면 같이 가자고 한다. 아니, 뭐라고? 시간이 있으면이라고? 시간이 없어도 가야지. 오지 말래도 갈 판에!

주말을 기다리는 동안 나는 국경 가까이 있는 깐란바라는 조그만 타이족 마을에 갔다 오기로 했다.

여기 시쌍판나는 중국 속의 동남아시아라기보다 차라리 동남아시아 속에 중국 사람들이 섞여 살고 있다는 느낌이다. 이곳은 다이족 자치구로 길거리에는 몸집이 작고 호리호리한 여자들이 허리까지 오는 긴 머리 혹은 올린 머리를 하고 몸에 딱 붙는 윗도리와 긴 치마를 입고 다닌다.

거리의 간판도 한자와 타이 글자가 함께 써 있고, 길거리에서 파는 음식도 대나무에 검은 쌀을 넣어 구운 것 등이다. 호텔 방 창문 앞에 흐드러지게 피어 있는 손바닥보다도 더 큰 빨간 꽃송이도, 조금만 걸어도 등과 이마에 땀이 솟는 습기 많은 더위도 단연 동남아시아적이다.

그리고 무엇보다도 메콩강이 다시 보인다. 인도차이나를 여행할 때 그야말로 물귀신처럼 따라다니던 그 누런 강, 바로 태국과 베트남, 라오스와 캄보디아의 젖줄 말이다.

자전거를 빌려 깐란바까지 메콩강을 거슬러 올라가 보기로 했다. 기어가 있는 산악용 자전거가 있다면 더욱 좋겠지만 징홍 동네에서 빌릴 수 있는 것은 겨우 굴러가기만 하는 고물 자전거다. 그나마 이거라도 있으니 얼마나 다행이냐.

징홍에서 깐란바까지는 약 30킬로미터, 길을 오르락내리락하더라도 3시간 정도면 갈 수 있는 거리다. 여기가 명색이 '구름 아래' 동네인만큼 오전 11시까지는 안개가 자욱하더니 12시가 넘어서야 햇살이 비친다. 가볍게 배낭을 싸고 나머지 짐을 릴리에게 맡겨놓고는 여행 중에 여행을 하는 '새끼여행'을 떠났다.

가는 길은 아스팔트가 잘 되어 있는데, 길 오른쪽으로는 계속 강이 보인다. 내리막 오르막이 적당히 반복되는 아주 기분좋은 자전거 하이킹 코스다. 특히 내리막길에서 맞닥뜨리는 우거진 푸른 숲을 배경으로 한 메콩강의 도도한 모습은 저절로 '멋있다!'는 찬사가 튀어나오게 한다.

그렇게 지나치면서 보는 것만으로는 성에 차지 않아 경치 좋은 언덕에서는 아예 자전거를 세워놓고 본격적으로 퍼질러 앉아 경치를 감상했다. 누가 날 기다리는 것도 아니고, 어디를 몇 시간 안에 꼭 가야 하는 것도 아니니 이런 여유가 생기는 거다. 비가 한두 방울 떨어지는데도 가자고 재촉하는 사람도 없다. 아, 혼자 다니는 여행의 자유로움이여. 혼자의 즐거움이여.

그런데 자유의 만끽이 이번에는 좀 지나쳤나 보다. 다시 길을 떠나려고 자전거에 오르자마자 바로 낭떠러지 같은 내리막길이 시작된다. 페달을 밟지 않아도 청룡열차를 탄 것처럼 무서운 속도로 저절로 내려간다. 나는 스피드에 취해서 영화에서 보던 것처럼 두 손, 두 발을 번쩍 들고 있는 대로 폼을 잡았다.

바로 그것이 문제였다. 브레이크는 물론 핸들도 잡지 않은 사이에 자전거는 빗길에 바퀴가 삐끗했는지 중앙선을 침범해 밑에서 올라오던 트럭과 부딪치기 일보 직전이 되었다. 너무나 다행히 트럭 뒤에 달려오던 승용차가 끼여들기를 하면서 내 앞에서 급브레이크를 밟았고, 나는 '어어어' 할 사이도 없이 트럭과 승용차 사이로 곤두박질치고 말았다.

자전거를 타고 따라가본 메콩강

자전거는 저만큼 튕겨나가고 끼익 브레이크 밟는 소리를 들으며 나는 앞으로 고꾸라졌다. 어떻게 넘어졌는지 입 안이 얼얼하고 감각이 없다. 순간, 이가 부러졌으면 어떻게 하나 하는 생각이 먼저 스친다.

승용차 운전사가 내리고, 트럭 운전사가 쫓아와서 넘어진 나를 일으켜 세웠다. 정신을 추스르고 보니 다행히 두 무릎과 양손바닥을 땅바닥에 갈아붙여서 피가 나는 정도일 뿐이다. 손가락을 입 안에 넣어보니 이도 다 무사하다.

"메이 스. 뙤부치(괜찮아요. 미안해요)."

내가 말했다.

"아가씨, 정말 큰일날 뻔했어요."

몹시 당황한 트럭 운전사가 말했다.

"정말 미안해요. 놀라셨죠?"

다친 사람은 나지만 어디에 하소연해 볼 수도 없다. 전적으로 내 잘못이니까 말이다. 몸은 멀쩡한데, 자전거가 무사한가 걱정이 된다. 워낙 고물이라서 빌릴 때는 투덜거렸는데 이런 일이 생기고 보니 오히려 잘 된 일이다. 아주 못 쓰게 되었더라도 물어줄 수 있을 테니까. 다행히 자전거도 체인이 빠진 정도로 큰 문제가 없다.

정작 문제는 그 다음날 생겼다. 내가 자리에서 일어나지 못한 것이다. 놀라서 그랬는지 밤새도록 종아리에 쥐가 나고 위경련이 났다. 징훙에 두고 온 가방 안에는 소독약도 있고, 상처를 아물게 하는 연고도 있고, 청심환도 있는데 안 가지고 왔으니. 이런 일이 있을 줄 누가 알았나.

두 무릎은 다 까진데다 푸르죽죽하고 시뻘건 총천연색 멍이 들었다. 손바닥도 시푸르뎅뎅하다. 독립투사가 모진 고문을 받고 막 풀려난 형상이다. 꼴도 꼴이지만 몸의 상태도 흠씬 두들겨 맞은 것처럼 무겁고 쑤신다. 이렇게 몸으로 때우는 수업료를 내고 한 가지 큰 교훈을 얻었다.

'고물 자전거를 타고 빗길 내리막을 내려갈 때는 절대로 폼 잡느라고 두 손을 들지 말 것.'

국경 마을의 가난한 부자 아줌마

깐란바에서 묵은 숙소는 대나무로 만들어 시원하고, 다이족 주인 아저씨는 멍을 푸는 데 쓰라며 달걀을 가져다주는 등 친절을 베푼다. 하지만 놀러왔는데 방 안에만 있는 것이 어쩐지 억울해서 '다친 몸' 을 이끌고 마을 중심가로 나갔다. 숙소 바로 앞이 시장인데 그날이 장서는 날인지 북적북적하다. 이런 날은 구경도 구경이지만 먹을 것이 많아 좋다. 국수집에서 사람들 틈에 어거지로 끼여 맛있는 쌀국수를 사 먹었다.

그곳이 다이족 마을이라 그런지 국수 먹는 법도 태국적이다. 중국 국수는 따로 간을 맞추지 않고 만든 그대로 먹는데 여기는 태국에서처럼 설탕, 간장, 잘게 썬 풋고추, 고춧가루, 식초 등 갖은 조미료가 작은 병에 나란히 담겨 있어 입맛대로 간을 해 먹는다.

재래 시장은 언제 어디서나 활기가 넘치고 재미있다. 강나루로 통하는 1킬로미터쯤 되는 길에 노점상들이 늘어서 있는데, 파는 물건이 배추 몇 단, 오이 몇십 개, 담배잎 한 무더기 등 자기 집에서 지은 농산물이 대부분이다. 한쪽에서는 과일도 팔고 있다. 이름도 알 수 없는 갖가지 아열대 과일들 사이를 지나가자니 향기와 빛깔 때문에 마치 꽃밭 속을 거니는 기분이다.

시장을 이리저리 돌아다니다가 자는 아이를 업고 생강을 팔고 있는 아줌마와 눈이 마주쳤다. 머리에 쓴 요란한 수를 놓은 모자, 허리가 그대로 드러난 허름한 푸른색 윗도리가 한눈에 소수민족 복장이다. 내가 웃어 보이니까 따라 웃으며 생강을 사라고 손짓한다. 여행하는 내가 생강은 사서 무엇 할까마는 무심코 얼마냐고 물으니, 통통한 생강 한 무더기에 겨우 1위안(당시 환율로 1백 원)이란다. 그렇다면 좌판에 있는 생강을 다 팔아도 10위안이 안 되겠다.

아기까지 업고 나와 고생하는데 조금만 더 비싸게 받지. 한 무더기에 2위안 받으면 안 팔리려나? 내가 다섯 무더기 달라고 했더니 사랄 때는 언제고 깜짝 놀란다. 나중에 숙소에 가서 생강차를 끓여 먹든지, 주인 아저씨에게 주면 좋아할 것이다. 아줌마는 다섯 무더기에다 덤까지 듬뿍 얹어준다.

생강을 건네주는 아줌마의 검지손가락이 갈라져 피가 나 굳어 있다. 비상용으로 가지고 다니는 일회용 밴드를 꺼내주었더니 어쩔 줄 모르면서 또 생강을 더 주려고 한다.

"뿌야오, 쩐더 뿌야오(필요없어요, 정말 필요없어요)."

아무리 뿌리쳐도 배낭의 지퍼까지 열고 넣어주려는 기세라 더 이상 말릴 수가 없다. 팔아주려고 한 것이었는데 오히려 이 아줌마, 나 때문에 밑지지나 않았는지 모르겠다.

생강 한 짐을 등에 지고 강나루로 가서 배를 탔다. 강 건너에는 넓은 논이 펼쳐져 있는데, 군데군데 농부들이 소를 몰고 일을 하고 있다. 듬성듬성 초가 원두막이 보이는 전형적인 농촌이다.

논을 조금 지나니 숲이다. 나무가 빽빽한 숲 안에 들어서니 냄새도 좋고 시원하다. 한참을 숲 속에서 이리저리 거닐고 있는데, 아주 예쁘게 생긴 다이족 아줌마가 땅에서 무언가를 열심히 줍고 있는 것이 눈에 들어온다. 자세히 보니 밤톨만한 나무 열매인데, 이미 어깨에 걸려 있는 보자기에도 가득하다. 아줌마를 따라 나도 열매를 주워 보자기에 넣어주었다.

숙소로 돌아가려고 배를 탔는데, 거기서 아줌마를 다시 만났다. 배에서 내리자 어떤 집을 가리키며 여기가 자기 집이니 잠깐 들렀다 가라고 한다. 아줌마는 중국어를 전혀 못하니 순전히 눈치로 알아들은 것이다. 아줌마는 집에 가자마자 대나무 장대를 들고 뒤뜰로 가서 유자나무에 달려 있는 초대형 유자를 두 개 따 온다.

여느 동남아시아처럼 여기 집도 1층은 버팀목만 있고 2층이 살림집이다. 경사진 지붕이 길어 비도 잘 내려가고 그늘도 많이 만들어 준다. 대나무로 만든 집이라 한 발짝 디딜 때마다 집 전체가 흔들린다.

유자를 먹고 있는 사이에 아줌마는 실과 바늘을 가지고 와 주워 온 열매를 꿰어서 목걸이를 만든다. 여기에 한자로 '시쌍판나 기념' 이라고 쓴 리본을 달아 건네준다. 인사로 내가 예쁘다고 하니까 신이 나서 얼른 한 개를 더 만들어 이번에는 내 목에 걸어까지 준다. 알고 보니 아줌마는 이 목걸이 기념품을 만들어 징훙 등지에 파는 일을 하고 있었던 것이다.

조금 있으니 부인만큼 잘생긴 남편이 양복바지 몇 개를 들고 들어온다. 아줌마는 재봉틀을 가지고 옷도 수선하고 있었다. 부인이 어떻게 설명했는지 남편은 웃으며 날 보고 저녁 먹고 가라면서 얼른 부엌으로 들어가더니 이내 나를 부른다.

"워먼 츠판바(자, 밥 먹읍시다)."

물론 사양하는 척도 않고 들어 갔다. 볶은 채소에 콤콤한 냄새가 나는 생선을 반찬으로 밥을 먹고, 숭늉 비슷한 것까지 배부르게 잘 먹었다. 뭔가 주고 싶은데 마땅한 것이 없어 아까 산 생강을 내놓았더니 놀란다. 외국인 여행자가 왜 이렇게 많은 생강을 가지고 다니나 의아했을 것이다.

다음날 자전거를 타고 좀 멀리 있는 절에 놀러갔다가 지나가는 길에 아줌마 집에 다시 들렀더니 손을 잡고 흔들면서 얼마나 좋아하는지 내 기분이 더 좋아진다. 말도 안 통하는데 뭐가 그리 반가울까. 아줌마와 기념사진을 몇 장 찍고 사진을 보내 주겠으니 주소를 적어 달라고 손짓발짓을 하는데 도저히 말이 안 통한다.

'이 집 주소'를 나타내는 그림을 그리며 온갖 제스처와 표정을 짓는데도 연필은 잡으려 하지도 않고 무조건 고개만 끄덕이며 웃는다. 중국말을 조금이라도 하는 남편이 있다면 좋겠는데. 한참을 우리끼리 좌충우돌하다가 아줌마는 무슨 좋은 생각이 났는지 잠깐 기다리라는 몸짓을 하고는 밖으로 나가더니 스무 살쯤 된 스님을 데려온다.

근처 절에 출가해 있는 아들을 중국어 통역으로 '모셔' 온 것이다. 신심이 깊은 다이족은 아들 가운데 하나를 반드시 스님으로 출가시키는데 이것을 전통이자 명예로 생각한단다. 아들은 중국어 공부를 좀 했는지 제법 말이 통한다.

다음날 늦은 아침, 떠나기 전에 작별인사를 하러 아줌마 집에 들렀더니 기다렸다는 듯 유자 세 개를 따다가 껍질까지 까서 비닐봉지에 넣어주고 내가 맛있게 먹던 팔뚝만한 말린 물고기도 넣어준다. 열매 목걸이도 세 개나 만들어 놓았다. 그러고서도 뭐 더 줄 게 없나 주위를 두리번거린다.

세상의 이치는 참 묘하면서도 단순하다. 못 사는 사람들은 이렇게 어떻게든 자기가 가진 것을 나누어 주고 싶어 안달이고, 잘 사는 사람들은 하나라도 더 챙겨 가지려고 혈안이다. 그러니 정말 부자는 누구일까. 가진 것이 얼마든 그것을 나눌 줄 아는 사람이 바로 진정한 부자가 아닐까. 세상에 나눌 게 전혀 없는 사람은 한 명도 없다. 그것이 물질이든, 애정 어린 관심이든 간에.

나도 부자로 살고 싶다. 바로 이 아줌마처럼 가진 것을 기꺼이 나눠주며 사는.

내가 묵었던 밤부 게스트 하우스에 있는 게스트 북에 반갑게도 한국 사람이 다녀간 흔적을 남겨놓았다. 라오스로 넘어간다는 이 여행자는 한글로 여러가지 유용한 여행 정보를 써놓고는 마지막에 이런 말을 적어놓았다.

'여행하시면서 버릴 것은 버리고 그 빈 자리에 더 많은 것을 채워 가시기 바랍니다.'

참 좋은 말이다. 이 '부자' 다이족 아줌마를 만나려고, 그리고 이름도 성도 모르는 한국 여행자의 이 한 마디를 들으려고 나는 윈난성 끄트머리 마을인 깐란바까지 왔나 보다.

하니족 시장, 넘쳐나는 화려한 원색 빛깔

릴리가 억지로 순번까지 바꾸어 밤 근무를 한 덕분에 토요일 아침 8시에 모지앙으로 떠날 수 있었다. 5개월 만에 집에 간다는 릴리는 어린아이처럼 들떠 있다. 모지앙 가는 직행 버스가 없기 때문에 일단은 '쓰마오〔思茅〕' 라는 예쁜 이름의 동네로 갔다가 거기에서 버스를 갈아타야 한단다.

우리가 탄 미니 버스는 구름 남쪽에서 이번에는 구름 북쪽으로 올라간다. 산 속으로 난 길은 별로 좋지 않지만 경치는 정말 기막히게 아름답다. 버스가 떠날 때는 오리무중 안개 속을 달리더니, 한두 시간이 지나자 희미한 안개 속으로 키큰 나무들이 보인다. 다음 몇 시간은 계단식으로 된 넓은 차밭을, 그 다음에는 노란 꽃들이 흐드러지게 피어 있는 들판을 차례로 지나더니 드디어 구름을 뚫고 올라왔는지 파란 하늘이 보인다. 부드럽고도 선명한 햇빛이 예상치 못했던 선물을 받은 것처럼 반갑다.

중간에 버스가 서기에 물어보니 여기가 바로 보이차로 유명한 그 보이라고 한다. 보통 차는 햇것일수록 값이 나가는 반면 보이차는 홍차처럼 발효를 해서 만든 것으로 짧게는 1, 2년, 길게는 4, 50년까지 오래 묵힐수록 독특한 맛이 나고 값이 나간다. 예로부터 약용으로 널리 쓰인 이 차는 우리 나라에서는 성인병과 체중감량에 효과가 있다고 알려졌으며 스님들 사이에도 아주 인기가 있는 차다.

그런데 이상하게도 보이 근처에서는 차밭이 전혀 안 보인다. 차밭 없이 어떻게 차를 생산하나 궁금했는데, 나중에 릴리의 어머니에게 그 이야기를 듣게 되었다. 보이는 차의 생산지가 아니라 차를 팔고 사는 시장이 서는 마을이란다.

길도 나쁘고 차도 여러번 고장이 나는 바람에 모지앙에는 한밤중에 도착했다. 그렇게 늦은 시간에도 버스 정거장에는 릴리의 부모님과 남자친구가 나와 기다리고 있었다. 릴리와 남자친구는 아주 친한 사이인지 부모님이 보고 있는데도 뜨거운 포옹을 한다. 양수오의 엉클 밥은 헛물을 켜고 있다는 것이 한눈에 증명이 되는 셈이다.

부모님이 릴리에게 얼마나 있을 수 있느냐니까 다섯 손가락 끝을 모았다가 편다. 중국인이 일반적으로 쓰는 숫자 수화로 5라는 뜻이다. 징홍에서는 몰랐는데 릴리는 부모님과 남자친구 앞에서 말투며 표정이며 어리광이 철철 넘친다. 5형제 가운데 막내로 집에서는 다섯째라는 뜻의 '우츠〔五次〕'라고 부른다.

릴리의 부모님은 각각 초등학교, 중학교 선생님이었다는데, 특히 중국어 교사였던 어머니 등 선생님은 발음 정확하기로 근동에서 유명하단다. 나는 릴리 어머니를 '라오스〔老師, 선생님〕'라고 부르며 내 중국어 선생님으로 삼았다.

릴리네 집은 아주 오래된 2층짜리 단독주택으로 1층에는 방이 하나밖에 없고, 2층의 커다란 공간을 갈라 잠도 자고 쌀 등을 보관하는 곳간으로도 쓰고 있었다. 황송하옵게도 릴리의 부모님은 텔레비전이 있는 1층 안방을 내게 내주었다.

오랜만에 막내딸도 왔것다, 손님도 왔것다, 릴리의 부모님은 온갖 맛있는 음식을 해 먹이려고 열성을 보인다. 그런데 이 동네에 며칠 있어 보니 릴리의 부모님만 특별한 것이 아니라 동네 사람 모두가 먹는 것을 위주로 해서 살고 있다. 사실 이것은 또 비단 이 동네만 그런 게 아니라 중국인 모두가 그렇다. 중국인들은 의식주 가운데 먹는 것을 최우선으로 여기며 집이나 옷은 그 다음이다.

중국 사람들이 이렇다는 것은 중국에 오기 전부터 알고 있던 일이다. 미국 유학시절 분초를 아껴 써도 모자라는 시험기간에도 중국 학생들은 돼지고기를 튀기고 채소를 볶아 근사한 점심, 저녁을 해 먹는 걸 수없이 보았던 것이다.

먹는 것이 삶의 중심이므로 당연히 시장이 생활의 중심이 된다. 릴리의 엄마는 아침에 일어나자마자 산보삼아, 운동삼아, 눈요기삼아 시장을 한 바퀴 돌고 점심에 먹을 채소나 고기를 사 가지고 온다. 집에 돌아와서는 아침으로 국수를 만들어 먹고 차를 마시고는 곧 채소를 씻고 고기를 다지고 양념장을 만드는 등 점심 준비를 한다.

12시쯤 큰딸, 큰사위, 손녀딸이 오면 함께 1시까지 밥을 먹고, 조금 쉬다가 4시 30분부터 저녁 준비를 시작한다. 6시 30분쯤 저녁을 먹고 또 차 한 잔을 마시면 어느덧 잘 시간이다.

릴리의 어머니뿐 아니라 아버지도 늘 부엌에 들어가 음식을 만든다. 직장에서 잠깐 점심을 먹으러 온 사위도 요리와 설거지를 하고 다시 출근한다. 집안일에 관한 한 중국 남자들은 '거드는' 차원이 아니라 거의 '맡아서 하는' 경지다. 가사는 무조건 여자가 맡아야 한다는 편견 같은 것은 없다. 부부가 공평하게 일을 분담한다. 특히 부부가 다 직장생활을 하는 경우에는 더욱 그렇다.

"음식 만드는 것 좋아하세요?"

채소를 볶고 있는 사위에게 물어보았다.

"아주 좋아해요."

"한국 남자들은 부엌에 들어오는 걸 싫어하는데."

"왜요? 한국 남자들은 밥 안 먹고 살아요?"

사위는 그게 무슨 말이냐는 듯 되묻는다. 이 장면에서 내가 뭐라고 대답해야 하나.

"어려서부터 별로 해 볼 기회가 없거든요."

그래도 나는 한국 남자들을 위해 궁색한 변호를 했지만 사실은 흉보고 싶은 마음이 앞섰다. 우리 나라 남자들은 어디서부터 교육이 잘못되었기에 가사는 무조건 여자의 몫이며 거기에 관심을 갖는 것 자체를 좀스럽다고 여기는 것일까. 제 손으로 밥 못해 먹는 것이 얼마나 부끄러운 일인 줄도 모르고 당연하다는 듯 이야기하는 것을 보면 한심하다 못해 불쌍하다.

이런 남자들은 한마디로 정신적인 유아다. 안 먹고는 살 수 없는 것이 사람인데, 그렇게 매일 해야 살아갈 수 있는 일을 멀쩡한 자기 손발 놔두고 여자에게만 시킨다는 것은 정말 웃기는 일이다. 당사자인 남자뿐만 아니라 그런 남자가 유아기에서 벗어날 꿈도 꾸지 못하게 '잘 돌봐주고 있는' 여자들도 한 번쯤 곰곰이 생각해 봐야 할 문제가 아닐까.

여기가 하니족 자치구라기에 주민들이 대부분 하니족일 것이라고 생각했는데, 실제로는 한족이 훨씬 많이 사는 것 같다. 하니족을 많이 보지 못해 아쉬워하던 차에 운이 좋게도 열흘마다 선다는 하니족 시장을 보게 되었다.

아침부터 민속의상을 차려입은 사람들이 시장에 가득하다. 시장 전체에 물감이 쏟아진 것처럼 화려한 원색의 빛깔이 넘쳐난다. 평소에는 한두 개 정도 되던 돼지고기 좌판이 스무 개도 넘게 생기고, 온갖 채소며 곡식, 마른 반찬, 화려한 이불, 옷, 색색의 뜨개실 등 여러가지 물건과 사람들이 북새통을 이룬다.

이 시장에서 내가 다양한 사진을 찍을 수 있었던 것은 순전히 릴리 어머니 덕분이다. 시장 사람들에게 이분은 한국에서 온 여행가이니 좀 같이 찍자, 좀 비켜 달라, 모두들 웃어 달라, 약간 앞으로 나와 달라 하면서 결정적인 코디를 해 주었다.

그것도 모자라서 시골 사는 하니족 아줌마를 소개해 주었다. 그곳은 모지앙에서 오토바이로 한 시간쯤 들어간 시골이다. 아줌마를 따라가는 내게 릴리 엄마는 거기는 시골이라 지저분하니 늦게라도 집에 와서 자라고 당부한다. 릴리남자친구의 오토바이를 타고 진흙밭을 지나 그 집을 찾아갔다.

다른 식구들은 모두 채소밭에 나가고 할머니 한분이 우리를 맞이해준다. 나무로 단단하게 만든 이층집은 1백 년도 넘었다는데 아주 여물게 보이고 대문을 열자마자 앞마당에 가축의 분뇨와 겨를 섞어 천연비료를 만들고 있어 신기했다. 저런 건 보통 뒷바당으로 가는 것 아닌가.

며칠 전 시장에서 보았던 하니족의 화려한 모자는 '외출용'이었는지 집에서는 그냥 긴 파란천으로 머리를 싸매고 있었다. 손님이 왔다고 먹을 것을 대접하는데 만두건 야채건 무조건 커다란 가마솥에 한 번 김을 쐬어 가지고 내온다.

처음에는 내가 부엌이며 마당사진을 찍으면 왜 그렇게 찍냐고 노골적으로 언짢아하시더니 나중에는 쓰고 있던 머릿수건을 풀어주시면서 이것 감고 찍으면 기념이 될 거라며 조금 누그러지셨다.

공동 묘지에서 인생상담

시골에서 돌아오자 릴리 어머니는 잘 놀았느냐고 하고는 그 곳에서 찍은 사진은 다른 사람들에게 보여주지 않았으면 좋겠다고 한다. 혹시 내가

국경 마을 깐란바의 시장풍경

가면 안 되는 곳에 가서 이분들을 곤란하게 했나 해서 물어보았다.

"왜 그러시는데요?"

"못 사는 사람들을 찍어가면 잘 사는 한국 사람들이 중국은 다 못 사는 줄 알 것 아니겠어?"

"한국이 뭐가 잘 살아요?"

"일요일 아침에 하는 한국 텔레비전 연속극을 보니 그렇던데."

알고 보니 한국 텔레비전 드라마 〈사랑이 뭐길래〉가 여기 윈난성 시골 동네에서도 큰 인기를 끌며 방영되고 있다.

그만큼 릴리 어머니는 애국심이 투철한 분이다. 텔레비전에서 중국군이 일본군과 싸우는 전쟁 영화를 하면 아주 텔레비전 안으로 들어갈 것처럼 흥분해서 외친다.

"죽여라, 죽여라."

또 식구들이 자기 앞에서 틀린 성조의 중국어를 하면 당장 고쳐주면서

야단을 친다.

"중국 사람이면 중국말을 똑바로 해야지."

내게 중국 국가인 의용군 행진곡을 가르쳐주면서 후렴 부분인 '전진진(前進進), 전진진(前進進)' 할 때는 주먹을 불끈 쥐고 머리 위로 올려 흔든다. 내가 무슨 이야기 끝에 타이완은 중국의 영토가 아니라고 배웠다니까 '타이완은 당연히 중국땅이다. 작년에 홍콩이 반환됐고, 1999년 마카오가 반환되는데, 타이완도 반드시 본토에 흡수되어야 한다'며 한 시간 정도 열띤 강의를 한다.

이런 투철한 애국자도 오후 3시 친구들과의 마작시간은 양보할 수 없이 귀한 '반사회주의적' 일상이다. 점심을 먹고 낮잠을 자고 나면 동네 친구들이 놀러온다. 그러면 네 사람이 탁자에 둘러앉아 마작을 하는데 아무것도 걸려 있지 않은 놀이에 나이 든 사람들 얼굴이 그렇게 진지할 수가 없다.

릴리의 아버지는 무슨 패가 들어왔는지 전혀 알 수 없는 포커 페이스이지만 어머니는 얼굴에 감정이 숨김없이 드러난다. 옆집 사는 분들도 예전에 같은 학교 선생님들이었다는데, 어찌나 재미있게 큰 소리로 떠들고 노는지 마작의 '마'자도 모르는 나도 지루한 한낮이 어떻게 지나갔나 모를 지경이다.

나는 해질 무렵이면 동네 뒷산에 올라가길 좋아했다. 조금 올라가도 시야가 트여 속이 시원하고 푸른 들판이 눈도 시원하게 한다. 릴리는 거기는 공동묘지인데 왜 자꾸 가느냐고 하지만 나는 그곳이 조용해서 좋다.

공동묘지가 뭐가 무서워. 너도 나도 죽으면 가는 곳인데.

그런데 내가 매일 공동묘지를 찾는 이유는 다른 데 있다. 속사정은 이렇다. 모지앙에 머무르는 동안 나는 아주 좋은 중국어 선생을 두 명이나 두게 되었다. 한 명은 물론 릴리 어머니이고 다른 한 명은 초등학교 3학년짜리 이 집 손녀 란이다.

특히 란은 내가 혀를 말아 소리를 내야 하는 권설음을 제대로 발음하지 못하면 도저히 이해할 수 없다는 표정으로 마치 내가 잘 안 들려서 그러는 줄 알고 내 귀에 대고 소리를 버럭버럭 지른다. 아주 무서운 선생이다. 나는 이 꼬마가 내 중국어 교본을 가지고 병아리처럼 입을 좍좍 벌리며 읽어 내려가는 것이 얼마나 부러운지 모른다.

그때 내게는 얇은 기초 중국어 회화책이 있었는데 이곳에 있는 동안 그 책을 통째로 외우기로 결심하고 열심히 공부하는 중이었다.

집에서는 집중이 안 되어 공부가 잘 되지 않았다. 그래서 사람이 전혀 안 다니는 공동묘지를 공부방으로 삼은 것이다. 아무도 없으니 혼자서 외우고 큰 소리로 연습하기는 안성맞춤이다. 나의 이런 '비결'을 모르는 릴리 어머니는 나더러 한 번 가르쳐 준 것은 안 잊는다며 칭찬을 한다.

"니 총밍 쩐더 총밍(너, 정말 똑똑하구나)."

여기서 텔레비전 국제 뉴스를 보니까 한국 원화가 1달러에 무려 1천 2백 원이나 되었다는 소식이다. 큰일이다. 왜 이렇게 달러값이 뛰지. 그래도 여행이 거의 끝나가기에망정이지 시작할 때라면 계획한 세계여행 반도 못하고 그만둘 뻔했다.

그래, 돈 걱정하지 말자. 언제는 돈 쌓아놓고 살았나. 있으면 있는 대로, 없으면 없는 대로 쓸 때 쓰고 아낄 때 아끼면서 알짜배기 여행을 하면 되는 거지.

떠나기 전날 릴리 부모님께 드릴 선물을 샀다. 아무리 어려워도 지금이 바로 쓸 때인 것이다. 그분들은 노인들이고 먹는 것을 중요하게 생각하니 드실 것 위주로 골랐다. 쌀 10킬로그램 한 부대, 술 두 병, 특급 보이차 한 봉, 돼지고기 열 근을 샀다. 그리고 내가 큰 마음 먹고 산 수입품 니베아 핸드로션을 어머니에게 드리고, 홍콩에서 눈 딱 감고 마련한 밀크로션을 릴리에게 주었다. 목에 거는 볼펜은 무서운 선생 란에게 주고, 아버지에게는 한복 입은 아가씨 열쇠고리를 드렸다.

이분들이 내게 보여준 정성과 애정과 관심을 어떻게 물건 따위로 갚을 수 있겠냐만 달리 고마움을 전할 길이 없으니 작은 선물에 마음을 실을 밖에는. 내 마음을 알아주셨으면 좋겠다.

릴리는 호텔에 근무하는 아이답게 멋쟁이다. 옷도 맞춰서 잘 입고, 말도 품위있게 하고, 헤어스타일도 세련되어 이곳에서는 단연 군계일학이다. 릴리도 자신의 매력을 잘 알고 있는 듯했고, 그녀의 남자친구도 기회 있을 때마다 그것을 확인시켜 준다.

동네에서 제일 잘 사는 집 외아들인 남자친구는 하루빨리 결혼하고 싶어하는데 릴리는 나름대로 큰 꿈이 있다.

"페이예 따제(비야 언니), 난 여기서 이렇게 썩는 것 싫어요. 상하이나 선전〔深圳〕으로 가야겠어요."

시쌍판나로 내려가기 전날 릴리는 어쩐 일로 무서워하던 공동묘지까지 따라오더니 불쑥 이렇게 말을 꺼낸다.

"뭘 하고 싶은데?"

"일을 하고 싶어요. 공부도 더 하고 싶고요. 그 아이랑 결혼하면 여기 모지앙 귀신이 되어야 해요. 그 아버지가 여기서 큰 공장을 하거든요. 난 싫어요. 여기서 죽을 때까지 아무 생각도 없이, 더이상의 발전도 없이 그 아이의 아내로 산다는 건 생각만 해도 숨이 막혀요."

"두 사람이 사이가 아주 좋은 것 같던데."

"그렇기는 하지만… 근데 그 아이는 내가 왜 큰 도시로 가고 싶어하는지 이해 못해요. 여기서도 얼마든지 잘 먹고 잘 살 수 있는데 왜 나가느냐고, 그냥 바람이 든 거라고 생각해요. 징훙에서 일하는 것도 못마땅해 해요. 괜히 이상한 도시물 든다고."

"그래도 아는 사람도 없이 무작정 큰 도시로 어떻게 가겠니?"

"그래서 양수오에 있는 밥에게 부탁했어요. 그 사람 발이 넓어 아는 사람이 많다고 하거든요. 그 사람이 내 영어 실력이면 좋은 자리를 알아볼

내 공부터였던 공동묘지에서 바라본 풍경

수 있다고 했어요. 외지에서 고생은 하겠지만 고생 없이 되는 일이 있나요. 난 죽을 고생도 각오하고 있어요."

"무슨 일을 하고 싶은데?"

"무역회사에 취직해서 경험을 쌓아 나중에 국제 무역회사를 차리는 것이 꿈이에요. 난 이제 겨우 스물네 살이잖아요. 난 비야 언니처럼 살고 싶어요."

말을 하는 릴리의 입술이 바르르 떨린다. 마치 자신에게 자기가 한 말을 확인이나 하듯이.

그렇다. 릴리는 이제 겨우 스물네 살. 마음먹고 파고들면 무슨 일이든 할 수 있는 나이다. 내 생각에도 릴리는 이곳 남자친구와 결혼해서 평범하게 살기에는 야망이 너무 크다. 또한 의지도 굳다. 그러니 이 일을 어쩌겠는가.

릴리가 내 친동생이라면 이럴 때 뭐라고 말해주었을까? 세상 사람들이 흔히 말하는 여자의 편안한 삶, 결혼을 해서 아이들 낳고 남편의 울타리 속에서 안정된 삶을 살아갈 길이 열려 있는 친동생에게도 모두 버리고 홀로서기의 험한 길을 택하라고 단호하게 말할 수 있을까?

그래, 적어도 내 동생이 하고 싶은 일이 뭔지 분명히 알고 있다면, 그리고 그것을 해내겠다는 의지가 굳건하다면 나는 망설이지 않고 홀로 거친 바다로 나가보라고 말할 것이다. 모든 결혼이 다 그렇지는 않지만 동생이 하려는 결혼이 자기 성장을 막을 것이 뻔하다면, 함께 커나갈 수 있는 사람을 만나기 전까지는 세상이라는 거친 바다에서 자기 배의 노를 스스로 저어가 보라고 말할 것이다.

십몇 년을 더 산 인생의 언니로서, 여자라는 동료로서, 그리고 비록 험하고 힘들지만 그 길을 택한 한 사람으로서 나는 스스로 '자신의 삶'을 살고 있다는 진정한 행복을 느끼고 있기 때문이다.

다시 릴리의 얼굴을 쳐다보았다. 그때 나는 입을 꼭 다문 아이의 눈에 살짝 비친 눈물을 보았다. 아, 이 아이는 절실하게 내 말을 기다리고 있구나. 그제야 나는 자신있게 이렇게 말할 수 있었다.

"릴리, 내가 스물네 살 때는 대학 문턱에도 못 갔었는데 넌 벌써 졸업해서 직장까지 있으니 나보다 출발이 빠른 셈이야. 나도 이번 여행 끝내면 처음부터 다시 시작해야 해. 그러니 우린 마찬가지 입장이네. 새로운 일을 모색하는 단계라는 점에서 말이야. 그래, 하고 싶은 일을 꼭 해 봐. 해보지도 않고 될지 안 될지 어떻게 알겠어? 앞으로 어떻게 지내는지 나한테 자주 알려줘. 늘 지켜볼게."

어둑어둑해질 무렵, 우리는 손을 잡고 공동묘지를 내려왔다. 릴리는 동네가 보이기 시작하자 내 손을 아프도록 꼭 쥐었다. 공동묘지가 무서워서가 아닌 줄 나도 안다.

세상에는 공짜 떡도 없고 공짜 품도 없다더니, 힘들게 유자 배달을 한 덕분에 나는 이 넓고 넓은 중국에서 여동생을 한 명 얻게 되었다.

쥐에 옆구리 물리고 흑사병 걱정

미얀마와의 국경지방인 윈난성 서남쪽 바오산, 여행 가이드 북에도 잘 나오지 않고 웬만한 지도에도 표시가 되어 있지 않은 곳이다. 모지앙에서 쿤밍, 다리를 거쳐 달려왔다.

여기는 미얀마와 가까운 곳이라 아주 독특한 문화를 가지고 있고, 미얀마 계통의 소수민족이 살고 있다. 이곳에서 탱총의 천연 온천을 거쳐 국경도시 루일리까지 가려고 한다.

산길로 접어드니 도로의 포장상태가 엉망이다. 차는 가는 시간보다 서서 보닛을 열고 무언가를 고치는 시간이 더 길다. 차가 한없이 시간을 잡아먹고 있어도 나는 이제 이런 일에는 화도 나지 않는다. '살다 보면 이럴 수도 있지' 하는 마음으로 아주 느긋하다. 넓은 땅을 여행하며 마음이 넓어진 건지, 오랜 여행 끝에 얻은 여유인지, 아니면 이럴 때 씩씩거려봐야 하나도 도움이 안 되더라는 현실 터득 때문인지.

여행 초기에 인도나 남미를 다닐 때는 차가 고장나서 지체를 하면 같이 탔던 현지인들은 가만히 있는데 나만 화를 내며 툴툴거렸다. 하지만 이제는 현지인들이 투덜투덜 짜증을 내는데도 나는 그러려니 하며 참고 앉아 있다.

오후 8시에 도착한다더니, 새벽 5시에 탄 버스가 밤 늦게야 탱총에 도착했다. 버스 정거장 앞은 포장마차들로 불야성을 이룬다. 곳곳에 붙어 있는 음식 메뉴에 제일 흔한 것이 신기하게도 '삶은 개고기' 다.

여기는 한국 사람도, 조선족도 살지 않는 곳인데 말이다. 회교도가 많은 마을에서 갑자기 같은 음식, 그것도 개고기를 먹는다는 것에 강한 동질감이 느껴진다.

물어물어 시장거리 한 귀퉁이에 있는 여관을 찾았다. 하룻밤에 무려 40 위안이란다. 더 싼 방이 없느냐니까 외국인이 묵을 수 있는 방은 그 방이

제일 싸다며 원한다면 내국인용 방을 보여주겠다고 숙소 뒤쪽으로 데리고 간다. 방문을 열어주는데 햇볕이 안 드는 컴컴한 방에서는 축축하고 눅눅한 냄새가 난다. 하루에 10위안인데 화장실은 숙소 바깥 유료 공중화장실을 써야 하고, 샤워는 따로 2위안을 내고 해야 한단다.

그래도 모기장도 있고 보온병에 따끈한 물도 준비되어 있어 거기서 묵기로 했다.

짐을 내려놓고 차를 마시면서 방안의 퀴퀴한 냄새를 없애려고 향을 피웠더니 어떤 젊은 아줌마가 들여다본다. 옆방에서 살림을 하고 있는 아기 엄마다. 알고 보니 내가 빌린 방은 여관 객실이라기보다는 장기간 싼값으로 빌려주는 사글세방이다. 이 바이족 아줌마는 귀여운 아들과 함께 넉 달째 이 방에서 살고 있는데 남편은 쓰촨성의 청두가 직장이라 1년에 두 번만 온다고 한다.

"어머, 그러고 어떻게 살아요?"

"나만 그런가요. 나처럼 사는 사람 많아요."

그동안 친정살이를 하다가 얼마 전부터 아이를 데리고 나와 살게 되었다며 빨리 청두로 가서 남편과 합쳐서 살고 싶다고 한다. 아이 엄마가 밥과 빨래를 하는 사이에 아이를 봐주었다. 아직 낯을 가리지 않는지 별로 웃기지도 않는데 깔깔거리며 참 잘 웃는다. 잠깐인데도 갓난아이의 달콤한 젖냄새가 내 몸에도 밴다. 바이족 아줌마에게 저녁을 얻어먹고 돌아와 잠자리에 들었는데, 양 어깻죽지가 뻐근하다. 정말 아이 보는 일은 '즐거운' 중노동이다.

그날 밤 나는 흑사병에 걸릴 뻔했다. 자다가 쥐에게 물린 것이다. 모기장이 있기는 한데 짧아서 침대 끝까지 잘 들어가지를 않았다. 억지로 끌어내려 겨우 모기장을 친 것까지는 좋았는데 잠을 자다가 발로 걷어차는 바람에 옆구리 부근이 그대로 드러났다.

밤새도록 바스락거리는 소리가 나서 옆방 새댁이 잠을 안 자고 있는 줄 알았는데 막 잠이 들려는 순간 옆구리가 따끔하다. 기겁을 해서 일어나보니 밖에서 새어들어오는 가로등 불빛 아래로 팔뚝만한 쥐가 도망간다. 얼른 불을 켜니 온 방안이 난장판이다. 아까 부스럭대던 소리는 쥐가 비닐에 싸 놓은 빵과 과자 봉지를 뜯는 소리였다. 쥐가 힘도 세지, 과자와 빵이 사방에 널려 있다.

손전등을 꺼내 물린 곳을 살펴보니 마치 아래 윗니가 두 개씩 난 아기한테 물린 것 같은 자국이 선명하다. 다행히 피도 나지 않았고 옷 위로 물린 것이라 쥐의 타액도 묻지 않은 것 같다.

그렇지만 갑자기 겁이 덜컹 난다. 여기 오기 전 쿤밍에서 곳곳에 붙은 방을 보았기 때문이다. 거기에는 쿤밍의 최대 관광지인 스린〔石林〕에서 현재 흑사병이 돌고 있으니 쥐에 물리지 않도록 조심하라고 적혀 있었다. 쿤밍의 대학 내에도 요즈음 흑사병이 돌고 있으니 학생들은 거리에서 음식을 절대 사 먹지 말고 구내식당을 이용할 것을 당부하는 공문이 돌았다고 한다.

얼른 약주머니를 꺼내 소독약을 바르고 쥐의 침이 묻었을지도 모르는 옷을 갈아 입었다. 그러나 걱정이 되어 잠을 이룰 수 없다. 흑사병이 얼마나 무서운 병인가. 로미오와 줄리엣이 살던 시대인 1500년대에는 불과 5년 동안에 유럽 인구의 삼분의 일인 2천여 만 명을 죽인 무시무시한 병이 아닌가. 걸렸다 하면 몸이 까맣게 타들어가면서 전혀 손을 쓸 수 없다는 치명적인 전염병이다.

내가 민족통일을 위해서, 혹은 인류평화를 위해서 목숨을 바치는 것도 아니고, 겨우 쥐새끼한테 물려서 죽는다는 것은 정말 억울하다.

그러나 다음날 아침 아기 엄마한테 쥐 이야기를 하니 놀라지도 않는다.

"나도 가끔 물려요."

내가 도리어 놀라서 그러고도 괜찮았느냐니까 아무 일도 아니라는 듯 태평하다.

"메이 스(괜찮아요)."

그럼 이건 '아는 게 병'인가? 아무튼 나는 병원에 가보기로 했다. 내 생각을 확실히 전하기 위해 종이에 쥐 '서(鼠)'자와 '흑사병(黑死病)'을 한자로 써서 여의사에게 보여주면서 쥐에게 물렸는데 이상이 없겠느냐고 물었더니, 간단히 혈압을 한 번 재고는 처방전을 써준다.

이럴 때는 피검사를 해 보아야 하는 것 아닌가, 의심을 하면서도 처방전을 받고 가라는 데로 갔더니 한약을 몇 봉 내준다. 만약 흑사병이라면 한약 몇 봉지로 나을 수 있을까, 그리고 여행 중에 어디서 한약을 달여 먹는담. 찜찜한 채로 약을 받아왔다. 오는 도중 아무래도 마음이 안 놓여 약국에 들러 온갖 종류의 소독약을 듬뿍 사 가지고 왔다.

'내가 만약 더 쓸모가 있는 사람이라면 이만한 일로 별일 있으랴?'

이렇게 생각하며 겨우 마음의 평화를 찾았다. 그후 별일은 없었지만 한국에 돌아올 때까지 심한 두드러기가 자꾸 나서 혹시 쥐에 물린 것과 상관이 있는 것은 아닌가 하는 의심을 했다.

탱총은 좀 이상한 동네다. 이렇게 조그만 곳에 왜 그렇게 이발소가 많은지 모르겠다. 중국의 이발소는 백이면 아흔아홉이 퇴폐 이발소라는데, 이런 회족 마을에도 퇴폐 이발소의 실수요자가 있다는 말인가.

대부분의 식당은 간판에 모슬렘 법도대로 음식을 만들었다는 표시인 '칭쩐〔清眞〕'이라는 말이 씌어 있는데 그러면서도 향, 초, 불화 등 불교용품 파는 곳도 많이 눈에 띈다. 그러고 보니 여기는 회족식 빵떡 모자를 쓰고 다니는 사람과 불교 승려 복장을 한 사람이 뒤섞여 있다. 또 시장에는 얼굴이 까무잡잡한 버마족들도 눈에 띈다.

회족 식당에서 얼쓰라는 맛있는 국수를 먹었다. 가격은 1.5위안, 돈내기가 미안할 정도로 싸다. 얼쓰는 쌀국수에 짭짤하게 볶은 쇠고기 고명을 얹어 먹는데, 뼈를 우려 만든 얼큰하고 기름기 없는 국물이 영락없는 육개장 맛이다. 여기 있는 동안 매일 먹어야지. 이 국수 하나로도 이 지방 여행이 즐거울 것이 확실하다.

보통의 여행자가 탱총 같은 산골 마을까지 오는 이유는 나처럼 국수맛을 즐기려고가 아니라 러하이〔熱海〕라는 천연 온천 때문이다. 러하이는 화산 사이에 있는 아주 크고 따뜻한 수영장이라고 생각하면 틀림이 없다.

평일이라서인지 그 커다란 온천에는 표 팔고 물건 파는 사람들 이외에는 아무도 없다. 준비해간 수영복으로 갈아입고 풀장 안으로 점프. 미끈한 느낌의 온천수가 기분좋게 따뜻하다. 어제 아기를 봐주었다고 생긴 어깨 근육통을 풀고 갈 수 있게 되었다.

러하이에 오기 전에 이곳 국립공원을 한바퀴 돌아보니 선녀탕, 거북바위 등 그럴듯한 이름들이 붙어 있다. 중국 사람들은 산 속에 조금만 신기한 것이 있으면 반드시 그 이름에 선녀가 등장한다. 대형 온천탕에 혼자 몸을 담그고 있으니 나 역시 '선녀'가 되어 신선놀음을 하고 있는 터이다. 뉴스를 보니까 서쪽 신장의 우루무치는 영하 19도, 동북쪽의 하얼빈은 영하 24도라는데 말이다.

그런데 아무래도 이런 '수영장'은 병을 치료하기 위해 긴박하게 오지 않을 바에야 역시 혼자 오는 것보다 여럿이 와서 웃고 까불면서 물장난을 쳐야 더 재미있다. 텅 빈 온천에 혼자 앉아 있으려니 갑자기 이 산 속에 나 혼자 유배당한 기분이 들며 마음이 싸해진다. 늘 혼자 다니는 여행은 축복이라고 생각해왔는데 오늘 같은 날은 벌(罰)처럼 느껴진다. 또 고질병인 외로움증이 도지려나 보다.

탱총에 돌아오니 옆방 아줌마가 반갑게 반긴다. 그런데 내 방 앞에 정복을 입은 꽁안이 서 있는 게 아닌가. 순간 가슴이 뜨끔하며 몇 가지 생각이 스친다.

'이 여관이 외국인이 묵을 수 없는 곳인가? 적어도 내 방은 그런 것 같다… 혹시 공안당국의 규정이 바뀌어서 아예 이 지방에 외국사람 통행이 금지된 것은 아닌가. 어쩐지 다른 외국인 여행자가 한 명도 보이지 않더

라니… 아니, 어쩌면 어제 쥐에게 물린 것 때문인지도 몰라. 흑사병 감염이 의문시되어 격리를 시키려고….'

무슨 일이든 간에 꽁안 앞에서는 기죽지 말고 기선을 잡아야 한다.

"니 여우 스 마(무슨 일이지요)?"

눈을 똑바로 뜨고 따지듯 물으니, 그 꽁안은 아무 일도 아니라며 순순히 내 방문 앞에서 비켜선다.

나중에 보니 이 사람은 옷만 꽁안인 가짜였다. 이곳에서 방을 얻어 신혼생활을 하는 남자인데, 민간인이면서 꽁안복에 모자, 신발, 코트까지 일습을 갖추어 입고 있는 것이다. 진짜 꽁안과 구별이 되는 것은 견장뿐이다. 가짜는 어깨에 꽁안이라는 견장을 절대로 달지 못한다는 거다. 그렇지만 나 같은 외국인이 그걸 어떻게 한눈에 구별하겠는가.

꽁안도 아닌 사람이 어떻게 진짜 꽁안의 제지도 받지 않고 다닐 수 있는지 모르겠다. 아기 엄마에게 물어보니 시장에 가면 꽁안복을 얼마든지 살 수 있다고 하면서 그것이 다른 옷보다 싸고 따뜻하단다.

중국에 오면 가짜가 많다더니 정말 헷갈리는 것이 한두 가지가 아니다. 우선은 가짜 돈이 많다. 그래서 은행에서 돈을 바꿀 때나 물건을 살 때 100위안과 50위안짜리는 일일이 전깃불에 비춰보아야 한다. 아디다스가 아디도스, 리복이 레복 등의 이름으로 팔리는 것은 오히려 양심적이다. 가짜 코카콜라에 가짜 말보로 담배, 가짜 쌀과자 왕왕이, 가짜 학생증, 가짜 기차표 등등 끝도 없다. 다른 여행자에게 들은 아주 웃기는 이야기는 중국에서 가짜가 얼마나 판치고 있는가를 단적으로 말해준다.

어떤 집 며느리가 봄에 농사 지을 볍씨를 사 가지고 왔다. 그런데 볍씨를 심은 후 한참이 지났는데도 피싹만 났다. 가짜 볍씨를 사온 것이다. 자기 때문에 일년 농사를 망치게 된 며느리가 죽을 결심으로 쥐약을 사다 먹었는데 죽지를 않았다. 쥐약도 가짜였기 때문이다.

중국인 사이에서도 '엄마만 빼놓고는 다 가짜' 라는 자조적인 농담을 주고받을 정도이니 더 말해 무엇 하겠는가.

떠나기 전날, 옆방 아기를 봐주면서 아줌마에게 진심을 담아 일장 연설을 했다.

"제발 음식 좀 잘 덮어 놓으세요. 그것 때문에 쥐가 들끓는 거라고요. 알았죠?"

"즈 다올러(알았어요)."

나는 흑사병이 얼마나 무서운 병인지 구구절절 설명을 하면서 또 힘주어 물었다.

"니 즈 다올러 메이여우(알아들었지요)?"

아기 엄마는 약간 놀란 표정으로 알았다고 대답한다. 그래도 나는 마음이 놓이지 않아 가지고 있던 소독약 일체와 상처에 바르는 연고를 꺼내 건네주었다.

"쥐에 물리면 제발 소독을 하고 이 약을 바르세요. 알았지요?"

아기 엄마는 고개를 끄덕이면서도 이 사람이 무엇 때문에 이렇게까지 다그치나 하는 의아한 표정을 짓는다.

다리, 평화로운 마을의 정겨운 친구들

장을 보러가는 나시족 여자들.
일은 여자들이 다 하고, 짐도 여자들이 지고, 남자들은 맨몸으로 놀기만 한다.

국경 없는 국경도시의 자유로움

윈난성 끝 국경도시 루일리에 오니 미얀마 냄새가 물씬 난다. 대형 종을 뒤집어 놓은 듯한 불탑도 그렇거니와 길거리에는 미얀마에서 보던 얼굴들을 그대로 다시 볼 수 있다. 피부색이 까무잡잡하고 이목구비가 뚜렷한 파키스탄 사람들도 많지만 얼굴에 탄나카를 바르고 긴 통치마인 롱지를 입은 미얀마 여자들이 단연 눈에 띈다. 길거리에서 파는 음식도 중국식의 볶음 요리보다 미얀마식의 물을 넣고 찐 음식이 많다.

여기 오는 날부터 매일같이 하루종일 가랑비가 온다. 부슬부슬 내리는 비가 마치 우리 나라 가을비같이 을씨년스러운 분위기를 자아낸다. 기분 전환을 하기 위해 시장으로 나가보았다. 예상대로 역시 국경도시라 밀수해 온 태국 제품들이 즐비하다. 과자며 화장품, 커피, 구두, 옷 등 품목도 다양하다. 가끔씩 종합캔디 등 한국 과자들도 눈에 띈다. 미얀마 북쪽 히시포에서 본 대형 트럭들이 바로 여기에 도착해서 물건을 푸나 보다.

시장 안으로 들어가니 아주 커다란 옥시장이 나온다. 미얀마 옥은 세계적으로 유명한데 팔찌나 반지도 예쁘지만 가공하지 않은 돌 속의 옥도 참 아름답다.

한 바퀴 돌아보다가 우연히 미얀마 사람들의 소굴인 한 카페를 발견했다. 안으로 들어가 보니 얼굴이 까맣고 우르두말을 쓰는 파키스탄인, 얼굴에 탄나카를 바른 미얀마인 등이 인도식 차이와 튀긴 만두 사모사를 먹고 빤을 씹으며 담소를 나누고 있다. 빤은 나무 열매에 하얀 민트를 섞어 나뭇잎에 싸서 먹는 것인데, 씹고 뱉으면 피 같은 빨간 물이 나오는 디저트다. 인도나 방글라데시, 파키스탄 남부에서 많이 씹는다.

벽에는 메카 그림과 아웅산 수지 여사의 사진이 함께 걸려 있다. 이 지방의 외국인 장사꾼들이 모여 정보도 교환하고 수다도 떠는 곳이었다. 어떤 미얀마 사람 하나가 내가 수지 여사를 쏙 빼닮았다며 반갑다고 악수를 청한다. 그 사람에게 나도 미얀마에 간 적이 있다며 미얀마 말로 '밍글라바(안녕하세요)' 하고 인사를 하니 주위에 있던 사람들이 놀라며 나를 둘러싼다.

그 옆에 있던 파키스탄 사람이 파키스탄에도 가보았느냐고 해서 그렇다고 했더니 또 깜짝 놀란다. 그러면서 주위에 몰려 있는 사람들이 자기들이 알고 있는 나라들을 총동원한다. 미국, 캐나다, 영국, 스위스, 일본 등 공교롭게도 내가 다 가본 나라들이다. 사람들이 대는 나라마다 내가 고개를 끄덕이자 와아 하고 환성을 지른다.

이야기 도중에 사람들이 점점 많이 모여들어서 식당에 있는 모든 사람들의 시선이 내게 집중된다. 그 가운데 어떤 파키스탄 젊은이가 그렇게 다니려면 돈이 많을 테니 자기 옥팔찌를 사라며 장사꾼의 본색을 드러내는 것이 아닌가.

"나는 돈이 많지 않아요. 그런데 여행을 하고 싶어서 이런 싸구려 음식점에서 식사를 하는 거예요."

내가 중국말로 설명했더니 모두 아하 하며 고개를 끄덕인다. 이 말을 진짜로 믿었는지 옥팔찌 사라던 총각이 내 차이와 사모사값을 내준다. 장사꾼이면서도 아주 순진한 사람들이다.

루일리에서 조금 더 들어간 곳에 있는, 국경을 볼 수 있는 룽따오의 재래시장도 재미있다. 루일리의 옥시장이 파키스탄과 미얀마의 짬뽕이라면 여기는 완전히 미얀마다. 사람들의 차림새도 그렇고 사고 파는 물건들도 미얀마 것이다.

그러나 시장보다 더 재미있는 것은 바로 국경이다. 미얀마는 군사정권의 철권정치 때문에, 중국은 엄격한 사회주의 체제 때문에 쌍방 경비가 교전국 이상으로 삼엄할 줄 알았는데, 막상 와보니 전혀 예상 밖으로 마치 이웃 동네 가듯 왔다갔다한다. 룽따오에서는 강 건너 미얀마까지 배로 연결되어 있는데 군인은커녕 검문소 비슷한 것도 없다.

시장에서 나와 비를 피하느라고 앉아 있던 간이 천막식당이 알고 보니 미얀마측 땅이다. 해바라기씨를 까먹으며 약 20여 분간 '불법체류'를 했는데도 아무도 뭐라고 하는 사람이 없다. 신기하다.

이런 것을 빼놓고는 루일리에서는 아주 심심하다. 매일 비가 와서 기분이 우울한데 다른 여행자는 한 명도 만날 수 없다. 날씨가 궂으니 자전거를 빌려 타고 근방을 돌아보고 싶지도 않다.

식구들에게 편지나 쓸까 하다가 그것도 그만두었다. 편지는 밝은 기분으로 써야 받는 식구들이 '여행 재미있게 하고 있구나' 하고 안심을 하지, 지금 같은 기분이라면 힘들어 하는 것을 눈치채게 될 게 뻔하기 때문이다. 이런 편지를 읽은 우리 언니들 반응은 안 보아도 안다.

'그렇게 힘들면 돌아와.'

내일은 여기를 떠나야겠다.

다음날 일어나니 모처럼 해가 쨍쨍 나 방안에 햇살이 가득하다. 세상이 흑백영화에서 컬러영화로 바뀐 것 같다. 창 밖으로 파란 하늘에 선이 선명한 하얀 뭉게구름이 보인다. 어제의 우울함을 말끔히 잊게 해 주는 아주 기분 좋은 아침이다.

햇빛이 이렇게 세상을 다르게 만든다. 어제는 한시라도 빨리 벗어나고 싶던 루일리가 지금은 사랑스럽게까지 느껴지니 말이다. 다리로 가는 오후 버스표를 사 놓고 오랜만에 기분전환으로 나 자신에게 한턱 쓰기로 했다. 서구식으로 꾸민 고급식당에서 내가 평소에 먹는 음식값의 무려 열 배를 주고 맛있는 스테이크를 시켜 먹고 진토닉까지 한 잔 마셨다.

식당 통유리 창문 밖으로 다양한 차림의 사람들이 지나간다. 분홍색 승복을 입은 미얀마 여승들도 보이고, 진짜 꽁안들도 보이고, 긴 머리에 떡칠 화장을 하고 촌스러운 멋을 한껏 부린 미용사들도 보인다. 롱지를 입고 허리춤에 지갑을 꽂은 미얀마 남자들도 보이고, 반팔을 입었는가 하면 나처럼 한겨울 점퍼를 입은 사람도 보인다. 마술사처럼 까만 모자를 쓰고 까만 옷을 입은 저 사람은 어느 소수민족일까. 이렇게 다른 모습이지만 모두들 밝은 햇살 아래서 깨끗한 물 속의 고기들처럼 생기가 넘친다.

다리에 돌아가면 좋은 숙소를 잡아 놓고 적어도 보름 동안은 꼼짝도 말아야겠다. 엉덩이에 군살이 박이도록 차를 타고 옮겨다니는 것에서 벗어나 한 곳에 정착해 푹 쉬어야겠다. 포화상태가 된 머리와 마음을 비워야겠다.

나도 '도끼 가는 나무꾼' 이야기처럼 도끼 가는 시간을 가져야겠다. 나와 친한 사람들은 적어도 열 번 이상은 들었을 그 이야기는 이렇다.

어느 마을에 갑돌이와 을돌이라는 나무꾼이 살았는데 두 사람 모두 나무를 잘하기로 소문이 자자했다. 어느 날 동네 사람들이 해가 뜨면서부터 질 때까지 누가 더 나무를 많이 하는가 두 사람의 실력을 가려보기로 했다.

한시도 쉬지 않고 나무를 한 갑돌이는 자기가 이겼을 것이라고 믿어 의심치 않았다. 그런데 이게 웬걸, 을돌이의 나무가 훨씬 많은 것이다. 한시도 쉬지 않고 일을 했는데 어떻게 을돌이가 더 많이 할 수 있었을까? 궁금한 갑돌이가 물었다.

"어떻게 된 건가?"

을돌이가 대답했다.

"별것 아니라네. 나는 두 시간에 한 번씩 그늘에서 쉬면서 도끼를 갈았다네."

내게도 나무하던 손을 멈추고 숨을 돌리며 도끼를 가는 시간이 절실히 필요하다.

나그네가 잠시 길을 멈출 때

그러나 다리에서의 첫날은 쉬는 것과는 거리가 멀었다. 'MCA' 라는 게스트 하우스에서 잤는데, 새벽에 깨서 뜬눈으로 밤을 샜기 때문이다.

응접실을 개조해서 만든 기숙사에서 웬 망측한 신음소리가 들리는 것이 아닌가. 나는 화장실에 가려고 일어나려다 말고 얼른 침낭 속으로 다시 들어갔다. 내 다음 다음 침대에서 남녀가 일을 벌이고 있는 것이다. 침대 시트 속이긴 해도 움직임이며 소리며 완전히 포르노 영화를 생방송으로 보는 것 같다.

재네들 진짜 매너 없다. 그렇게 절박했으면 하룻밤이라도 독방에서 잘 것이지 여러 명이 같이 자는 기숙사엔 왜 드나. 만일 계획에 없던 일이라면 좀 조용조용히 해야 할 것 아닌가. 같은 기숙사방을 쓰고 있는 다른 세 명은 정말 자고 있는 건지 조용하다. 이런 장면에서는 모른 척해 주는 것이 예의인 건가. 나도 가고 싶은 화장실을 억지로 참고 그 사람들이 조용해지고도 한참 뒤까지 가만히 누워 있었다.

얇은 벽으로 겨우 칸을 막은 싸구려 여행자 숙소에서 묵을 때, 옆방에서 이런 소리가 들리는 것은 가끔 있는 일이라 지금은 별로 놀라지도 않는다. 그러나 처음 겪을 때는 상당한 충격을 받았다. 남녀 기숙사가 분리되어 있는 미국의 어느 유스 호스텔에서였다.

이층 침대의 아래칸에서 자고 있는데 침대가 하도 흔들리는 바람에 일어나 보니 글쎄, 위칸의 영국인 남녀가 나의 '인권'을 무시하고 광란의 시간을 보내는 중이었다. 아이고 데이고 망측해라. 그런데 왜 내 가슴이 이렇게 죄지은 사람처럼 쿵쾅거리나.

그 요란한 라이브 쇼는 급기야 여자가 아래로 굴러떨어지면서 끝났다. 남자 출입금지인 여자 숙소에 몰래 들어온 것도 잊어버렸는지 그 남자가 어찌나 호탕하게 웃어젖히던지. 이상하고 불쾌하게 생각하는 내가 오히려 잘못된 건가 한순간 헷갈렸었다.

다음날 숙소를 시내에서 가까운 '넘버 파이브' 게스트 하우스로 옮겼다. 새로 지은 대나무 건물과 정원에 있는 정자가 마음에 드는 곳이다. 침구며 방안에 있는 물건들이 새것과 다름없고, 제대로 된 침대가 있는 4인실이다. 해가 잘 드는 이층 베란다에는 작은 테이블과 의자가 놓여 있어서 햇볕쬐기와 글쓰기에도 안성맞춤이다.

가자마자 배낭 안에 가득 든 빨래를 한바탕 해치웠다. 침낭까지 빨까 하다가 참았다. 뜨거운 물로 샤워를 하고는 그동안 주고받았던 주소와 아무데나 써 놓았던 메모를 일기장에 잘 정리해 놓았다. 뒤죽박죽인 배낭 안도 버릴 것은 버려가며 정리를 했다.

따뜻한 햇살 아래 손톱 발톱까지 말끔하게 깎고 나니 속이 시원하다. 이제 잠이 오면 허리가 아플 때까지 며칠이고 실컷 자는 일만 남았다. 당분간 여기에 '정착' 할 거라는 생각만으로도 마음이 이렇게 여유로울 수 없다. 느긋한 기분으로 마시는 따뜻한 재스민차가 어찌나 향기로운지. 내 도끼 갈리는 소리가 들리는 것 같다.

다리의 나날은 정말 느긋하다. 늦잠 자고 일어나서 아침 겸 점심을 먹고 차 마시면서 책 보거나 글 쓰거나 중국어 공부를 하다가 저녁에는 운동삼아 동네 한 바퀴를 돌면서 다리 요구르트와 납작한 찰떡에 매운 된장을 넣어 구운 찹쌀떡을 먹는다.

외국인 거리의 카페에 있는 서가를 둘러보는 것도 즐거움 중의 하나다. 다리는 많은 외국인 여행자들이 오는 곳이라 그들이 읽고서 팔거나, 그냥 주거나, 바꾼 책이 제법 풍부한 목록을 이루고 있다.

한 곳에서 반갑게도 한국의 시사잡지 〈신동아〉를 발견했다. 좀 오래되긴 했지만 한국 소식을 가물에 콩 나듯 듣고 있는 내게는 모두가 생생한 뉴스다. 당장 빌려서 그날 밤부터 성경책인 양 끼고 다니며 읽었다. 첫장부터 끝장까지 마치 외어야 할 것처럼 읽고 또 읽었다. 그게 얼마나 재미있던지. 내 평생 딱딱한 월간 시사잡지를 그렇게 꿀맛으로 조금씩 아껴가며 읽은 적이 없다.

그러나 정작 그립고 목말랐던 건 그 책의 내용이 아니라 그 책에 씌어진 한글이었는지도 모른다.

내게 좋은 휴식처가 되고 있는 다리에는 여행자들이 많이 모인다. 인기가 좋은 곳은 나름대로 이유가 있는 법. 우선 다리는 기후가 온화하고 맑은 날이 많다. 고도 덕분인지 여름은 시원하고 겨울은 따뜻하다. 경치도 그만이다. 뒤에 산이 있고 앞에는 바다 같은 호수가 있고 그 산과 호수 사이에는 끝이 안 보이는 넓은 들이 있어 전체적으로 아주 평화로운 분위기를 자아낸다.

이곳은 역사적으로도 흥미를 끄는 곳이다. 13세기까지 여기에 바이족의 독자적인 왕조가 있었기 때문에 바이족의 독특한 풍습과 문화가 많이 남아 있다.

게다가 유명한 관광지치고는 작은 규모의 마을이라 정이 갈 뿐만 아니라 다른 관광지처럼 '관광객 따로, 현지인 따로' 가 아닌 '다 함께 짬뽕' 으로 잘 섞여 지내는 독특한 배낭족 문화가 있다. 무엇보다도 물가가 싸다. 싼 숙소, 싼 식당은 물론 저렴한 토속상품을 파는 선물가게도 있고, 콜렉트 콜, E메일 서비스, 인터넷도 있어 여행자가 편리하게 이용할 수 있다.

그러나 다리가 지금도 내게 아주 좋은 기억으로 남아 있는 이유는 역시 사람들 때문이다. 거기서 사귄 친구들 말이다. 여행을 다니다 보면 연말연시만큼은 될 수 있으면 낯선 곳, 낯선 사람들과 지내고 싶지 않다. 계획한 이주일이 지나고도 다리를 떠나지 못했던 것은 순전히 이 친구들과 연말 연시를 함께 보내고 싶어서였다.

처음으로 꼽을 친구는 내가 묵은 게스트 하우스 주인인 아롱과 웨이야다. 서른여섯 살의 아롱은 공군 출신 핸섬 보이로 비행기 정비사였는데, 제대하고 민간 항공사에 취직해서 첫 출근할 때까지 시간이 있어 배낭여행을 하다가, 다리에 와서 이 마을에 반해 게스트 하우스를 차릴 결심을 하면서 인생의 전환점을 맞은 사람이다. 아롱은 언제나 까만 가죽 점퍼에 청바지, 빨간 모직 머플러 차림이다. 늘 모자를 쓰고 있어서 대머리인 줄 알았는데 공군 시절에 얻은 습관이란다.

서른한 살의 부인 웨이야는 눈이 번쩍 뜨이는 도시형 미인에다가 총명한 머리를 갖춘 '다리의 보석' 이다. 상하이 출신으로 작년에 다리에 놀러 왔다가 아룽이 친 사랑의 덫에 걸려 올 6월에 결혼한 새댁이다. 어찌나 애교가 넘치고 예쁜 짓만 골라 하는지 남인 내가 봐도 사랑스러운데 아룽에게는 눈에 넣어도 아프지 않을 만큼 얼마나 귀여운 신부이겠는가.

웨이야는 나와 아룽이 영어로 이야기하는 것이 부러워 고개를 짤랑거린다.

"나도 영어를 할 수 있었으면."

"그러면 나와 같이 공부할까요? 나도 중국어를 배우고 싶으니까. 서로 한 시간씩 가르쳐 주면 되겠네."

내가 제안을 했더니 웨이야는 당장 좋다며 싱글벙글이다. 아룽도 숙소에는 외국 여행자가 많이 오니까 웨이야가 영어를 할 줄 알면 아주 좋겠다며 대환영이다.

아룽과 웨이야는 숙소에서 좀 떨어진 곳에 이층집을 샀는데, 수리를 하느라 임시로 게스트 하우스에서 거처하고 있어서 하루종일 얼굴을 맞대야 했기 때문에 더 친해졌다. 마침 게스트 하우스가 바쁘지 않은 시즌이어서 하루도 빼놓지 않고 함께 놀러 다녀서 그런 것도 있다.

다리 지역을 돌아가며 서는 오일장을 구경 다녔는데, 어느 날은 배를 타고 호수를 건너가기도 했다. 각 시장마다 특징이 있었지만 재미있는 것은 고성(古城)에서 서는 장이다. 그 장에 가니 한순간 어린 시절의 흑백사진 속으로 들어간 느낌이다.

진짜 죽은 쥐를 벌여놓고 옛날에 우리가 듣던 바로 그 목소리와 톤으로 쥐약을 파는 쥐약 장수 아저씨는 주위에 모여드는 아이들을 쫓는 폼도 옛날 그대로다. 집에서 키우던 닭을 품에 안고 서서 파는 아줌마들도 그렇고, 양, 소, 말 등은 물론 오리, 거위, 개까지 팔고 있는 동물장터도 그렇다.

한껏 멋을 부린 바이족들은 장사를 하러 나왔다기보다 잘 차려입고 나들이를 나온 사람들 같다. 바이족 전통의상은 '백족(白族)' 이라는 이름처럼 하얀 아래 윗도리에 붉은 허리띠를 둘렀다. 머리에 쓴 왕관 같은 모자에도 역시 붉은색 톤의 화려한 수를 놓았다. 나는 바이족이 팔고 있는 꿀을 한 종지 사면서 웨이야에게 말했다.

"내가 오늘 너 예쁘게 만들어 줄게."

"어떻게요?"

"잠깐만 기다려 봐."

집에 돌아와 꿀에 달걀, 요구르트를 넣고 개어 웨이야와 함께 마사지를 했다. 그런데 다음날 우리 둘은 벌건 가면을 쓰게 되고 말았다. 예뻐지려고 한 꿀마사지가 알레르기를 일으킨 것이다.

크리스마스날은 셋이서 머리를 맞대고 종업원과 투숙객이 모두 참여할 수 있는 프로그램을 만들었다. 크리스마스날 오후에는 탁구와 줄다리기 게임을 하고, 바이족 종업원에게 전통의상을 빌려 패션쇼도 했다. 밤에는 즉석 노래방과 신나는 디스코 파티도 벌였다.

그 며칠 후 정월 초하루에는 시장에서 파는 찰떡으로 한국식 떡국을 만들어 같이 먹었다.

웨이야와의 영어와 중국어 공부는 참 재미있다.

"영어는 참 이상해요. 짧게 이야기해도 될 걸 왜 그렇게 길게 이야기하지요?"

또 어떤 발음은 혀를 이빨 사이에 끼워 소리를 내는 모습이 점잖지 못하다며, 웨이야는 '치꽈이〔奇怪, 이상하다〕' 라는 말을 입에 달고 다닌다.

아롱과 웨이야는 돈 벌면 뒷산에 목장을 만들고, 카페를 차려놓고 말이나 타면서 한가롭게 살고 싶다고 한다. 나더러도 어떻게 살고 싶으냐고 묻는다.

“언제가 될지 모르지만 나도 인생의 한 시기는 텃밭이 있는 곳에서 온갖 채소를 가꾸고, 토끼와 닭들을 키우면서 한가롭게 살고 싶어.”

“그러면 다리가 제격이네. 마침 우리 옆집을 5만 위안(7백 만원 정도)에 사 놓았는데, 싼값에 되팔 테니 여기 와서 살아요.”

아롱이 권한다, 웨이야도 합세해서.

하하하하, 늙으면 정말 여기 와서 살까 보다.

혼자서도 외롭지 않은 회족 할머니

역시 잊을 수 없는 친구로는 고성 골목길 끝모퉁이 허름한 식당 훼이시엔스관〔惠鮮食官〕의 여주인 리궈시엔과 여종업원이다. 이 여주인은 나와 나이가 같은 ‘58년 개띠’ 인데, 표정은 무뚝뚝하지만 뚝배기 같이 은근하고 된장찌개같이 구수한 사람이다.

열아홉 살의 여종업원 ‘샤오지에〔小姐, 아가씨〕’ 는 언제나 나만 보면 웃는다. 몇 번 이름을 가르쳐주었는데 자꾸 잊어버려서 그냥 샤오지에라고 불렀다. 겨울이 그리 춥지도 않은 다리에서 손등이랑 귓불에 동상이 걸려서 보기에 안쓰럽다. 고생을 많이 해서 그런지 훨씬 나이가 들어 보인다.

한 그릇에 1위안짜리 쌀국수를 먹으러 갔다가 찬장 안에 버섯, 양파, 배추, 미나리, 두부 등이 눈에 띄어 그것들을 몽땅 섞어 볶아 달라고 했다. 순식간에 아주 만족스러운 채소볶음이 나왔다. 그날부터 거의 매일 점심, 혹은 저녁을 거기서 먹었는데 나만 나타나면 ‘한궈더 쑤차이(한국식 채소요리)?’ 라고 물으며 채소볶음을 만들어 준다.

어떤 날은 채소볶음 먹지 말고 자기가 주는 것 먹어보라며 돼지고기 반, 밥 반인 볶음밥과 돼지고기 만두를 내왔다. 웬 돼지고기 파티인가 했더니 바로 그날 집에서 돼지를 잡았단다.

"이분은 한국에서 온 손님이니 자리 좀 양보해요."

식당 안에 앉을 자리가 없을 때면 다른 손님들을 한 테이블에 몰고 자리를 마련해 준다.

하루 결석하고 다음날 들렀더니, 샤오지에는 부끄러워서 대놓고 반가워하지도 못하고 딴데를 쳐다보는 척하고, 아줌마는 다리를 떠난 줄 알았다며 아주 반가워한다. 내가 떠나면서 펑여우〔朋友, 친구〕에게 인사도 안 하고 가겠느냐고 했더니 내 어깨를 두드리며 수줍게 웃는다.

"뛰러, 뛰러, 니 쓰 워만더 펑여우(맞아, 너는 우리들의 친구지)."

다리를 떠나는 날, 오늘이 마지막이라고 했더니 이제 정말 가느냐면서 잠깐 기다리라더니 어딘가로 간다. 한참 만에 이 넉넉한 주인 아줌마는 지삼(地蔘)을 사가지고 돌아왔다. 윈난성 특산물로 '땅에서 나는 인삼'이라는 채소인데, 바삭바삭 튀겨 먹으면 맛도 있고 몸에도 아주 좋다면서 한국에 계신 어머니 갖다드리란다. 아주 뜨거운 기름에 살짝 튀기지 않으면 지삼 몸뚱이가 터져 보기가 싫다며 튀기는 시범까지 보여준다.

나도 한국 열쇠고리를 샤오지에와 아줌마에게 주었더니 식당 안에 있던 사람들이 열쇠고리를 보고 신기한 듯 얼마짜리냐고 자꾸 묻는다. 아줌마는 정색을 하면서 핀잔을 준다.

"지아거 메이 꾸안시. 저거 똥시 펑여우 쏭 게이 워더리우 (얼마이건 상관없어요. 이건 친구의 정표니까)."

아줌마는 열쇠고리를 받아서 얼른 주머니에 넣었다가 다시 꺼내 식당 안 잘 보이는 곳에 걸어둔다. 떠날 때는 골목길에서 안 보이는 데까지 손을 흔들며 "짜이 찌엔(다시 봐요)."을 열 번도 넘게 외치던 아줌마. 아무래도 그를 다시 보려면 아줌마가 한국에 오는 것보다 내가 중국에 가는 것이 백 배 빠르겠지.

'그래요. 아줌마, 그리고 샤오지에. 짜이 찌엔. 짜이 찌엔!'

웨이야와 아롱, 샤오지에와 리궈시엔도 물론 보고 싶지만 제일 생각나고 다시 보고 싶은 사람은 마화칭〔馬華淸〕 할머니다. 88세의 혼자 사시는 회족 할머니. 버스 정거장 앞에서 친구분들이랑 해바라기를 하고 계신 모습이 너무 좋아 사진 한 장 같이 찍자고 한 것이 인연이 되었다.

파란 인민복을 입었는데 중국 사람답지 않게 너무나 깨끗한 앞치마를 두르고 있는 것이 인상적이었다. 이가 하나도 없지만 볼도 홀쭉하지 않고 동그란 얼굴이 아주 곱게 늙으셨다.

"나이 나이, 닌 헌 피야오량(할머니, 참 고우시네요)."

내가 그랬더니 "아니야, 아주 못생겼어." 하시며 웃는데, 어찌나 천진하고 귀여운지 모른다. 할머니 집은 숙소에 가는 길목이라 오다가다 수시로 들렀다. 내가 들어서면 단칸방에 혼자 앉아 계시던 할머니 얼굴에 당장 화색이 돈다.

"칭 쭈오(어서 앉아)."

할머니 잡수시기 좋은 입에 잘 녹는 엿 등을 사다드렸더니 자꾸 나중에 먹겠단다. 왜 그러실까 잠깐 생각하다 그 이유를 알았다. 할머니가 회족이니 반드시 '칭쩐'으로 드셔야 한다는 것을 깜빡 잊었다.

그래서 다음날은 회족 과자집에서 빵과 과자를 사다드렸는데 여전히 나중에 드시겠단다. 알고 보니 그때가 해뜰 때부터 해질 때까지 금식을 해야 하는 아슬람교의 라마단 기간이다. 나이 든 노인이나 병자, 어린아이들은 금식이 면제가 됨에도 불구하고 90이 다 되어가는 분이 이렇게 열심히 지키신다.

할머니 큰아들은 가까운 도시 시하관에서 살고 있는데, 그곳에서는 당신이 할 일이 없다면서 친구도 있고 텃밭도 있는 이곳에서 사는 것이 더 좋다고 하신다. 아들과 손자는 일요일에 한 번씩 들른단다. 나이 드신 할머니가 얼마나 깔끔한지 부엌이 딸린 단칸방이 정리정돈도 아주 잘 되어 있고, 옷이며 이부자리도 너무너무 깨끗하다.

내 이름을 말씀드렸더니 부를 때마다 '한지아〔韓家〕!' 혹은 '한페이에에' 라고 장난스럽게 노래하듯 부르신다. 열심히 이야기할 때는 오른쪽 둘째손가락을 위로 들고 고개를 갸웃갸웃, 눈까지 아래위로 치켜뜨시고, 무언가를 강조할 때는 두 팔을 뒤로 젖히며 뽐내듯이 가슴을 앞으로 내밀고 이야기하는 모습이 너무나 사랑스럽다.

내가 이제부터 티베트로 갈 거라니까 굳은 표정으로 고개를 저으며 심각하게 말한다.

"나거 띠팡 헌 렁, 비에 취(그 지방은 아주 추워. 가지 마)."

귀가 잘 안 들리시는 할머니와 내가 워낙 말을 재미있게 주고받으니까 할머니 친구들이 의아해 하신다. 워낙 내 목소리가 큰데다가 중국어가 초보단계라 전하려는 주요 단어만 또박또박 말하고, 거기에 제스처까지 곁들이기 때문에 의사소통이 잘 되는 것이다.

하루에도 몇 번씩 얼굴을 비추다가 어느 날 웨이야 부부와 좀 멀리 있는 산에 가느라 저녁 늦게 들렀더니 늦은 시각인데도 할머니는 주무시지 않고 기다리고 계신다.

"어딜 갔다가 이렇게 늦게 와. 문 안 잠그고 기다렸어."

얼마나 좋아하시는지 그날 그냥 지나쳤으면 큰일날 뻔했다. 어느 날은 아침에 할머니와 찍은 사진을 저녁에 현상해다 드렸더니 깜짝 놀라면서 어린아이처럼 좋아하신다. 사진을 침대맡 메카 사진틀에 꽂아 놓아시며, "헌하오, 헌하오(좋아, 좋아)."를 연발하신다.

큰아들에게 뭐라고 말씀을 하셨는지 아들이 온다는 일요일에 "할머니, 저 왔어요." 하고 소리를 치며 들어갔더니 할머니 아들이 벌떡 일어나 고개를 숙인다.

"뭐라고 고맙다는 말씀을 드려야 할지 모르겠군요."

할머니는 어느 틈에 우리들의 '관계'를 아들에게 다 털어놓으셨나 보다. 쑥스럽다. 할머니네 놀러 다니면서 나도 얼마나 좋은 시간을 보내고 있는지 할머니는 아실까. 할머니 때문에 다리를 떠나는 날을 미룬 것도

나와 깊은 정을 나누었던 혼자 사시는 회족 할머니

모르시고, 이제 구정도 얼마 남지 않았으니 춘제까지 여기서 지내고 가라고 자꾸만 잡으신다. 티베트는 춥기도 하려니와 아는 사람도 한 사람 없는 곳에서 어떻게 명절을 보내겠느냐며 걱정이 이만저만이 아니시다.

하지만 정작 떠나는 날은 더이상 잡지 않으시며 당신이 7년간 아까워서 쓰지도 않고 있었다는 조그만 태국산 손지갑을 선물로 주시며 손을 흔드셨다.

"일루 핑안, 일루 순펑(길조심하고 하는 일마다 잘 되길 바래)."

목이 메는 것을 억지로 참으며 할머니를 힘껏 안아드렸다.

"워 용위안 왕부리아오(할머니 잊지 못할 거예요)."

할머니는 지금 잘 계실까? 내가 리지앙에서 다른 여행자 편에 손으로 짠 따뜻한 숄을 보내드렸는데 잘 받으셨는지? 티베트에서 보낸 엽서도 잘 받아보셨겠지?

웨이야와 아롱에게 자주 할머니를 들여다봐 달라고 부탁하고 왔지만 여전히 마음이 쓰인다.

할머니가 주신 손지갑은 오늘도 내 가방 안에 들어 있다. 일상적인 소지품을 넣어놓아 하루에도 몇 번씩 열게 되는 그 손지갑.

할머니가 보고 싶다.

여자가 이끌어가는 모계사회

모계사회의 흔적이 남아 있다는 루구호는 직선거리로는 가깝지만 곧장 연결되는 차편이 없어서 버스를 타고 가는데만 다리에서 리지앙을 거쳐 꼬박 이틀이 걸린다.

해발 2,685미터에 있는 이 호숫가 마을은 여기가 중국인가 싶을 만큼 믿어지지 않을 정도로 조용하고 한적하다. 교통이 불편해서인지 한겨울이어서인지 외국인 관광객은 찾아볼 수 없다.

내가 사람들이 잘 찾지 않는 이곳을 찾은 이유는 '여인천국' 이라는 모소족이 살고 있다는 정보 때문이다. 환상 속의 아마조네스가 아니라 진짜 여자를 중심으로 해서 살아가는 여인사회를 들어 본 일이 있는가?

이 마을은 윗마을까지 치면 1백 가구 이상의 제법 큰 규모지만 호숫가 근처 마을은 아주 작다. 나는 기왕이면 호숫가 민가에 묵고 싶어서 여기저기 기웃거리다가 마당에 말이 한 마리 매어져 있는 다 쓰러져가는 집을 발견했다. 대문도 없는 집에 들어서니 따뜻한 햇볕 아래 아저씨가 쪼그리고 앉아 염주를 굴리고 있고, 그 옆에서 강아지가 졸고 있다.

아저씨가 나를 보더니 그 집 딸을 부른다. 이곳 사람들은 대부분 글씨를 몰라 순전히 손가락과 그림, 제스처로 의사를 소통한다. 방값은 하루에 10위안, 세 끼를 식구들과 함께 먹고 16위안에 묵기로 했다.

호수가 정면으로 보이는 곳에 방을 잡고 점심을 먹으러 부엌으로 갔다. 스물아홉 먹었다는 큰딸 따스 치충르마가 화덕가의 좋은 자리를 얼른 내놓는다.

실내가 어두워 한참 만에야 집안 여기저기가 보인다. 우선 천장에 돼지다리며 돼지 기름덩이가 주렁주렁 매달려 있는 것이 눈에 들어온다. 이 커다란 부엌이 침실이자 거실이자 주방이자 아기방으로 모든 일상이 이루어지는 공간이다. 한구석에는 커다란 화덕이 있고, 화덕을 중심으로 모든 생활이 이어진다.

내가 들어갔을 때는 점심준비를 하고 있었다. 우선 천장에 매달려 있는 말린 돼지비계를 한 덩어리 쓱 베어서 냄비에 넣고 불 위에 올려놓는다. 돼지기름이 녹자 거기에 감자를 썰어넣고 볶는다. 또 천정에 걸린 순대를 한 50센티 정도 베어온다. 온 집안에 돼지기름 냄새가 진동을 하더니 밥 한 상을 차려오는데, 모든 반찬이 돼지에서 나온 것이다. 찻물에도 돼지기름이 둥둥 떠 있다. 나는 손님이라고 낮은 밥상에 차려주었지만 식구들은 모두 바닥에 식기를 놓고 먹는다.

한참 점심을 먹고 있는데 딸의 남편이 들어오더니 1분도 안 되어 큰 소리가 오고간다. 돌아가는 상황으로 보니 엄마와 큰딸이 한편이 되고 아버지와 사위가 한편이 되어 아이의 양육문제로 언쟁을 하는 것 같다.

재미있는 것은 딸의 목소리가 사위의 목소리보다 훨씬 크다는 것. 싸움이 시작된 지 얼마 되지도 않았는데, 딸은 더욱 기세등등해서 삿대질까지 해 가며 길길이 뛰는데 사위는 고개를 푹 숙인 채 불쏘시개로 애꿎은 불만 쑤신다. 한참 그렇게 당하더니 겸연쩍은 얼굴로 홱 나가버린다.

딸은 나가는 남편의 뒤통수에 대고 '이제는 끝이야, 다시는 이 근처에 얼씬도 마.' 하는 제스처를 해 보이고는 천연덕스럽게 불가에 앉아 먹던 밥을 마저 퍼먹는다. 아버지도 어느새 바깥으로 나가고 안 보인다.

점심을 먹고 설거지를 끝내자 여자들은 일을 하러 나가고 남자들은 집에 남아 햇볕을 쬐며 담배를 피우거나 염주를 굴리거나 아이를 본다. 나가서 돈 되는 일은 여자가 하고 남자는 집안일을 거들거나 무위도식하고 있다.

이곳 남자들의 커다란 소일거리는 '탑돌이'. 마을에는 빵 굽는 화덕같이 생긴 흰색 탑이 몇 개 있는데, 이 간이 신전을 돌면서 기도를 하는 것이다. 손에 장난감 같은 기도통을 들고 다른 한 손으로는 염주를 돌리면서 염불을 외며 탑 주위를 돈다.

그런데 아침에 보았던 사람이 점심때도 보이고 오후 늦게도 같은 사람이 탑을 돌고 있는 것을 보면 밥 먹고 하루종일 탑만 도나 보다. 다른 나라에서는 보통 여자들이 종교활동에 훨씬 열심인데 이곳은 남자들이 그렇다. 이곳의 종교는 라마교란다.

이 동네의 두드러진 특징은 무엇보다 여자들의 활달함이다. 여자들은 아침에 여러가지 일을 하고 한가한 시간을 내어 길가에 장작불을 피워놓고 둘러앉아 아주 큰 소리로 잡담을 한다. 집 안에 모여앉아 조용히 카드놀이를 하는 남자들과는 대조적이다.

여자들의 옷은 아주 화려하다. 머리에는 밝은 핑크색 스카프를 잘 틀어서 우리 나라 '큰머리' 하듯 올리고, 하얀 치마와 윗도리에 아주 밝은 초록색 조끼를 입고 있다. 사진을 찍어도 되나 망설이고 있는데, 무리 중의 한 아줌마가 손짓을 하며 부른다. 옳다구나 하고 아줌마 곁에 가서 앉았더니, 다짜고짜 묻는다.

"니더 난 펑여우 짜이나알(네 남자 친구는 어디 있니)?"

"메이여우(없어요)."

그러자 이곳에 남자들이 많으니 하나 골라 잡으면 자기가 밤에 데려다 주겠다며, 왼손 엄지와 검지로 동그라미를 만들고 오른손 가운뎃손가락을 넣어보이는 야한 제스처를 한다. 둘러앉은 여자들은 좋다고 깔깔거리고. 이곳 여자들은 이런 야한 농담을 스스럼없이 즐기는 듯하다.

한낮 햇빛 속의 루구호가 파란 호수 가운데 떠 있는 검은 섬과 울긋불긋한 민속의상을 입고 노를 젓는 여자들로 볼만 하다면 달빛 아래 호수는 물에 비친 검은 산들과 검푸른 물 빛깔이 아름답다.

모계사회 모소족 집안의 식사풍경.
여자들은 화려하고 씩씩한 데 비해 남자들은 초라하고 조용하다.

밤이 되니 기온이 뚝 떨어져 잠을 이룰 수 없을 정도로 춥다. 그러나 방에는 난방시설이 전혀 없어서 따뜻한 것이라고는 오로지 내 몸뿐이다. 뜨거운 물이라도 한 잔 마셔야 잠을 잘 수 있을 것 같아 9시가 넘었지만 염치불구하고 부엌문을 두드렸다. 이 집 엄마가 문을 열어주며 추우니까 얼른 들어오라는 시늉을 한다.

통나무로 얼기설기 지은 집이라 몹시 추울 줄 알았는데 집 안에 들어가니 따뜻한 온기가 가득하다. 내가 들어가자 마른 옥수수대를 여러 대 꺼질 듯한 불에 집어넣고 입으로 바람을 불어 불꽃을 살린다.

집안의 서열을 나타내듯이 제일 따뜻한 불 옆에는 엄마가 자고 조금 떨어진 곳에 큰딸과 어린아이가 웅크리고 자고 있다. 남편과 사위는 보이지 않는다. 어디 갔느냐고 묻자, "메이여우, 메이여우(없어요, 없어)."만 되풀이한다. 모소족을 포함한 모계사회 여자들은 엄마가 가장으로 최후의 결정권을 가지며, 집안 대소사와 재산을 관리하고, 대도 잇는다더니 그 말이 맞나 보다.

어느 책에서 보니 이 지방에서는 결혼이라는 것이 없고, 남자들은 여자에게 선택되어 씨받이 노릇을 하러 밤에만 왔다 간다고 한다. 그것도 여자가 지정한 날짜에만 뒷문으로 드나든단다.

여자들은 몇 남자라도 거느릴 수 있기 때문에 어느 동네에는 아버지라는 단어조차 없다. 아이들은 물론 여자가 키우는데 한 집의 아이들도 아버지가 다른 경우가 흔하지만 아무런 흉이 되지 않는다. 부계사회와 엄청나게 다른 것 같지만 반대로만 생각하면 된다. 여자들이 부모를 모시고, 재산도 큰딸이나 막내딸에게 상속된다. 집안에서 남자가 필요할 때는 외삼촌이 그 역할을 한다. 다리와 리지앙 사이에는 여성성기를 모셔놓은 수백 년 된 사당이 있다. 다른 지역의 남근 신앙과 대조적이다.

나는 수천 년 전의 화석이라도 찾듯 루구호의 모계사회를 구경하러 왔는데, 최근에는 선진 문명이라는 서구 유럽에서도 비슷한 현상이 나타나고 있으니 아이러니컬하다. 여자들은 결혼을 하지 않고 정자은행을 통해 아이를 낳아 여자의 성을 준다거나, 동거나 결혼이 깨졌을 때 양육권을 대부분 여자들이 갖는다거나 하면서 점점 현대판 모계사회가 되어가고 있다는 점에서 말이다. 이런 나라의 남자들은 아버지와 남편의 역할이 사라지는 현상을 심각하게 받아들여 '아버지 자리찾기 운동'을 활발하게 벌이고 있다고 한다.

그나저나 이럴 때 말이 통하면 얼마나 좋을까. 남자가 없는 방에서 밤새도록 궁금한 것도 물어보고, 모계사회의 모습을 속속들이 확인해 보면서 신기한 이야기를 많이 들을 수 있었을 텐데 말이다.

루구호를 떠나면서 어쩐지 미진한 느낌이 드는 것은 말이 통하지 않아서만이 아니라 오지에 대한 기대가 채워지지 않았기 때문인 것 같다. 중국은 어디든지 교통망과 행정조직으로 잘 연결되어 있어서 동남아시아나 아프리카와 같은 철저히 고립된 오지를 기대할 수 없다는 것을 다시 한번 깨닫는다.

나시족 마을에서 만난 '생명의 양식' 한국 라면

리지앙에 처음 갔을 때는 깜짝 놀랐다. '올드 타운' 이라는 고성 안의 새 건물을 부수고 있었기 때문이다. 왜 멀쩡한 건물을 부수나 했는데, 알고 보니 유네스코에서 그곳을 문화보존지구로 지정해 모든 건물을 옛날식으로 다시 짓느라 그런 것이었다. 두 번째 갔을 때에도 건물 짓는 일이 아직 덜 끝나 있다.

리지앙에 오면 올드 타운에서 묵어야 한다. 그래야 나시족 마을에 들어왔다는 느낌을 가질 수 있다. 길거리 간판마다 한자와 나시족 문자가 함께 씌어 있는데, 이 동방문자는 일종의 그림문자다. 예를 들어 이발소에는 사람 머리와 가위가 그려져 있고, 음식점에는 그릇과 젓가락이 그려져 있다.

남자들은 공원에 앉아 새나 바라보고 있는 동안 뒤에 벌무늬가 있는 파란색의 나시족 전통의상을 입은 여자들이 이마로 벽돌을 나르며 골목길을 지나간다.

올드 타운을 이리 저리 흐르는 샛강이 바로 이곳 사람들의 젖줄이다. 여기서 채소도 씻고, 빨래도 하고, 세수도 한다. 지진으로 많이 무너지긴 했지만 아직도 수백 년 된 검은 기와집들이 많이 남아 있어 고풍스럽다. 중앙 광장에 있는 시장은 마오쩌둥 배지라든가 학습서, 오래된 거울과 패물, 나시족 의상, 집에서 쓰던 조그만 대나무 상자들을 팔고 있다.

고성 안 어디서나 보이는 눈 덮인 위룽윈산〔玉龍雲山〕의 당당한 모습도 아름답다.

고성 안을 돌아다니다가 우연히 한글로 '벚꽃마을' 이라고 씌어 있는 식당을 보았다. 반가운 마음에 들어가니 김명애라는 한국 유학생이 중국 남자친구의 식당일을 돕고 있다. 한참 이런저런 이야기를 하다가 명애가 묻는다.

"언니, 한국 음식 뭐 먹고 싶어요? 내가 만들어 줄게요."

"명애는 유학하면서 뭐가 제일 먹고 싶던? 바로 바로 그건데."

"한국 라면!"

우리는 눈을 마주치며 합창을 하고는 깔깔 웃었다. 명애는 한국 라면에 얽힌 웃지 못할 이야기를 들려주었다.

이곳에 온 지 얼마 되지 않아 고성 안에 볼일이 있어 갔다가 어떤 쓰레기더미를 보고 눈이 번쩍 띄었단다. 꿈에도 그리던 빨간 한국 라면 봉지가 삐죽 나와 있었던 것이다. 너무 반가워서 더러운 줄도 모르고 지저분한 쓰레기더미를 헤쳐 라면 봉지를 꺼내, 그 봉지를 들고 주변 가게를 탐문 수색하기 시작했다.

"이런 라면 있어요?"

"메이여우(없어요)."

그렇게 열 군데 정도를 다녔는데, 돌아오는 대답은 전부 '메이여우' 였다. 여기 왔던 한국 관광객이 버리고 간 것이라고 생각하고 거의 포기하고 있었는데 기대도 않고 물어본 어느 허름한 가게에서 뜻밖의 대답이 돌아왔다.

"여우(있어요)."

가게 주인이 한 봉지를 꺼내길래 더 달라고 했다.

"있는 대로 다 주세요, 몽땅 살 테니."

주인은 의아한 표정으로 다섯 봉지를 내놓고 25위안을 내라고 하더란다. 중국 라면 한 봉지는 겨우 1위안인데. 두말 않고 돈을 건네주니 가게 주인은 말할 것도 없이 땡잡았다는 표정. 나중에 알고 보니 이 라면은 이곳에 큰 지진이 났을 때 한국 적십자사에서 구호물자로 보내와 무료로 나눠준 것이었다. 너무 매워서 중국 사람들이 먹지 않고 내놓은 덕에 명애가 '생명의 양식' 을 얻은 것이다.

나의 '한국 라면 사랑' 도 이에 뒤지지 않는다. 세계 어디에서나 사실 손

쉽게 구할 수 있는 것이 인스턴트 라면이지만 나는 '한국 라면' 한 봉지씩을 꼭 가지고 다닌다.

여행 초기에는 무조건 배낭을 작고 가볍게 싸야 한다는 생각에 수프만 가지고 다니면서 현지에서 구한 면에 한국 수프로 국물맛을 내었는데 이런 '사이비'로는 성이 차지 않아 이제는 봉지째로 가지고 다닌다. 딱 한 봉지밖에 없으니 먹고 싶을 때마다 먹을 수는 없지만 가지고 있다는 것 자체가 '마음의 안정'을 가져온다.

그래서 보통때는 자린고비의 조기반찬처럼 식사할 때 옆에 꺼내놓고 '보기만' 하는데 더이상 참을 수 없어 먹어버렸다면 다음 한국 라면이 생길 때까지 그 봉지를 보물단지처럼 가지고 다녔다. 이만하면 나도 '한국 라면을 사랑하는 사람들의 모임'에 회원자격이 있는 거겠지.

남자는 빈둥빈둥, 돼지도 여자가 잡아

리지앙은 여행자들이 많이 다니는 곳이어서 아주 작은 식당에서도 이탈리아, 일본, 이스라엘 음식 등 세계 각국의 음식을 판다. 그런데 그 메뉴에 우리 나라 음식이 빠져 있으니 내가 김치와 불고기 만드는 법을 가르쳐주어야겠다고 생각했다.

이 동네에서 외국인 배낭여행자에게 가장 인기가 있는 '마마 푸' 식당에서 그런 한국 음식을 자청해서 만들어주며 민간 외교를 벌이고 있을 때 옆에서 아주 열심히 지켜보던 아가씨가 있었다. 이름은 장윈허〔張雲河〕, 집은 시골이고 오리지널 나시족이란다.

윈허는 영어도 읽을 줄 알고 한자도 쓸 줄 알아 아쉬운 대로 의사소통이 가능했다. 무엇보다 순진하게 웃는 모습이 마음에 들었다. 나시족의 본고장이라는 리지앙까지 와서 민박 한 번 못해 보고 가나 안타까워하던 차라 윈허에게 한번 물어나 보기로 했다.

"너희 집에 며칠 묵을 수 있겠니?"

"커이(좋아요)."

밑져야 본전이라는 심정이었는데, 단번에 그렇게 하잔다. 식당 주인도 이틀간 원허에게 휴가를 줄 테니 놀다 오라고 후한 인심을 쓴다.

원허네 집은 리지앙에서 30분 정도 들어간 곳이었다. 부모님과 여동생이 같이 살고 있다고 해서 돼지고기, 과일, 술 등을 샀다. 원허는 이러면 안 된다고 돈을 뺏고 눈을 흘기고 난리였지만, 그래도 한국 사람 체면이 있지, 빈손으로 남의 집에 놀러갈 수야 있나?

원허네 동네는 전형적인 나시족 농촌으로 농사를 주로 짓고 여자들은 돼지를 키우고 있었다. 1996년 2월 3일 리지앙에 강도 7이 넘는 대지진이 나서 수백 명이 죽거나 다쳤는데, 이 마을도 지진의 피해가 역력했다. 진흙으로 만든 담은 이리 삐뚤 저리 삐뚤. 문틀은 일그러지고 축사에도 여기저기 커다란 금이 나 있다.

원허네 집도 지진으로 내려앉았는데, 1년이 지나도록 보수할 여유가 없어 마당 한쪽에 통나무로 지은 간이숙소에서 지내고 있다. 집에 들어가니 파란색 모자를 쓰고 파란 앞치마를 두른 자그마한 몸집의 엄마가 마당까지 뛰어나온다. 전화가 없어 내가 오는 줄도, 내가 누군 줄도 모르면서 말이다.

저녁 식사를 준비하는 엄마와 원허를 돕기 위해 부엌으로 들어갔다. 부엌에는 대형 프라이팬인 왁과 간단한 식기가 몇 개 있을 뿐 거의 아무것도 없다. 아주 시골에 가도 부엌에는 돼지다리나 비곗덩어리가 주렁주렁 걸려 있게 마련인데, 이 집에는 그런 것도 눈에 띄지 않는다. 궁색한 살림인 것이 한눈에 드러난다.

원허가 바로 옆에 있는 삼촌네 밭에서 배추를 한 포기 뽑아와 돼지고기를 넣고 국을 끓이고, 또 어디에선가 달걀을 구해와 부치고, 깍두기 비슷하게 고춧가루와 소금에 절인 무를 내놓으니 순식간에 아주 맛있는 저녁상이 차려졌다. 우리 나라 순대보다 두 배 정도 굵은 왕순대도 상에 올라왔다.

상을 차리는 동안 삼촌네가 한국에서 온 손님을 구경왔다가 이 집 엄마가 하도 간곡하게 권하는 바람에 주저앉았고, 곧 신발가게에서 일한다는 여동생도 와서 상에 둘러앉았다.

여기서도 루구호와 마찬가지로 돼지비계가 제일 맛있는 별미인 듯 아버지와 윈허가 번갈아가며 내 밥그릇에 크게 썬 비계를 올려놓는다. 밥을 다 먹어갈 때까지 엄마는 부엌과 밥상 사이를 왔다갔다하느라 제대로 앉아 있을 새도 없다.

나시족 여자들은 일을 열심히 하기로 유명하다. 나시의 전통복장에는 앞치마를 뒤로 입은 것처럼 생긴 옷이 있는데 거기에 별 모양이 일곱 개 있다. 어떤 사람은 그것이 아침별 보고 일어나서 저녁별 뜰 때까지 일한다는 의미라고 하고, 어떤 책에는 그것이 벌과 나비 모양인데 벌처럼 열심히 일한다는 표시라고 한다.

여자가 왜 그렇게 열심히 일을 하는가? 그건 남자들이 자기 몫의 할 일을 안하고 빤질대기 때문이다.

리지앙의 고성에서 만난, 전직 영어교사였던 여든 살 할아버지가 영어로 들려준 이야기는 이러하다.

문화혁명이 나기 전에는 나시족 대부분의 남자들이 아편을 했기 때문에 그때는 더 가관이었다. 할아버지의 집은 대대로 내려오는 지주였는데 어머니가 시내에서 금은방을 운영했다.

한시도 쉴 수 없는 어머니와는 다르게 아버지는 보통 점심때가 다 되어서야 일어나 하루종일 아편과 마작을 번갈아 하고, 조롱 속에 넣어둔 새를 구경하면서 빈둥거렸다. 문화혁명 전의 나시족 부유층 남자들의 이런 일상생활을 스스로 '하루에 아편 세 번, 마작 네 바람'이라고 했다. 마작은 1순회하는 게임 한 판을 바람이라고 한다.

그러면 여자들의 일상은 어떠했던가. 아버지가 기억하는 어머니의 생활은 이랬다.

"어머니는 새벽 5시 정도면 일어나셨어요. 일어나자마자 우선 강으로 가서 물을 길어오시고 콩을 갈아 매일 아침 두부를 만드셨어요. 그러고는 돼지 우리에 가서 돼지를 건사하고, 아침을 지어 식구들에게 먹이고는 가게에 나가 저녁 늦게까지 일을 하셨어요. 저녁에 다시 집에 와서는 또 밥을 짓고 집안 식구들을 보살폈지요."

심지어는 돼지 잡는 일도 순전히 어머니의 몫이었다고 한다. 수백 년 이상 이렇게 내려온 전통이 문화혁명이 나자 겉으로는 잠시 없어진 듯했다. 우선 아편을 피울 수 없고, 마작도 할 수 없고, 모든 사람들이 어떤 종류의 일이든 하는 척이라도 해야 했기 때문이다.

그러나 지금까지도 나시족 남자들은 여전히 힘든 일은 여자에게 미루는 경향이 남아 있다. 지진으로 박살난 도시에 건축붐이 일어도 돌을 나르거나 나무를 다루는 남자 중에 나시족은 거의 없다. 반면 어깨에 돌이나 모래를 잔뜩 짊어진 나시족 여자들은 리지앙 고성에서 얼마든지 쉽게 볼 수 있다.

"이런 불공평한 일의 분담을 할아버지는 어떻게 생각하세요?"

"우리가 어떻게 할 수 없는 전통이지요. 마오쩌둥과 덩샤오핑도 없애려고 했지만 보세요. 지금도 그대로 가고 있잖아요."

할아버지는 나시족의 수천 년 된 전통이라고 변명하지만 내게는 여기 남자들이 그 전통을 핑계삼아 어떻게든 일을 안해보려는 '수작' 같이 느껴졌다.

윈허네 집에서 잘 때가 되자 갑자기 집안 식구들 모두가 분주하다. 왜 그런가 했더니 손님을 바깥 간이숙소에서 재울 수 없다며 1년간 쓰지 않던 본채의 방을 치우고, 나무 침대를 닦고, 그 위에 지푸라기를 푹신하게 깔아 잠자리를 마련한다. 덮으라고 준 꽃무늬가 요란한 담요는 포장을 뜯지도 않은 새것이다. 혹시 원허의 혼수감을 헐어서 쓰는 건 아닌가 은근히 걱정이 되었다.

다음날은 옆집에 원허 삼촌네 배추밭에서 내다팔 배추도 뽑고, 원허 엄마를 도와 외양간에 여물도 갖다주고, 우물에서 물도 길어오면서 하루를 보냈다. 원허 엄마는 처음에는 안 된다고 극구 말렸지만 나중에는 아주 좋아하신다.

리지앙으로 돌아오는 날, 엄마와 여동생이 또 분주하게 집 안을 왔다갔다 한다. 그러더니 해바라기씨와 사과 등을 커다란 쇼핑 백에 하나 가득 싸 준다. 사태를 알아차린 내가 그렇게 무거운 짐을 가지고 다닐 수 없다고 사정을 해도 한국 식구들 갖다주라고 막무가내로 떠안긴다. 내 사정을 잘 아는 원허도 옆에서 웃기만 할 뿐 말릴 생각을 안한다.

그 후 1년 만에 다시 리지앙에 들르게 되었을 때, 혹시 원허를 만날 수 있을까 하고 '마마 푸' 식당을 찾았다. 식당 주인은 그 자리 가게를 팔고 고성 안에서 다른 이름으로 식당을 하고 있었다. 전에 왔을 때 임신 중이던 부인은 세리라는 귀여운 딸을 낳았다. 원허 소식을 물어보니 리지앙에서 제일 고급인 호텔에서 일하고 있단다. 당장 찾아가니, 세련된 유니폼을 입고 뒤로 빗어 쪽찐 머리가 약간 낯설어 보이는 원허가 뛸 듯이 기뻐한다.

"나 영어 많이 늘었지요?"

원허가 조심스럽게 묻는다. 전에 리지앙을 떠날 때, 다시 들를 테니 그때까지 영어공부 열심히 하고 있으라고, 내가 다시 와서 시험보겠다고 했던 것을 기억하는 것이다. 약속대로 열심히 공부했던지 정말 많이 늘었다. 그러면서 당장 자기 집으로 가잔다.

지진으로 다 쓰러져가는 집은 여전히 보수가 안된 채로 있다. 채소밭에서 일하고 있던 원허의 엄마는 나를 알아보고 놀라며 뛰어나와 내 손을 잡고 흔든다.

"환잉, 환잉니(어서 오세요). 이번에는 우리집에서 오랫동안 있어야 해요."

원허의 집은 그동안 형편이 나아졌는지 소와 돼지도 불어나고 전에는 없던 토끼도 스무 마리 넘게 기르고 있다. 괜히 내 마음이 놓인다.

가는 곳마다 입어보던 전통의상을 저번에 여기 와서는 입어보지 못해 아쉬웠는데, 이번에는 원허 고모에게 나시족 의상을 빌려다가 입어도 보고 사진도 찍었다. 나시족 전통의상을 입은 원허는 양장을 했을 때보다 훨씬 예쁘고 멋있다. 원허의 식구들도 나시옷을 입은 나를 보고 꼭 나시족 같다고 입을 모은다.

다음날 떠나려고 하니까 원허 부모님이 또 먹을 것을 내가 들고 갈 수 없을 정도로 바리바리 싸준다. 많은 것이 변했어도 인심은 여전하다.

전설 속의 티베트,
사라져가는 신의 나라

티베트 스님이 사원 지붕에 앉아 내게 열심히 영어를 배웠다.

폭설 너머에 강렬한 빛깔이 있다

구름 아래 첫 동네라는 중국 윈난성에서 세계의 지붕인 티베트까지 가는 길은 여행이라면 이제 어느 정도 이력이 난 내게도 멀고 힘이 들었다.

티베트 지역은 1984년에야 겨우 외국인의 개인 여행이 허락되었는데, 87년의 라싸〔拉薩〕 독립운동 이후 92년까지 다시 엄격히 금지되었다. 독립운동의 현장을 사진으로 찍어 전세계에 알린 사람들이 바로 당시 그곳에 있던 외국 여행자들이었기 때문이다. 그후 허가와 통제를 거듭해왔는데, 97년 10월 미국의 한 의원이 쓴 티베트 인권에 관한 보고서에 격분한 중국 당국이 또다시 통제를 하리라는 소문이 무성하다.

나는 원래 윈난성의 중띠엔에서 장족 순례자들의 트럭을 타고 티베트 자치구의 주도인 라싸까지 가려고 했다. 이 길 외에도 육로로 라싸까지 가는 길은 몇 가지 더 있다. 신장에서 티베트 서쪽의 알리를 거쳐 가는 길, 쓰촨성의 청두에서 리탕을 거쳐 가는 길, 그리고 칭하이성의 꺼얼무에서 가는 길이다. 외국인에게는 꺼얼무 길만 합법적으로 허용되고 있다.

내가 가려는 길로 가면 닷새가 걸린다고도 하고 이주일 이상 걸린다고도 한다. 또 추운 겨울이라 덮개도 없는 트럭을 타고 가려면 몹시 추울 것이라고 한다. 하지만 갈 수만 있다면 걸리는 시간이나 고생은 크게 걱정이 되지 않는다.

문제는 이 루트가 외국인 절대 통행금지라 길목마다 꽁안이 삼엄하게 지키고 있는데 발각되면 벌금을 내고 되돌아와야 한다는 것이다. 그러나 그동안 얻은 정보를 종합하면 벌금은 5백 위안에서 최대한 1천 위안이니 만약 걸린다 해도 라싸까지 갈 수만 있다면 얼마든지 감수하리라고 생각했다.

이렇게 가지 말라는 길을 굳이 가려는 것은 못 가게 하니까 더 가고 싶은 청개구리 심보가 발동했기 때문만은 아니다. 경치가 기가 막히다는 이야기를 들은데다, 한 번 갔던 길은 다시 가고 싶지 않은 여행자의 심리 때문이다. 그러나 그것보다도 더 큰 이유는 장족 순례자들과 섞여 며칠간 먹고 자고 뒹굴며 동고동락해 보고 싶었다.

일단 중띠엔으로 가보기로 했다. 티베트 자치구에 가까워 라싸까지 가는 트럭을 구할 수도 있다는 곳이다. 리지앙에서 만난 사람들은 가보아야 소용이 없을 거라고 한다. 지난번 폭설이 내려 길이 끊어졌기도 하거니와 만약 갈 수 있다고 하더라도 겨울에는 순례객이 많지 않아 차를 얻어 타기 어려울 거란다. 그러나 가장 정확한 것은 가보아야 알 수 있는 일이다.

중띠엔에 도착해 라싸에 가는 방법을 물으니 사람들은 웬 뜬금없는 소리를 하느냐는 표정으로 고개를 설레설레 젓는다. 요즘에는 꽁안이 하도 쫙 깔려 있어서 트럭 운전사에게 주는 뇌물만으로는 소용이 없다는 것이다. 내가 홍콩 사람이라고 속이면 갈 수도 있지 않겠느냐니까 지금은 눈으로 길이 막혀 거기 가는 트럭조차 없다고 한다.

외국인 숙소 주인 아저씨는 5, 6월이면 자신이 순례자 트럭을 물색해줄 수도 있다며 이번에는 가장 안전한 길인 판지화에서 청두, 란저우를 거쳐 라싸로 가는 코스를 권한다. 어느 정도 예상은 하고 있었지만 낭패다. 판지화, 청두, 란저우. 여기는 이미 다녀온 곳이 아니냐. 따로 만날 친구도 없는데, 같은 곳을 두 번 가는 일은 정말 딱 질색이다. 그나저나 그렇게 가려면 또 얼마나 걸릴까. 생각만 해도 끔찍하다.

길이야 어떻든 티베트에 가면 근사할 것만은 틀림없다. 중띠엔만 와도 이렇게 티베트 냄새가 물씬 나니 말이다. 푸른 하늘에 강렬한 햇빛. 하얀 눈을 쓰고 있는 선이 부드러운 황토색 산. 그 산을 배경으로 우뚝 솟아있는 하얀 사원. 자주색과 핏빛을 섞은 것 같은 승복을 입은 라마승들. 승려들은 한시도 쉬지 않고 '옴 마니 뻬드메 훔'이라는 진언을 외우고 있다.

조금만 걸어도 숨이 가쁘다. 감기도 걸리지 않았는데 콧물이 줄줄 흐르고 코딱지도 많이 나온다. 이곳은 이미 해발 3,200미터다. 아주 따가운

햇살 때문에 얼굴에는 선탠로션을 바르고 선글라스도 찾아서 써야 한다.

여기가 이 정도이니 티베트에 가면 강렬한 자외선 때문에 주근깨가 도져 깨박사 되는 것은 시간문제겠다.

1998년 1월 13일 오전 나는 티베트로 가는 '대장정'에 오른다. 판지화, 청두, 란저우, 꺼얼무를 거쳐 라싸로 가는 길이다. 아침에 일어나니 눈발이 제법 쌓여 한겨울의 정취를 자아낸다. 오늘부터 부지런히 가면 일주일이면 라싸에 도착할 수 있을까?

16시간 만인 다음날 새벽 판지화역에 도착했다. 청두 가는 아침 기차표를 사 놓고 간단하게 흰죽으로 아침을 때우고는 대합실로 갔다. 여기서 청두까지는 14시간 정도 걸린다니 오늘 저녁은 어쩌면 여관에서 샤워도 하고 집에 전화도 할 수 있을 것 같다. 어떻든 청두에서 란저우 가는 기차표 사기가 어렵지나 않았으면 좋겠다.

새벽 기차역 대합실 풍경은 가관이다. 한마디로 전체가 거대한 쓰레기통이다. 사방에 과일 껍질, 땅콩깍지, 해바라기씨 껍질에 휴지와 누런 가래침 같은 것들이 발 디딜 틈 없이 널려 있고, 건물 네 귀퉁이에는 오줌이 강을 이룬다.

그 오줌의 강과 가래침 바다에도 개의치 않고 신문지를 깔고 자는 사람들, 아예 이불을 싸 가지고 와서 식구수대로 엉켜서 자는 사람들. 자는 척하는 사람까지 깨워서 돈을 달라는 매우 적극적인 거지들. 그리고 중국의 소리. 남녀노소 누구나 시도 때도 없이 내는 그 소리. 목구멍을 될수록 힘껏 훑어서 혼신의 힘을 다해 내쏘는 소리. 크으으악, 퉤 퉤. 가래 내뱉는 소리.

무슨 잠이 그렇게 쏟아지는지 청두까지 가는 길 내내 목이 부러져라 꾸벅꾸벅 졸면서 갔다. 어느 긴 굴을 빠져나오는 순간 바라본 창 밖에는 겨울이 봄으로 바뀌며 노란 유채꽃밭이 초록색 밭들 사이로 눈부시도록 아

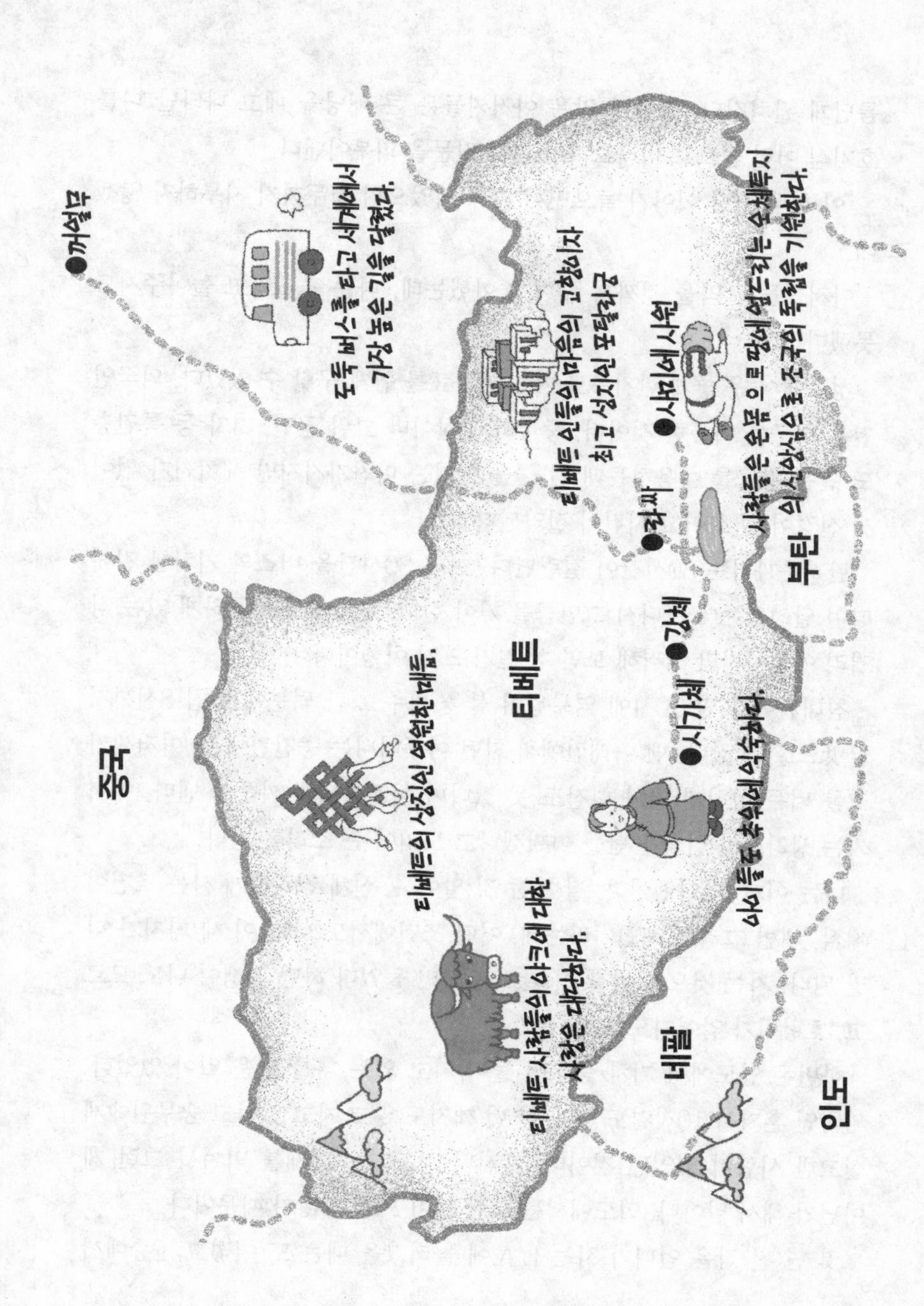
중국
●까얼무
도두 버스를 타고 세계에서
가장 높은 길을 달렸다.
티베트 신들의 마음의 고향이자
최고 성지인 포탈라궁
●사미에 사원
●라싸
사람들은 온몸으로 땅에 엎드리는 오체투지
의 신앙심으로 조국의 독립을 기원한다.
부탄
티베트
●강체
●시가체
티베트의 상징인 영원한 매듭.
아이들도 추위에 익숙하다.
티베트 사람들의 야크에 대한
사랑은 대단하다.
네팔
인도

름답게 펼쳐진다. 주위에 앉은 아저씨들은 큰 배낭을 메고 나타난 나를 호기심 어린 눈으로 바라보다가 온갖 질문을 퍼부어댄다.

"이 한국 꾸냥 이야기 들으면서 가게 되었으니 청두까지 지루하지 않겠네."

아저씨들은 먹을 것까지 주며 좋아했는데, 나는 조느라고 놀아주지도 못했다.

청두에서 운 좋게 란저우로 가는 기차표를 쉽게 구할 수 있었다. 외국인 전용 창구를 이용한 것이다. 중국의 경찰이나 고위 군인, 기자 등 특권층도 같은 창구를 이용하는데 긴 줄을 서기는 마찬가지지만 새치기가 없어서 신경이 덜 쓰이고 시간이 절약된다.

란저우까지는 30시간이 걸린단다. 이미 30시간을 버스와 기차를 갈아타며 달려왔는데 또다시 그만큼을 가야 한다. 중국에서는 흔하게 있는 장거리 여행이지만 생각해 보면 참 길기도 긴 여행이다.

침대칸이라 밤 10시에 역무원이 불을 꺼주고 간 덕분에 아침 8시까지 꿀맛으로 잘 잤다. 맨 아래칸에서 자던 아주머니는 중간칸에 탄 아저씨가 코를 너무 심하게 골아 한잠도 못 잤다며 아저씨에게 짜증을 낸다. 아저씨는 생리적인 현상을 난들 어쩌겠냐고 도리어 큰 소리를 친다.

나는 이게 참 다행이다. 잘 자는 것 말이다. 신체 건강하게 사는 조건이 쾌식, 쾌변 그리고 쾌면이라는데, 어떤 조건에서도 나는 이 세 가지가 다 잘 된다. 자는 것으로 말할 것 같으면 잠만 들었다 하면 전쟁이 나도 모르고, 호랑이가 업어가도 모른다.

한번은 인도에서 기차 승무원 둘이 자고 있는 나를 깨운 일이 있었다. 외국인 혼자서 10시간도 넘게 한 번 깨지도 않고 자고 있다고 승무원에게 신고한 사람이 있었던 것이다. 혹시나 강도가 수면제를 먹여서 그런 게 아닌가 해서 말이다. 인도에서는 그런 일이 드물지 않기 때문이다.

몇 년 전 작은 언니가 사는 L.A.에 놀러갔을 때는 또 어떻고. 2층에서 낮잠을 자고 부엌으로 물을 마시러 내려와 보니 찬장 안에 있는 그릇과 접시들이 바닥에 마구 흩어져 있었다.

"아니, 부엌이 왜 이래?"

깜짝 놀라 물어보니 언니가 더 놀랐다.

"너 정말로 몰랐단 말이야?"

알고 보니 그동안 지진이 났었단다. 저녁 텔레비전 뉴스며 다음날 조간 신문에 헤드라인으로 오를 만큼 큰 지진이었다는데 나는 세상 모르고 자고 있었던 것이다.

물론 잠귀가 어두워 새벽 버스나 아침 차를 수없이 놓치기도 하지만 그래도 불규칙할 수밖에 없는 장기 여행에서 이 쾌면 덕을 톡톡히 보고 있다.

짓밟히는 티베트, 비운의 장족

아침에 눈을 뜨니 어제의 그 유채꽃밭은 간 곳이 없고, 세상이 다시 하얀 눈으로 덮여 있다. 높지도 낮지도 않은 산들이 산 밑의 집들을 감싸안고 있는 풍경이 평화롭게만 보인다. 오랜만에 정신을 차려서 세수도 하고 머리도 빗고 앉아 주위를 둘러보았다.

중국 사람들은 하루종일 차를 마신다. 그래서인지 기차 안에는 모든 침대 탁자 밑에 커다란 빨간색 꽃무늬 보온병이 두 개나 있다. 버스나 기차 안에서는 컵 대신 보통 빈 커피병에 차를 우려 마시는데, 그 병뚜껑을 열 때마다 진공 때문에 퍽 하는 소리가 나는 것이 재미있다. 이 기차에서도 곳곳에서 퍽퍽 하는 소리가 아침을 알린다.

기차 안에서 세수를 하려고 왔다갔다하는 사람들이 볼 만하다. 특히 여자들이 내의만 입고 활보하는데, 너무 당연한 듯 보여서 마치 남의 집 안방에 들어와 있는 것 같다. 중국 사람들은 세수를 물로 직접 하지 않고 일단 수건을 물로 적셔서 그것으로 닦는다. 그러고는 젖은 수건을 말리지도 않고 플라스틱 가방에 그냥 넣어둔다. 조금만 지나도 분명히 썩은 걸레 냄새가 날 텐데.

기차 안에서는 '허판' 이라는 도시락을 파는데, 처음에는 10위안이라고 외치고 다니더니 한 시간쯤 지나니까 값이 뚝 떨어져 "5위안, 5위안" 한다. 사람들은 눈을 비비고 일어나면서부터 트럼프를 꺼내 본격적으로 논다. 또 하루에 꼭 달성해야 하는 할당량이라도 있는 것처럼 아침 댓바람부터 해바라기씨를 까먹기 시작한다.

나도 재스민차를 한 잔 마시고, 같은 칸에 탄 사람들과 통성명을 하고 이야기를 시작했다. 상하이에서 왔다는 내 앞의 아저씨는 통통한 얼굴에 이목구비가 수려한 미남인데, 무척 친절한 사람이다. 내가 지나가는 말로 속이 좀 울렁거린다고 했더니 어디서 구했는지 멀미약과 도시락을 가지고 온다. 밥을 안 먹으면 속이 더 불편하다면서.

50대 초반의 이 아저씨는 대학생 때인 1967년에 문화혁명이 시작되어 어느 날 갑자기 머나먼 둔황으로 하방(下方, 시골로 쫓겨남)되어 9년간 강제노동을 했다고 한다. 자신이 왜 재교육 대상인 악성분자로 분류되었는지도 모른 채 불평 한 마디 못하고 보낸 긴 세월이 억울하고도 분했다고 한다. 20년 가까이 지난 옛 이야기를 하면서 아직도 긴장해서 주위를 돌아보는 아저씨를 보니 그 무시무시한 시절의 공포가 나에게도 느껴진다.

길 나선 지 닷새째. 란저우의 여우이 판띠엔에서 티베트로 간다는 여행자를 하나 만났다. 스웨덴에서 온 바올리나라는 스물두 살의 여대생인데, 짧은 금발에 동그란 얼굴과 천진하게 웃는 모습이 마음에 든다. 유럽 여행은 여러 번 했지만 아시아에는 처음 왔다면서 아직도 어리둥절한 표정이다. 나도 티베트에 가는 길이라니까 구세주를 만난 듯 반가워한다.

자기는 4개월 여정으로 인도 여행을 하려고 하는데, 어쩌다가 베이징까지 오는 공짜 비행기표가 생겨서 티베트, 네팔을 거쳐 인도로 갈 계획이란다. 도착한 지 일주일 되었는데, 중국말은 한 마디도 못하고 음식이나 풍습에 적응이 되지 않아 어떻게 티베트까지 가나 막막했다면서 같이 다녀도 되느냐고 묻는다.

"물론이지. 그런데 바올리나. 나랑 다니려면 몸고생을 각오해야 할걸. 현지인처럼 다니는 여행을 하는 중이거든."

"아이, 좋아요. 그거 재미있겠는데요."

"그래? 그럼 지금부터 네가 네팔로 떠나는 날까지 우린 한 팀이 되는 거야. 동고동락팀, 좋지?"

"오우케이, 정말 잘 되었어요."

바올리나는 고른 이를 다 드러내며 환하게 웃는다. 나도 잘 됐다. 오랜만에 동행을 만나니 새로운 힘이 나는 것 같다.

우리는 란저우에서 하루를 쉬고, 다음날 시닝으로 가는 기차를 탔다. 바올리나는 기차 안에서 14대 달라이 라마 자서전인 〈망명지에서의 자유(Freedom in Exile)〉를 읽고 있었는데 그게 문제가 되었다.

건너편 의자에 장족 대학생들이 앉아 있었는데, 그들은 바올리나가 읽고 있는 책 표지에 실린 달라이 라마 사진을 보더니 책을 이마에 대며 경의를 표하는 것이었다. 그러고는 주위의 눈치를 살피며 책에 뭐라고 써 있느냐고 중국어로 물어왔다. 내 알량한 중국어를 총동원해서 설명하기 시작했더니 갑자기 옆에 있던 한족 청년의 얼굴이 붉으락푸르락해지는 게 아닌가.

"달라이 라마는 우리 나라를 분열시키려고 하는 아주 나쁜 사람이에요."

한족 청년은 아주 불쾌하다는 듯이 말했다. 그 말을 받아 내가 그랬다.

"그런 나쁜 사람이 어떻게 노벨 평화상을 받았겠어요?"

"다른 나라 사람들은 그 사람이 얼마나 나쁜 사람인지 몰라서 그래요.

암적인 존재죠. 없어져야 해요."

영문을 몰라 눈을 동그랗게 뜨는 바올리나에게 통역을 해 주었더니 바올리나가 당장에 흥분한다.

"티베트는 중국의 일부가 아니에요. 전세계 사람들이 그렇게 생각하고 있다고요. 제발 티베트 사람들을 가만 내버려 두세요."

그 말을 중국어로 통역해 주었더니 한족 청년이 더 흥분하여 언성을 높인다.

"티베트는 엄연한 중국 땅입니다. 당신네 외국인들이 중국의 국내 문제에 대해 왈가왈부하는 것이 몹시 불쾌합니다."

주위에 있던 사람들의 시선이 모두 우리에게 모였다. 사태가 여기까지 오자 장족 학생들이 안절부절못한다.

"이 문제로 제발 더이상 말하지 마세요."

학생들은 우리 눈치와 한족 청년의 눈치를 번갈아 살피며 애원하듯 나를 말린다. 우리가 자기들의 입장을 대변해 주고 있는데도 기가 살기는커녕 더욱 움츠러든다. 장족들이 처해 있는 현실의 단면을 보는 것 같다.

그러나 말문이 트인 바올리나는 거기서 끝내려 하지 않는다.

"한족들이 6백만 장족 중 1백만 명을 죽이거나 가두었지요. 이게 민족 대학살이 아니면 뭐겠어요? 민족으로 보나, 문화로 보나, 역사로 보나 티베트와 중국은 아무 상관이 없어요. 전혀 별개의 나라라는 이야기죠."

바올리나 역시 언성을 높였지만 한족 청년은 영어를 못 알아들으니 저 여자가 지금 뭐라고 하는 거냐며 눈썹을 치켜뜨며 내게 다그치듯 묻는다. 나도 그 책을 읽었고, 바올리나의 말에 전적으로 동의한다. 하지만 철저히 세뇌교육을 받은 한족 청년, 그것도 티베트 정책을 결정하는 데는 아무런 영향력도 없는 일개 젊은이와 말싸움을 하는 것은 아무 소용이 없는 일이라, "뙤이 니 메이 꾸완시더스(당신하고 상관없는 일)."라고 톡 쏘아주는 것으로 사태를 마무리지으려고 했다.

그러나 이미 화가 나 있는 한족 청년은 바올리나의 책은 중국으로 반입이 금지된 책이므로 가지고 들어온 것 자체가 불법이라며 씩씩거리고, 그 말을 눈치로 알아챈 바올리나는 무엇을 읽건 그건 내 자유라고 소리를 지른다.

그렇지만 흥분한 두 사람의 말을 못 들은 척 내가 통역을 하지 않자 둘은 이내 잠잠해졌고, 그제야 장족 학생들은 조금 안심하는 표정이다.

자기 나라 이야기를 하는데 한 마디도 거둘 수 없는 젊은이의 심정은 오죽하겠는가. 이 언쟁이 또 언제 불거질지 몰라 좌불안석인 장족 학생들, 언쟁 이후 딱딱한 표정을 하고 있는 한족 청년과 바올리나를 보며 가야 하는 4시간 길이 내게도 가시방석이다.

시닝에 내리자마자 꺼얼무를 거쳐 라싸까지 단돈 4백50위안에 가게 해 주겠다는 호객꾼에게 못 이기는 척 끌려 밥 먹을 새도 없이 곧바로 버스를 탔다. 꺼얼무에서 라싸까지 정식으로 버스를 타려면 외국인은 무려 1천7백 위안이나 내야 하는데, 시닝에서 바로 라싸까지 가는 버스를 만났으니 잘 됐다. 여기서 20시간만 가면 꺼얼무이니 '조금' 참았다가 거기 가서 밥을 먹자니까, 바올리나는 20시간이 조금이냐고 어안이벙벙해 하면서도 하자는 대로 잘 따라온다.

우리가 탄 차는 중형 침대버스인데 말이 침대이지 몸집이 작은 나도 발을 제대로 뻗을 수 없다. 게다가 새벽이 되니 천장과 창문에 성에가 1센티미터 정도 앉았다. 바올리나 없이 혼자 왔다면 정말 견딜 수 없이 추웠을 것이다.

예전에 멕시코에서 밤버스를 탔을 때의 일이 생각난다. 옆에 탄 아저씨가 흑심을 품었는지 기분 나쁠 정도로 몸을 밀착해 오는 것을 알면서도 쫓아버릴 수 없었다. 그 버스 안이 몹시 추워서 아저씨가 가버리면 그만큼 더 추울 것이기 때문이다. 추운 버스에서는 이런 '성추행' 도 감수해야 할 만큼 한 사람의 체온이 아쉽게 마련이다.

꺼얼무까지 밤새도록 하도 덜덜 떨면서 오느라 배가 고픈 것도, 자리가 불편한 것도 잘 몰랐으니 오히려 그 추위에게 고맙다고 해야 할까.

이렇게 꺼얼무까지 왔는데 문제가 생겼다. 라싸까지 가는 표를 팔았던 운전사가 딴소리를 하는 것이다. 자기 차로는 라싸까지 갈 수 없으니 다른 차로 바꾸어 타라며 어느 회족 버스로 우리를 인계한다. 그런데 그 회족 운전사는 우리가 외국 사람이라서 우리 표로는 절대 못 태운단다.

나 혼자라면 모를까, 바올리나와 같이 있으니 단번에 외국인임이 들통난다. 그러면서 라싸까지 가려면 한 사람 앞에 1천 위안씩 더 내라고 한다. 나는 안 되는 표를 시닝에서는 왜 팔았느냐, 이 차가 라싸까지 안 가는 줄 알았다면 기차 타지 미쳤다고 버스를 탔겠느냐, 너희들이 짜고 이러는 것 아니냐며 길길이 뛰어도 들은 척도 안한다.

"그럼 관광공사에 가서 외국인 요금을 내고 타시오."

운전사는 퉁명스럽기만 하다.

'차가 이렇게 텅텅 비었는데 허풍은. 어떻게 해서든지 한 사람이라도 더 태워야 한다는 걸 나도 잘 알고 있다, 이놈아.'

속셈을 꿰고 있는 내가 좀 세게 나갔다.

"안 깎아 준다면 하는 수 없네요. 차액이나 돌려 주세요. 마음 편하게 합법적인 외국인 차 타고 가게."

정말 갈 기색으로 배낭을 둘러메니 아무것도 모르는 바올리나도 따라서 배낭을 둘러멘다. 그러자 조금 전까지도 뻣뻣하던 아저씨가 흥정을 시작한다. 옥신각신 끝에 결국 나는 3백 위안에, 바올리나는 들켰을 때 꽁안에게 뇌물을 주어야 한다며 5백 위안에 합의를 보았다.

현지인보다 나는 두 배, 바올리나는 세 배도 더 내고 탄 버스는 어제 버스에 비하면 훨씬 새차다. 불법 도둑버스 타는 것이 처음이라 불안하다는 바올리나를 안심시켜야 했다.

"만약 꽁안에게 걸리면 저 운전사가 1만 위안이라는 어마어마한 벌금을 물어야 해. 그런 걸 무릅쓰고 하는 짓이니 자기들이 알아서 잘 할 거야."

잠깐 입씨름해서 번 돈이 무려 1천3백 위안, 바올리나 것까지 합하면 2천4백 위안이다. 내게는 아주 큰 돈이다. 홍콩에서 여행경비를 공수받지 못하는 바람에 수중에는 티베트를 최저경비로 여행하고 베이징까지 가기에 빠듯한 돈이 있을 뿐이었다.

그러나 만약 도중에 여비가 떨어진다고 해도 크게 걱정은 되지 않는다. 운 좋게 한국 사람을 만나면 또 돈을 빌리고, 아니면 갖고 다니는 물건을 다른 배낭족들에게 팔아 여비를 만들 배짱이니까. 어쨌거나 이런 주머니 사정에 거의 2주일 남짓 쓸 수 있는 돈이 굳었으니 그게 어디냐.

해발 5,300미터, 세계에서 가장 높은 버스길

꺼얼무부터 라싸까지 보통 30시간 정도 걸린다고 한다. 우리는 근처 가게에서 과일과 물, 과자 등 군것질거리를 사고 일찌감치 이층 침대에 자리를 잡았다.

언제 마지막으로 빨았는지 모를 이불 두 개도 확보해 장거리 여행에 대비했다. 이불 빈대에게 물리는 것이 동태가 되는 것보다는 나을 테니까. 꺼얼무를 벗어날 때, 혹시 꽁안에게 걸릴지 모른다며 버스 차장이 바올리나를 이불로 덮어 놓았는데, 꺼얼무를 훨씬 벗어난 후에도 이불 밖으로 나오질 않는다.

해가 지자 기온이 뚝 떨어지면서 창문과 지붕에 성에가 끼기 시작한다. 창문 틈으로 스며드는 바람이 칼날 같다. 바올리나는 계속 물을 마신다. 고산증을 이기려면 물을 많이 마셔야 한다는 것을 잘 알고 있지만 나는 고산증보다 화장실 갈 일이 더 끔찍해서 그저 귤로 목을 축였다. 그 귤도 아침에는 꽁꽁 얼어 얼음덩어리가 되어 있다. 조그만 가방 안에 들어 있던 물도 다 얼어 있고.

다음날 아침밥 먹으라고 운전사가 승객들을 어느 식당 앞에 내려주었는데 우리는 도저히 밥을 먹을 수가 없다. 아직 숨은 가쁘지 않지만 골치가 몹시 아프고 속이 울렁거린다. 뜨거운 물을 한 잔 얻어 재스민차를 마시니 그 온기로 몸이 조금 데워지는 것 같다. 바올리나는 벌써 숨쉬기가 힘든가 보다.

앞뒤에 앉은 장족 아저씨들은 우리에게 귤과 과자 등 먹을 것을 자꾸 주지만 귤 이외에는 아무것도 먹을 수가 없다. 티베트 가는 길을 떠난 지 벌써 8일째. 지난 8일간 버스며 기차에서 보낸 시간이 무려 1백 시간 이상이다. 이제 길게 잡아 하루면 라싸에 도착하는데도 이제부터 넘어야 하는 5,300미터 고지가 버겁게 느껴지는 걸 보니 내가 힘이 들기는 드나 보다.

라싸에 가면 뜨거운 국수랑 만두랑 실컷 먹어야지. 아니, 고추장이 남았으니 흰밥에다 채소 반찬 몇 개 시켜서 비벼먹어야겠다. 바올리나에게 이 이야기를 하니 속이 느글거리고 토할 것 같으니까 제발 음식 이야기는 하지도 말란다. 정말 바올리나의 얼굴이 핼쑥하다. 저럴 때는 참는 것보다 토하는 게 더 나은데.

우리는 산소가 희박해지는 것을 이렇게 온몸으로 느끼고 있는데, 놀랍게도 차 안에 있는 대부분의 남자들은 줄담배를 피운다. 사방에서 무자비하게 뿜어내는 담배 연기에 질식할 지경이다. 아무리 부탁하고 애원하고 짜증을 내보아도 한 사람이 아니라 여러 명이 돌아가면서 피우니 어쩔 도리가 없다. 중국에서는 전체 사망자 중 폐암 사망율이 1위이다. 담배를 즐기는 민족이라 외과의사가 수술을 하면서도 담배를 피운다고 한다.

특히 우리 옆칸 남자는 단연 '스모킹 킹'인데 어제부터 좋이 5, 6갑 정도는 피웠을 거다. 자다가도 목이 칼칼해서 깨어보면 이 친구의 담뱃불이 어둠 속에서 숯불처럼 환하게 빛난다.

"내 친구가 당신 담배 연기 때문에 두통으로 죽어가고 있어요. 담배를

길 가 돌무덤에 오색 깃발이 걸려있다.

피우려면 문을 열고 피우든지."

내가 말했더니 다른 사람들은 농담으로만 알았는지 와 하고 한 번 웃고 마는데, 순진한 이 청년은 가방을 뒤적여 두통약을 꺼내준다. 정말 병 주고 약 주고다.

믿을 수 없는 일이 또 있다. 이런 고도에도 이틀 내내 한시도 쉬지 않고 민요를 부르는 장족 아줌마와 여기에 추임새를 넣는 주위 사람들이다. 남들은 숨도 쉬기 곤란한데 잠도 자지 않고 노래를 부르다니. 노래도 부르고 동시에 담배도 피우는 초인간도 몇 명 있다. 그래도 노래 부르는 사람들은 담배 피우는 사람들처럼 밉지는 않다. 좀 시끄러워도 산소는 빼앗아 가지 않으니 말이다.

승객의 대부분인 장족들은 빨갛거나 까만 실타래를 머리에 둘렀다. 이들은 모두 한 보따리씩 먹을 것을 싸가지고 버스에 올랐다. 말린 양 뒷다리와 참파라는 보릿가루 그리고 야크버터 차다.

때가 새까맣게 낀 손으로 보릿가루를 길쭉한 송편처럼 주물주물 빚어서 우리에게도 권한다. 받아 먹어보니 미숫가루를 돼지기름으로 범벅해 놓은 듯, 고소하긴 하지만 느끼한 뒷맛에 하나를 먹고 나니 그만 질린다. 지금 고도 때문에 속이 뒤집어져서 그런지도 모르겠다.

차는 한참 오르막길을 달리고 있다. 이제 곧 해발 5,300미터 고지, 세계에서 제일 높은 길을 오르고 있는 중이다. 산소는 점점 희박해진다. 될수록 빨리 갔으면 좋겠건만 오르막길에 버스가 멈춰서고 말았다. 떠날 때부터 가다 서다를 반복하더니 기어이 이 높은 곳에서 사고를 치는구나.

알고 보니 다행히 우리 차가 고장난 것이 아니라 내려가던 차가 고장이 나서 도와주느라 선 것이다. 그렇게 멈춰서 있기를 무려 1시간 반. 옆에 누운 바올리나는 거의 빈사상태로 신음소리를 내며 숨을 몰아쉬고 있다. 나도 가슴이 답답할 지경이니, 난생 처음 이렇게 높은 곳에 와본다는 바올리나는 어떻겠는가. 입술까지 퉁퉁 부어 있다.

설상가상으로 화장실 가고 싶은 것을 어거지로 참느라 더 힘이 든다. 바깥이 추운 것도 추운 것이지만 침대버스가 좁아서 신발을 천장에 매달아 놓듯 안쪽에다 간신히 묻어 놓았는데 그걸 꺼내려면 아주 번거롭기 때문이다. 차는 갈 생각을 하지 않는데 이리 뒤척 저리 뒤척 해 보아도 편안한 자세가 나오지 않는다. 그런데 깜박 잠을 잔 건지 혼수상태에 든 건지 꿈을 꾸었다.

반갑게도 꿈에 아버지가 나타나셨다. 40대 후반의 젊으신 모습이다. 아버지가 내게 다정하게 말씀하신다.

"셋째야, 남들은 네가 운이 좋아서 하고 싶은 일을 다 하는 줄 알겠지만 나는 네가 얼마나 열심히 노력하며 사는지 잘 알고 있다. 이 아버지는 다 알아."

무슨 말씀을 더 하실 것 같았는데 바올리나가 뒤척이다가 날 쳤는지 아쉽게도 잠에서 깨고 말았다.

아, 아버지! 돌아가신 우리 아버지는 이렇게 늘 나를 지켜보고 계시는 거다. 내가 힘들어 할 때마다 얼마나 힘을 북돋아 주고 싶으셨을까. 내가 열심히 살고 있다는 것을 다 아신단다. 천방지축 까불기만 하던 셋째딸이 약속대로 세계일주하고 있는 것을 아버지도 하늘에서 대견해 하실까. 단번에 알 수 없는 힘이 솟는다. 이렇게 아버지는 내 모든 에너지의 근원이다.

곧 버스가 움직였다. 이제 이 고개만 넘어가면 일단 숨쉬기는 괜찮아질 것이다. 창 밖을 내다보았다. 버스는 마지막 고개를 힘겹게 오르고 있다. 손을 뻗으면 닿을 것처럼 산들이 바로 코 앞에 있다. 아니, 산이라기보다 단숨에 오를 수 있을 것 같은 언덕처럼 나직하다. 저래 보여도 모두 5,000미터 이상의 산들이다.

그런 풍경이 잠시 계속 되더니 어느 순간 더이상 눈앞에 산이 보이지 않는다. 이곳이 바로 해발 5,300미터인 정상이다.

고개를 넘어서자마자 드넓은 눈 벌판이 나타난다. 그 뒤로 푸르게 보이는 것이 호수인가 했는데 자세히 보니 하늘이다. 길은 하늘 위로 나 있는 것이다. 그 내리막길이 어찌나 반갑던지. 산 아래쪽으로는 지는 태양을 받은 나지막한 설산이 밝은 오렌지색과 핑크색으로 물들어 황홀할 정도로 아름답다.

믿지 못할 일이 또 생겼다. 운전사가 히터를 틀어놓은 것이다. 이렇게 성능 좋은 히터를 어제는 도대체 왜 틀지 않았던 것일까. 고도와 상관이 있는 건가. 알 수 없는 일이다. 바올리나는 죽은 듯이 자고 있다. 이 아이가 깨기 전에 라싸에 도착했으면 좋겠다.

옛것은 사라지고 포탈라 궁만 눈부셔

새벽 4시. 사람들이 어둠 속에서 어수선하다. '스모킹 킹'은 "라싸, 라싸" 하며 자고 있는 나를 흔들어 깨운다. 드디어 라싸에 도착한 것이다. 윈난성 중띠엔에서 1월 13일에 출발하여 라싸에 21일에 도착했으니 '세계의 지붕' 으로 오는 데 무려 9일이 걸린 셈이다.

"라싸에 오신 것을 환영합니다."

바올리나를 깨우며 놀라 쳐다보는 아이에게 혓바닥을 있는 대로 빼 쏙 내밀어 보였다. 옛날 티베트에서는 혓바닥을 내미는 것이 환영과 경의의 표시였다는 것을 어딘가에서 읽은 기억이 났기 때문이다.

우리는 한바탕 같이 웃고는 안도의 미소를 주고받았다. 여러 가지를 잘 견뎌준 이 아이가 사랑스러워 한 번 꼭 껴안아 주었다. 다시 중국으로 갈 때는 눈 딱 감고 비행기 타고 가야지. 또다시 버스로 온 길을 되돌아간다는 건 생각만 해도 몸서리쳐진다.

새벽 바람을 맞고 찾아간 야크 호텔의 기숙사는 이런 엄동설한에 난방시설이 전혀 되어 있지 않다. 하기야 하룻밤에 15위안 하는 싸구려방이니 바람을 막아주는 외에 더 무엇을 바라겠는가.

"스팀이 안 나와요?"

그 방을 보고 바올리나가 하는 말이다. 이틀에 한 번씩 뜨거운 물로 샤워도 할 수 있는데 오늘은 하필 안 나오는 날이라 내일까지 기다려야 한다니 더 기절을 한다. 이런 여행이 처음인 바올리나는 수십 시간 냉동버스를 타고 왔으니 당연히 뜨거운 물로 샤워를 하고, 따끈한 방에서 한숨 늘어지게 자고 싶을 것이다. 짐짓 그 마음을 모른 척하고, 가지고 다니는 고무 물주머니에 뜨거운 물을 가득 넣어 바올리나에게 건네주었다.

"자, 받아. 티베트에 있는 동안 네 애인이라고 생각해. 안고 자면 추위가 견딜 만하거든."

우리 방에 먼저 들어 있던 두 명의 아이들이 고산증에 시달리고 있었다. 많이 내려왔다고는 해도 라싸의 고도가 해발 3,683미터이니 그럴 만도 하다. 한 명은 청두에서 유학 중인 독일 여학생 안드레아이고, 다른 한 명은 일본 남학생이다. 두 명 다 비행기를 타고 왔다는데 벌써 사흘째 바깥 출입을 한 발짝도 못했단다.

남학생은 간이 산소통을 손에 쥐고 있는데 열이 40도에 가까워 아무래도 병원에 가봐야 할 것 같다고 한다. 안드레아도 동행이 있었는데, 고산증이 아주 심해 폐에 물이 찰 지경까지 되어 비행기로 다시 돌아갔다는 것이다.

바올리나도 목감기에 두통이 겹쳐 아무래도 그날은 쉬어야겠다고 한다. 나는 그런 대로 컨디션이 괜찮았지만 앞으로 한 달 정도 티베트에 있을 예정이니 무리하게 서둘 필요가 없다. 그래서 그날은 하루종일 해바라기를 하며 밀린 일기도 쓰고, 빨래도 하고, 책도 읽고, 티베트 여행 계획도 세웠다.

햇볕이 들지 않는 방보다 해가 있는 동안은 바깥이 훨씬 따뜻하다. 숙소 마당 벤치에 같이 앉아 호주 커플과 이런저런 이야기 끝에 그들이 하루종일 뜨거운 물이 나오는 특실에 묵고 있다는 것을 알았다. 나는 염치불구하고 저녁에 맥주 한 병을 사기로 하고, 그 친구들 방에서 오래간만에 목욕다운 목욕을 했다. 역시 여독은 몸을 푹 담그는 목욕으로 푸는 것이 제일이라니까. 물론 바올리나도 내 국제 넉살의 혜택을 보았다.

"빨리 일어나. 뜨거운 샤워 할 수 있게 되었어."

아프다고 침대에서 나오지도 않는 바올리나에게 살짝 귀띔을 하자 용수철처럼 튀어나온다.

이틀 만에 바올리나와 함께 호텔 밖을 처음 나섰다. 기온은 낮지만 아주 파란 하늘과 강력한 햇살에 눈을 제대로 뜰 수 없을 지경이다. 바올리나는 아직도 골치가 아프다고 하는데, 나는 머리는 괜찮은데 눈이 뻑뻑하고 불편하다. 티베트 사람들에게는 특별히 눈병이 많다고 하던데 거침없이 내리쬐는 자외선과 고도와 관계가 있을 것이다.

밖으로 나오자마자 열 살쯤 된 남루한 차림의 어린아이 둘이 엄지손가락을 위로 한 채 주먹을 쥐고 "구찌, 구찌(한푼 주세요)." 하면서 우리 앞을 가로막는다. 서양인인 바올리나한테는 더 끈질기다. 한 아이를 억지로 따돌리니 금방 다른 아이가 따라붙는다. 이번 아이는 다리까지 잡고 늘어진다. 바올리나는 어쩔 줄을 몰라 금방 울상이 된다.

"얘네들이 왜 이러는 거예요?"

쯧쯧, 저렇게 순진해 가지고 인도를 어떻게 여행한담. 바올리나는 '구찌 구찌'가 티베트말로 '안녕하세요'인 줄 알았다고 한다.

시내를 잠깐 돌아다니면서 나는 실망감을 감출 수 없었다. 라싸에 오면 타임머신을 타고 천년을 거슬러 올라간 듯한 느낌일 것이라고 상상했었는데 그것은 환상이었다는 것을 금방 깨닫게 되었다.

좁게 꼬불꼬불 이어진 거리에는 자주색 옷을 입은 승려들이 경건한 표정으로 지나가고, 검은 장족 외투를 입은 사람들이 화려하게 장식한 야크를 타고 가고, 머리를 백팔 가닥으로 땋아서 가닥마다 터키석을 주렁주렁 장식한 여자들이 오체투지를 하고, 집집마다 피우는 향 때문에 온 나라가 좋은 향기로 가득할 것이라는 그런 상상 말이다.

그런 라싸는 이미 없다. 시내 한복판에는 대형 호텔 체인 '홀리데이 인'이 서 있고, 가라오케 바나 술집이 지천으로 있다. 공장에서 찍어낸 것처럼 비슷비슷하게 생긴 시멘트 건물 상가에서 중국산 공산품이 넘쳐난다. 거리에는 장족보다 한족들이 훨씬 많이 눈에 띄어 여느 중국 도시와 크게 다를 바가 없어 보인다.

'그렇게 벼르고 별러서 온 곳이 겨우 이런 곳이란 말이야?'

아리와 헤어졌던 간쑤성의 랑무스가 내가 생각하던 티베트에 훨씬 가까웠다는 생각이다. 장족들은 이미 제 땅에서 소수민족으로 전락하여 눈요기나 사진 모델이 되어가고 있는 것이다. 가뜩이나 산소도 희박한데 투덜대느라고 숨이 더 찬 것 같다.

그런데.

티베트의 정신과 정치의 중심이었던 포탈라궁

우연히 고개를 돌리는 순간, 나는 그 자리에 딱 붙어서고 말았다. 숨이 턱 막혔다. 구름 한 점 없는 새파란 하늘 아래서 강렬하게 다가서는 눈부시도록 하얀 건물 때문이다.

'아, 포탈라 궁이다!'

포탈라 궁. 라싸를, 아니, 티베트 전체를 압도하고도 남을 듯하다.

난공불락의 요새처럼 우뚝 솟은 모습을 사진이나 영상으로 수없이 보았지만 이렇게 내 눈으로 직접 보니 난생 처음 보는 것처럼 가슴이 벅차다. 포탈라 궁은 살아 있는 부처라는 달라이 라마의 궁이자 티베트의 상징이다. 그리고 티베트 민족이라면 일생에 한 번은 반드시 참배해야 한다는 라마교 성지 중의 성지이다.

몇 달, 혹은 몇 년에 걸쳐 허허벌판을, 눈 덮인 산과 고원을 걸어온 순례자들이 마침내 궁을 보았을 때의 느낌은 어떠했을까. 그 신비함과 당당함에 정말 신이 사는 곳이라고 믿어 의심치 않았을 것이다. 그곳에 사는 달라이 라마에게뿐 아니라 그 건물 자체에도 경의를 표할 만하다. 공사기간이 무려 천 년이나 걸렸다니 이것 하나만 봐도 사람의 힘으로 만들어진 것은 아닌 것 같다.

흔히 포탈라 궁은 달라이 라마의 겨울 궁전으로만 알려져 있는데, 사실 이곳은 티베트의 '정부종합청사'이며 수천 개의 방과 법당, 작은 기도실이 있는 사원이기도 하다. 그리고 역대 달라이 라마들의 등신불을 모신 묘지이기도 하다.

가족 단위로 온 순례자들을 따라 안을 둘러보았다. 꼬불꼬불 계단을 따라 오르내리며 수백 개의 법당에서 금은으로 만든 불상과 탑과 귀한 벽화들을 보았다. 법당 안에는 수십 개의 야크버터 초가 타고 있다. 순례자들은 하얀 스카프와 참파를 준비하여 부처님께 바친다.

아름다운 탱화나 불상들보다 더욱 신기해 보이는 것은 무시무시한 형상의 조각들이 있는 방이었다. 뱀이며 귀신이며 해골이며 괴이한 표정의 동물들이 가득 차 있어서 무서운 영화의 세트장 같다. 그곳에 앉아 징을 치며 염불하는 스님들. 그 소리들이 꼭 저승에서 들리는 소리 같다.

포탈라 궁 전체는 창문이 없어서 캄캄하고 춥다. 이렇게 어두운 곳에서 살다가는 우울증에 걸리거나 돌아버리겠다. 게다가 궁 안에는 죽은 달라이 라마들의 시신을 모신 탑 초르텐이 있지 않은가. 아무리 달라이 라마가 관세음보살의 화신으로 환생을 거듭하고 있다고 굳게 믿는다 하더라도 무덤이 만들어내는 음침한 분위기는 피할 수 없을 것이다. 그래서 달라이 라마는 자서전에서 자기가 어렸을 때는 여름궁으로 가는 날을 손꼽아 기다렸다고 했는가 보다.

온몸으로 엎드리는 오체투지 신앙심

라싸 안의 진짜 티베트라는 조캉 사원과 바코르 광장은 내가 묵고 있는 숙소에서 엎어지면 코 닿을 거리에 있어서 틈만 나면 가보았다. 처음 가보았을 때, 조캉 사원의 금박지붕이 강한 햇빛을 받아 찬란하게 빛나던 것이 퍽 인상적이있다. '하느님의 거처' 라는 뜻인 조캉 사원 안에는 수백 개의 야크버터 초가 시큼한 냄새를 내며 타고 있다.

전국에서 온 순례자들의 뒤를 좇아 경륜통을 돌리며 절 안을 한바퀴 돌아 보았다. 어느 법당에 들어가니 당나라 공주가 시집올 때 가지고 왔다는 화려한 순금 불상이 있고, 그 주위에는 불교설화가 아름다운 벽화로 그려져 있다. 그 안에는 세계적으로 가치를 인정받는 수많은 예술품과 보물이 있다는데 실내가 어두워서 뭐가 뭔지 잘 모르겠고, 야크버터 냄새와 전나무 가지 태우는 향냄새가 정신을 빼놓는다.

내게는 세계적인 예술품이나 보물보다 사원 옥상에서 내려다본 광경이 더 흥미있고 값진 것이다. 오체투지(五體投地)를 하는 사람들의 모습이다. 사원 바로 앞은 오체투지 기도를 하는 사람들로 입추의 여지가 없다.

식구들이 모여서 하기도 하고, 나이가 비슷한 사람끼리 모여서 하기도 한다. 걷지도 못할 만큼 늙은 사람이 있는가 하면 아주 어린 꼬마까지 어른들을 따라 오체투지하는 모습이 기특하다 못해 눈물겨울 정도이다. 어떤 순례자들은 세 발짝에 한 번씩 오체투지를 하며 둘레가 4킬로미터인 조캉 사원을 돌고 있는 것도 보인다.

옥상에서 보는 것만으로는 감질이 나 조캉 사원 입구에서 장사하는 아저씨를 꼬드겨 아예 그 아저씨 자리에 한나절을 앉아 있었다. 자세히 보니 이 어려운 오체투지에도 나름대로 노하우가 있는 것 같다.

절을 효율적으로 하기 위해 여자들은 치마를, 남자들은 종아리 근처를 단단히 묶는다. 무릎에는 헝겊을 두둑하게 대어 살이 상하지 않게 한다. 땅에 엎드릴 때도 배가 다치지 않게 방석 같은 것을 대며, 손바닥에 미끄러운 장갑을 끼거나 나무로 만든 손깍지를 끼고 절을 하기도 한다. 어떤 이는 애초에 자리를 잡을 때 반질반질하게 닳아진 돌을 찾기도 하고, 꾀

많은 젊은이는 무릎 근처에 두툼한 솜뭉치를 대어 반동을 이용해서 윗몸을 일으키기도 한다. 저렇게 하는 것은 반칙이 아닌가 모르겠다.

아무튼 저렇게 수십 배씩 하면 정말 운동이 저절로 될 것 같다. 라마승들이 대부분 떡 벌어진 어깨를 가졌고, 한겨울에 한쪽 어깨를 맨살로 다 내 놓은 채로 다녀도 감기가 안 든다는데, 그 비결이 바로 저 오체투지가 아닌가 싶다.

열심히 절하는 사람들 옆에서 사탕공양을 하는 사람들도 눈에 띈다. 그렇지, 저렇게 절을 하려면 에너지 소모도 많을 게다. 절 하다가 잠깐 쉬는 시간에는 예의 버터 차와 참파가 등장한다.

물끄러미 보고 있었더니 눈이 마주친 중년 여인이 웃으며 내게도 한 잔을 권한다. '축지차이(고맙습니다)'라는 한 마디에 온가족이 함박 웃음을 지으며 내 주위에 빙 둘러앉는다. 한가족인 듯 보이는 이들 중 절을 제일 열심히 하는 사람은 체격이 조막만한 할머니다.

할머니들의 오체투지는 정말 대단한 체력과 정신력이 필요한 신앙심의 표현이다. 절을 다시 시작하신 할머니가 몇 번까지 하고 쉬나 세어보니 82번까지 한다. 나는 몇 번까지 할 수 있을까. 한 50번까지나 할까? 역시 체력의 문제가 아니라 믿음의 문제일 것이다. 저들은 무슨 염원이 있는 걸까. 무엇을 저렇게 간절히 바라는 걸까.

중국말을 하는 좌판 주인에게 이들의 소원이 어떤 것들이냐고 물었더니, 그 길거리 행상은 목소리를 낮추며 대답한다.

"우리 장족들의 소원은 단 한 가지입니다. 하루빨리 독립이 되어 달라이 라마가 돌아오시는 거죠."

할머니한테 한번 여쭈어 달라고 했더니 그 할머니 역시 아저씨가 물어보는 말에 고개를 크게 끄덕이며 합장한 손을 이마에 무수히 갖다댄다. 세상이 어떻게 돌아가는지 아무것도 모르는 평범한 할머니가 그런 대의를 위해 기도하고 있다니 놀랍기만하다.

온 몸을 던지는 오체투지 기도를 하는 사람들

이렇게 장족 모두가 빨리 돌아오기를 염원하고 있는 달라이 라마는 대체 누구인가.

이들에게 달라이 라마는 부처님의 화신이자 종교 자유의 상징이다. '달라이 라마' 라는 칭호는 16세기 중엽 몽골의 알타칸으로부터 받은 것인데, '바다와 같은 스승' 이라는 뜻이다.

현재 달라이 라마는 14대인데, 그 법통이 전 달라이 라마의 환생으로 이어지는 것이 특이하다. 이번 14대 달라이 라마의 이야기도 흥미롭다. 1933년 13대 달라이 라마가 남쪽을 향해 앉은 채 열반했는데, 어느 날 그의 머리가 동쪽을 향하고 있더란다. 그것으로 사람들은 13대의 환생이 동쪽에서 나타나리라고 알고 있었다.

그것 외에 더이상의 계시가 없자 현인과 고승으로 구성된 조사단이 미래를 보여준다는 라모 라쪼 호수로 순례를 떠났다. 오랜 기도 후에 호수를 들여다보니 황금빛 지붕의 사원과 긴 물받이가 있는 자그마한 농가가 나타났다. 조사단은 계시된 방향으로 가다가 칭하이 근처에서 호수에서 본 것과 똑같은 사원과 농가를 발견했다.

한 승려가 변장을 하고 농가에 들어가자 두 살난 어린아이가 '세라 사원에서 고승이 오셨어요' 라고 소리치며 고승이 걸고 있던 전 달라이 라마의 염주를 내 것이라고 붙잡고 놓지 않더란다. 이 고승이 달라이 라마가 쓰던 물건을 다른 물건과 섞어 아이에게 보여주자 달라이 라마가 쓰던 물건만 정확히 골라내면서 '내 것' 이라고 했단다.

이런 초보적인 근거를 바탕으로 몇 명의 아이가 선택되고, 아주 엄밀한 과정을 통해 지금의 달라이 라마가 13대의 환생으로 확인되어 오늘에 이르렀다. 달라이 라마의 자서전에는 '당신은 스스로 현존하는 부처라고 생각하느냐?' 라는 질문에 '깊은 뿌리로 강하게 연결되어 있음을 느낀다.' 라고 대답하고 있다.

더욱 재미있는 것은 조캉 사원을 중심으로 바코르라는 아주 활발한 장이 서는 것이다. 사람들은 시계방향으로 도는 것이 완전히 몸에 배었는지 시장을 돌며 필요한 물건을 살 때에도 질서정연하게 오른쪽으로만 돈다.

라싸 시장 구경을 나온 사람들은 아주 늙은 할머니부터 갓난아이까지 3, 4세대가 한꺼번에 몰려다닌다. 아이고 어른이고 속에는 양털이 든 까만 외투를 입었는데 해가 나면 코트를 허리에 말아 묶고 다닌다. 남자건 여자건 머리를 땋아 터키석, 산호, 빨간 색실 등으로 장식을 했다. 그들은 모두 한 손에 조그만 경륜통인 마니를 들고, 다른 한 손에는 염주를 든 채 입으로는 '옴 마니 빼드메 훔' 을 외며 다닌다.

시골에서 온 사람들이 물건을 살 때는 목에 걸었던 염주로 계산을 하는 것이 재미있다. 염주가 휴대용 계산기인 셈이다.

멀리서 온 순례자 가족들은 아주 어린아이들도 자기 몫의 짐을 이고 지고 다닌다. 씻지 않아 옷이며 얼굴이 더럽고, 볼은 벌겋게 다 텄지만 사람들은 모두 천진한 얼굴들이다.

시장에는 없는 것이 없다. 순례자들에게 필요한 '카타' 라는 하얀 스카프, 말이 그려진 오색 깃발, 역시 말이 찍혀 있는 오색 색종이, 전나무 가지를 말려 태운 향가루 등은 물론, 장족들의 생활필수품인 모자와 양털 외투, 신발 그리고 터키석이 주로 박힌 장신구들, 여자들의 의상인 오색 무늬 앞치마, 집집마다 모셔놓는 각종 부처님의 탱화, 그리고 문에 거는 헝겊걸이 등등.

없는 것이 단 하나 있다면 이들이 제일 갖고 싶어하는 14대 달라이 라마의 사진이다. 여기서는 그 사진을 파는 것도, 사는 것도 금지되어 있다. 그 대신 중국 정부에서 인정하는 판첸 라마 사진은 얼마든지 있다.

나는 돈도 없는 주제에 너무나 예외적으로 몇 가지 물건을 샀다. 우선 친하게 지내는 인간문화재 김금화 만신께 드릴 기념품으로 티베트 민간 신앙의 상징인 오색 깃발과 하얀 실크 스카프를 골랐다. 언젠가 세계 무속 박물관을 만들고 싶다고 하신 말씀이 떠올랐던 것이다.

친구들을 위해서는 '옴 마니 빼드메 훔' 의 진언이 적혀 있는 반지를 사고, 조카들 몫으로는 티베트의 상징인 윤회바퀴가 수놓아진 목에 거는 헝겊가방을 샀다. 다른 식구들에게는 한 가족당 한 장씩 티베트 집이면 어디에나 걸려 있는 출입문 덮개용 천을 샀다. 거기에는 '영원한 매듭' 의 문양이 수놓아져 있다. 나를 위해서는 티베트 여자들이 입고 다니는 오색 무늬 앞치마를 골랐는데, 어쩌면 남미 인디오들의 옷 색깔과 그렇게 비슷한지 모르겠다.

하기야 그들은 지리적으로 지구 이쪽 저쪽 끝에서 산다는 것만 빼면 아주 많은 공통점을 가지고 있다. 고산지대에 살고, 신앙심이 깊고, 유목과 농경생활을 병행하는 것 등등. 이 정도의 유사점을 가지고 있다면 어떤 문화적 · 역사적 교류가 없더라도 인간이라는 공통점만으로도 같은 옷색깔 정도는 얼마든지 생겨날 수 있는 일치(一致)가 아닐까.

그리고 운 좋게 누군가가 오랫동안 지니고 있었을 풍뎅이 모양의 향수병도 아주 헐값으로 구했다. 이집트에서도 풍뎅이가 신과 인간을 연결하며 복을 가져다준다고 믿는다던데 여기서도 그렇다. 이건 또 무슨 연관이 있는 거지?

뛰어서 지구 한 바퀴 돌고 있는 '러닝 맨'

라싸에 오는 배낭여행자라면 열이면 아홉은 두 군데 식당에서 만날 수 있다. 하나는 내가 묵는 숙소 근처에 있는 '서드 아이(제3의 눈)' 라고 하는 곳이고, 다른 하나는 바코르 광장 근처에 있는 '타쉬' 레스토랑이다. 이 두 곳이 바로 여행자들의 쉼터이자 정보 교환 장소이다.

'외국인 사회' 가 이렇게 빤하다 보니 소문도 빠르다. 누가 어느 나라에서 왔고, 무엇을 하는 사람이며, 어디어디를 거쳐 어디로 여행한다는 개인정보가 라싸에 도착하고 하루만 지나면 좍 퍼진다. 심지어 누가 어떤 책을 읽고 있다는 것까지 빠삭하다.

여행자들은 이런 정보망을 바탕으로 라싸에 먼저 온 사람들에게서 여행정보도 얻고, 티베트 여행의 동행을 찾기도 하고, 네팔로 넘어가려는 사람들은 함께 차를 빌릴 사람들도 만난다.

티베트에 오는 사람들이 별난 건지, 내가 라싸에 있을 때 특별히 별난 사람들이 모였는지, 거기서 만난 사람들의 이야기가 여행만큼 재미있다.

서기 2000년까지 3년 동안 뛰어서 지구를 한 바퀴 도는 것으로 기네스북에 이름을 올리겠다는 영국인이 있다. 우리는 그를 '러닝 맨' 이라고 불렀다. 영국에서 시작해 유럽을 돌고, 네팔을 거쳐 여기 티베트까지 뛰어오는 데 7개월이 걸렸단다. 여기서 홍콩까지 뛰어가서 비행기를 타고 일본으로 간 다음 일본을 일주하고, 다시 호주로 가서 호주를 일주한다. 그러고는 아메리카 대륙을 횡단한 후 다시 영국으로 돌아가는 여정이란다.

"뛰어서 지구 한 바퀴, 재미있겠네요?"

내가 물었더니 대답이 의외다.

"나는 즐기거나 재미를 보려고 시작한 것이 아니에요. 오로지 기네스북에 오르려는 것이죠."

말이 안 통하는 여러 나라를 다니는 것은 힘드는 일이라며 솔직히 여행, 특히 아시아를 여행하는 것이 아주 괴롭다고 말한다. 다행히 달리는 것만큼은 즐겁다는데 그는 지금도 10킬로그램의 배낭을 지고 보조원 한 명 없이 세계 어느 구석인가를 뛰어가고 있을 것이다.

아르날도라는 스페인 남자도 아주 흥미롭다. 전직 이발사였다는데 지금은 오토바이를 타고 세계일주를 하고 있는 중이란다. 스페인부터 네팔까지는 잘 달려왔는데, 네팔에서 중국으로 넘어오려다가 국경에서 제지당해 오토바이를 네팔 국경에다 팽개치고, 거기서 마침 이 러닝 맨을 만나 같이 열흘을 뛰어왔다는 것이다.

그 바람에 근육통에 견비통, 복부통, 몸살이 생기고 발가락과 발바닥이 다 부르터서 꼼짝도 못하고 누워 있는 사람이다. 영어를 잘 못해서 내가 스페인어 통역을 해 주었는데 하는 말마다 어찌나 엉뚱하고 허풍이 센지 나중에는 이 사람 얼굴만 봐도 웃음이 절로 난다. 자기가 하루만 더 뛰었으면 러닝 맨을 따라잡을 수 있었다는 둥, 아시아에 와서 쌀밥만 먹었더니 자기 눈이 쌀알처럼 작아졌는데 이렇게 된 데에는 과학적 근거가 확실하다는 둥 입만 열면 그대로 개그다.

지금은 여비가 거의 다 떨어져서 돈을 벌어야 하는데 자기가 전직 이발사였으니 식사를 한 끼 사주면 머리를 멋있게 깎아주겠다고 광고를 한다. 실제로 몇몇 아이들이 '자선' 차원에서 그에게 머리를 맡겼다.

티베트를 연구한다는 존은 또 어떤가. 독일에서 3년간 티베트어를 배웠다는데 놀랍게도 티베트어를 한 마디도 못하는 것이다. 자기 말로는 라싸 사람들이 자기가 배운 '표준어'를 못 알아듣는 것이라고 강변하는데, 그 나라 수도에서도 못 알아듣는 표준어가 어디 있겠는가.

우리 옆방에는 네덜란드인 '언어설사' 중증 환자도 묵고 있다. 예쁘장한 얼굴에 싹싹해 보이는데도 사람들이 멀리하는 눈치라 이상하다 여겼는데 이틀이 지나지 않아 그 이유를 알게 되었다.

아침에 눈을 뜨는 동시에 시작해서 밤에 눈감을 때까지 한시도 입을 가만히 두지 않는 것이다. 주위 사람이 듣든지 말든지다. 그 아이는 아마 말 없는 사람이 일년에 할 말의 양을 하루에 다 해 버리는 것 같다. 같은 방을 쓰는 아이들이 괴로워서 죽겠다고 아우성이다.

리치와 재키라는 아주 귀여운 커플도 있다. 첫날 염치불구하고 방의 샤워를 빌렸던 커플이다. 리치는 서른한 살의 미술가로 티베트에서 많은 예술적 영감을 얻는다고 한다. 아주 어렸을 때부터 반복적으로 떠오르는 모티브가 있어서 수없이 그려왔는데, 우연한 기회에 그것이 바로 티베트의 상징인 '영원한 매듭' 문양이라는 것을 알고는 티베트에 올 것을 결심했단다.

영원한 매듭은 티베트의 여덟 가지 상징 중에서 가장 많이 쓰이는 문양인데, 얼핏 보면 각각의 마름모가 연결되어 전체적으로 마름모꼴을 하고 있는 것으로 보인다. 하지만 자세히 보면 이 문양은 끊어지지 않는 한 줄로 이어져 있는데, 영원성을 상징한다고 한다. 리치는 앞으로 한 달간 더 머물면서 스케치 여행을 해 보고 일이 잘 되면 1년 정도 묵을 생각이란다.

라싸의 '외국인 사회'에도 터줏대감이 있다. 조슈아라는 미국 사람인데 터줏대감답게 턱수염이 길다. 라싸에서 국제우편을 기다리느라 한 달 이상을 머물고 있다는데, 유순하고 지적이라 보는 사람마다 좋아한다. 그는 라싸에 있는 모든 외국 여행자의 인적 상황과 이동상황을 주르르 꿰고 있어 특히 네팔로 갈 여행자들은 그를 통해 동행을 구하는 것이 제일 싸고 빠르다.

나중에 미국으로 돌아가는 길에 한국에 들를 계획이라고 해서 내가 한국에 왔을 때 전화하면 한국식 점심을 사주겠다고 했더니 정말로 이번 여름 김포공항에 내려 '라싸에서 맡겨놓은 점심 사달라'고 전화를 해 왔다.

나는 약속대로 그를 인사동으로 데려가 가정식 백반을 사주었다.

나에겐 '유엔 통역관'이라는 별명이 붙었다. 여기서 우연히 내가 할 줄 아는 언어를 모두 쓰게 되었기 때문이다. 스페인말밖에 모르는 아르날도와는 스페인말로, 일본 사람과는 일본말로, 중국 사람들과는 중국말로 해야 하고, 다른 여행자들과는 영어를 써야 할 상황이라 한꺼번에 네 가지 외국어를 하느라고 나도 헷갈렸다.

우리의 러닝 맨이 중국 비자 때문에 문제가 생겼을 때, 공안국 외사과까지 따라가서 벌금 한 푼 안 물게 통역을 한 것은 내가 생각해도 불가사의한 일이다. 내가 무슨 말을 했는지는 나도 모르는데, 어쨌든 일이 잘 된 것을 보면 나의 중국어가 알아들을만은 한가 보다. 아니면 내가 알아들을 수 없는 말을 큰 소리로 하도 시끄럽게 구니까 그냥 해 준 것인지도 모르겠고.

내가 티베트에서 만난 여행자 중 제일 마음에 드는 사람은 중국 신장에서 히말라야를 넘어 라싸까지 자전거로 온 야마다라는 일본 학생이다.

어느 날 아침 숙소 매니저가 우리 방에 달려와서 나더러 빨리 국제전화를 받아보라고 한다. 내게 전화가 올 데가 없는데 무슨 일인가 하고 가보니, 일본에서 온 전화였다. 어떤 아줌마가 자기 아들이 두 달 후 라싸에 도착하면 전화를 한다고 했는데, 연락이 없어서 묵을 예정이라던 여관으로 전화를 했다는 것이다.

나는 지금 여기에 눈이 많이 와서 길이 나빠 늦어지는 모양이라고 안심을 시키고, 그 친구를 만나면 반드시 연락드리게 하겠다고 약속했다. 바로 그 학생을 시가체에서 만난 것이다. 호텔 옥상에 앉아 있는데, 어떤 동양 청년이 짐을 잔뜩 실은 자전거를 타고 나타나는 것이 보였다. 직감에 전화한 아줌마의 아들일 거라고 생각하고 옥상에서 큰 소리로 불렀다.

"야마다상, 이라샤이마세(야마다씨, 어서 오세요)."

그가 깜짝 놀라 올려다본다. 얼굴과 행색에 땟국물이 흐르고 고생한 흔적이 철철 넘치지만 눈빛만은 맑게 빛나는 듬직하게 생긴 학생이다. 내가 자기 엄마한테 온 전화를 받았다니까 아주 반가워한다. 얼마나 고생을 했느냐니까, 뭐 별로 그렇지 않았는데 오는 도중 영하 30도가 넘는 추위에 물이 없어서 매일 눈을 녹여 미숫가루만 타먹었다고 한다. 오늘은 국과 고기를 곁들인 맛있는 밥을 실컷 먹고 싶다고 어린아이처럼 웃는다.

정말 대단한 용기와 체력이 아닐 수 없다. 오는 길에 경치가 너무너무 좋아서 다음 기회가 있으면 걸어서 다시 여행해 보고 싶다고 한다. 그때는 혼자는 싫고 염소를 한 마리 친구로 하겠단다. 일주일이 넘도록 사람 한 명 구경하지 못할 때도 있었는데, 그게 사실은 물 없는 것보다 더 힘들었다는 것이다.

"그런데 왜 하필 염소야?"

"개가 좋기는 제일 좋은데 따로 음식을 준비해야 하잖아요. 염소는 자기가 알아서 풀을 뜯어먹고 살 수 있으니까요."

대답이 분명하다.

"그나저나 왜 이렇게 추울 때 그런 힘든 길을 여행하니? 여름방학에 하면 좋을 텐데."

"내가 어디까지 견딜 수 있나 알아보고 싶었어요."

"그럼 야마다상이 한 여행을 다른 사람에게도 권할 수 있겠어?"

"꼭 하고 싶은 일이라면 해 봐야 하지 않겠어요."

이 여행이 아주 위험할 수도 있다는 건 알았느냐니까 그냥 씨익 웃는다.

야마다의 겸손하고도 당당한 태도가 마음에 쏙 든다. 야마다는 이제 대학 2학년생, 이번 여행에서 얻은 자신감과 인내심으로 한 세상을 잘 살아갈 수 있을 것이다.

밤새도록 쾅 하는 폭탄 소리, 푸드드득 하는 연발탄 소리, 피이융 하는 미사일 발사 소리 때문에 잠을 설쳤다. 나는 인민해방군이 드디어 티베트의 독립운동을 무력으로 진압하러 온 줄 알았다.

그러나 그날이 바로 음력설 이브. 다행히 그 소리는 명절을 맞아 악귀를 쫓아내기 위해 터뜨리는 폭죽소리였다. 라싸의 한족들이 요란하게 음력설을 맞는 것이다. 아침에 바깥에 나가보니 한족 가게와 집마다 줄줄이 사탕처럼 수십 개씩 달려 있는 화약과 조명탄 터지는 소리가 들린다. 그날 저녁에는 호텔 주인이 전 투숙객에게 설 턱을 낸다고 임시 천막까지 쳐놓고, 중국 요리사를 불러 스무 가지도 넘는 중국식과 티베트식 요리를 만들어 내놓는다.

하지만 정작 티베트의 설은 한 달 후라고 호텔 주인은 말한다. 티베트 설도 한 이주일간 아주 요란하게 쇠는데, 우리 나라처럼 가족이 다 모여서 좋은 한 해를 기원하며 서로 행운과 존경의 상징으로 하얀 실크 스카프를 주고받는단다.

아들과 딸은 부모에게 보리로 빚은 술을 바치며 다복한 새해를 기원하고, 참파를 뿌리고, 향을 피우고, 폭죽도 터뜨린다고 한다. 그런데 참파를 바치며 향을 피우는 작은 의식은 아침마다 한단다. 자연에 깃들인 모든 신들에게 예를 갖추는 의식이라는데, 숙소에서도 매일 아침 오색 깃발과 향로가 있는 옥상에서 이 의식을 행한다.

설에는 사원에서도 탈춤이나 승무 등 흥미로운 전통 행사가 아주 많은데 여관 주인은 시골에 있는 자기 집에 초대할 테니 아예 설을 쇠고 가라고 꼬드긴다. 거절하기 아까운 꿤이지만 그러려면 한 달은 더 있어야 하는데 난 정말 그때까지 견딜 돈이 없다.

그래도 재래시장에 가니 아쉬우나마 명절 맛을 볼 수 있다. 여러가지 빛깔로 곱게 색칠한 보리, 현관이나 대문에 거는 천, 안에 양털을 댄 외투, 옷깃을 장식할 때 쓰는 화려한 무늬의 천, 폭죽 그리고 현관이나 대문에 붙이는 부적들이 불티나게 팔리고 있다.

죽어서 자연으로 돌아가는 사람들

조캉 사원 앞에 형성된 시장에서는 색색가지 천들을 팔고 있다.

간 큰 장족 운전사의 애국심

라싸와 그 근처를 둘러보고 나서 바올리나는 네팔 가는 일행을 구하기에 분주하다. 나는 가이드 북과 이곳에 있는 외국인 터줏대감들의 의견을 종합해서 우선은 강 건너에 있는 사미에 사원과 강체, 시가체를 가기로 했다. 그러고 나서 사람이 모아지면 호수 여행도 할 작정이다. 시간이 촉박해진 바올리나는 사미에 사원만 같이 간 다음 네팔로 곧장 넘어가기로 했다.

라싸의 '나이트 라이프' 중에서 빼놓을 수 없는 것이, 아니 거의 유일한 것이 펜톡 호텔에서 공짜로 틀어주는 비디오를 보는 일이다. 일주일치 상영 비디오 목록이 호텔 게시판에 붙고 나서 한 시간 후면 전 라싸에 소문이 파다하게 퍼진다. 바올리나는 우리가 사미에 사원으로 떠나기로 한 날, 자기가 무지무지 좋아하는 〈라스트 모히칸〉이 상영되기 때문에 절대로 놓칠 수 없다고 해서 내가 하루 먼저 가기로 했다.

사미에 사원은 외국인 제한 구역이라 꽁안의 허가증을 받아야 한단다. 이제 더이상 '불법'을 저지르기 싫다는 바올리나가 알아보니 지금이 겨울이라 중앙에서 파견된 꽁안이 철수했기 때문에 단체가 아닌 개인은 허가증을 내려고 해도 낼 수가 없다는 것이다. 재수없이 꽁안에게 걸리면 1천 위안이라는 엄청난 벌금을 물어야 한다는 소문이 떠돈다.

사미에 사원은 라싸에서 새벽 버스를 타고 네시간, 거기서 배로 한 시간쯤 가서 다시 또 트럭으로 30분쯤을 가는 곳인데 강을 끼고 산을 배경으로 한 경치가 아름다운 곳이다. 새벽 버스를 탈 때 사람들마다 오색 종이를 몇 묶음씩 사기에 이상하게 생각했었는데, 그게 어디에 쓰이는지 강다리를 건널 때 알았다.

다리에는 이미 오색 깃발이 겹겹이 걸려 있는데, 버스가 이곳을 지날 때 운전사부터 승객들 모두가 오색 종이를 창문 밖으로 뿌린다. 그것은 강과

산의 신, 그리고 고을 터줏신에게 '감히 여기를 지나가려고 하니 허락해 주세요' 하는 신고식이란다. 깨끗한 햇살 아래 펄럭이는 오색 깃발과 흩어지는 오색 종이는 마치 무지개가 조각조각 떨어져 내리는 것 같다. 이렇게 티베트는 색깔로도 여행자를 즐겁게 해 준다.

소형 버스에는 놀랍게도 소지가 금지된 14대 달라이 라마 사진이 붙어 있다. 꽁안에게 걸리면 경을 친다는데, 내가 운전사에게 사진을 가리키며 손으로 목을 베는 시늉을 했더니 이 간 큰 장족 운전사가 중국어로 대답한다.

"그분은 반드시 돌아와야 합니다."

버스 운전사가 이렇게 대담한 것에 비해 허가증이 없는 나는 경찰서를 지날 때마다 괜히 고개가 숙여진다. 특히 강나루터에는 '여기부터는 외국인 제한구역이므로 무단으로 출입하는 외국인은 엄벌에 처함' 이라는 경고문이 붙어 있어 조금 긴장이 된다.

배 안에서 젊은 승려 둘과 처녀 둘인 순례자 일행을 만났다. 다행히 그중에 중국어를 할 줄 아는 처녀가 있어 재미있게 얘기를 나누며 왔다. 10대 후반의 이 일행은 서로 사촌간으로 청두 근처의 쓰촨성에서 왔다고 한다. 이야기 도중에도 배낭에서 쉬지 않고 먹을 것을 꺼내주기에 그 안에 도대체 뭐가 들어 있느냐니까 아예 배낭을 통째 벌려 보인다.

와, 이건 정말 대단하다. 그 안에는 양 뒷다리 말린 것 두 개에 참파 한 자루, 튀긴 빵 한 자루, 호떡 구워서 말린 것 수십 개, 벽돌같이 딱딱한 차 한 덩어리가 들어 있다. 사흘 동안 먹을 양식 준비가 너무 거창하다. 다들 아직 볼이 빨간 아이들인데 신앙심 하나로 산 넘고 물 건너 여기까지 온 것이 기특하기도 하다.

우리가 탄 배는 강을 이쪽저쪽으로 왔다갔다한다. 강이 깊지 않아 배가 바닥에 닿지 않으려고 그러는 것이다. 피요르드 해안처럼 강변이 울퉁불퉁한 강. 세계의 지붕이라는 티베트에 이렇게 아름다운 푸른 강이 있다는 것 자체가 신기하다. 그 강을 더 파랗게 보이게 하는 것은 바로 병풍처럼 둘러쳐진 나무 하나 없는 고동색 돌산이다.

강에는 물 반, 고기 반일 정도로 고기가 많은데, 티베트인들이 물고기를 성스러운 영혼의 환생이라 믿으며 먹지 않기 때문이란다.

배에서 내려 갈아탄 트럭은 바로 절 앞까지 갔다. 차에서 내리니 동네 개들이 먼저 반긴다. 아침, 점심을 거른 터여서 우선 식당으로 갔다. 뭘 먹을까 고르고 있는데 같이 온 순례자 일행은 버터차를 보온병 하나 시켜놓고, 식당 앞 양지바른 곳에서 참파와 양 뒷다리로 식사를 한다. 목이 멜 것 같아 내가 물국수 다섯 그릇을 시켜 억지로 한 그릇씩 안겼더니 서로 쳐다보며 "축지차이(고마워요)." 한다.

어린 순례자들은 오자마자 짐을 내려놓고 사원 순례를 나서며 같이 가자고 잡아끈다. 내일은 아침 일찍 여기에서 10킬로미터 떨어진 사원에 갔다가 모레 아침에는 라싸로 돌아가야 한다는 것이다. 나는 기왕 나서는 김에 제물로 바치려고 큰 설탕봉지만한 야크버터를 두 덩이 샀다.

티베트 최초의 인도식 사원이라는 사미에 사원은 담장 안에 마을이 있어서 사원과 마을이 하나로 되어 있다. 그것은 우주를 상징하는 것이라고 한다. 사원은 우주의 중심이고 사원 안의 탑은 불교의 성산(聖山)인 메루산을 뜻한단다. 사원 주위의 '제3의 눈'이 그려진 네 개의 탑은 하늘을 떠받드는 기둥이다. 남쪽의 하얀 탑은 태양의 탑, 북쪽의 초록색 탑은 달의 탑인데 두 개의 눈은 바깥을 보는 눈이고 이마에 그려진 세 번째 눈은 내면을 들여다보는 자기 성찰의 눈이란다. 그런데 이곳도 문화혁명 때 철저하게 파괴된 곳이라 옛것이 거의 사라졌는데, 특히 네 개의 탑은 시멘트로 급조해 조악하기 그지없다.

나도 일행이 하는 대로 본격적인 성지 순례를 해 보았다. 우선 큰 법당에 들어가기 전에 오체투지로 부처님께 절을 올리고, 법당에 들어가서는 커다란 향로에 야크버터를 조금 바치고 합장을 한 다음, 법당 주위를 시계방향으로 돌았다. 입으로는 계속 '옴 마니 빼드메 훔' 을 외며 돌다가 구석구석 모셔진 부처님 상에 이마를 갖다대고 종이 돈을 바치며 경의를 표했다.

그리고 바깥으로 나와서 사원 벽을 따라 죽 걸려 있는 경륜통을 돌리면서 한시도 쉬지 않고 '옴 마니 빼드메 훔' 을 읊조렸다. 그렇게 경륜통을 다 돌리고 나서는 동서남북 네 군데 탑에도 일일이 올라가서 돈과 야크버터, 참파를 바치며 머리를 조아렸다.

동네가 그리 크지 않아 두 시간 정도로 순례가 끝났다. 일행은 큰 숙제를 다 했다는 듯 흐뭇한 표정이고, 나는 예전부터 꼭 한 번 해 보고 싶었던 사원 순례를 제대로 해 보게 되어 참 좋다. 걷고 절하고 하느라 힘이 들었는지, 점심을 부실하게 먹어서인지 금방 배가 고파온다. 숙소 주인에게 동네 사람들이 주로 가는 식당이 어디냐니까 바로 문밖이란다.

그 집은 동네 남자들의 사랑방인 모양으로 여러 명의 남자들이 버터 차를 시켜놓고 카드놀이를 하거나 수다를 떨고 있다. 중국어를 할 줄 아는 주인 아저씨는 한 서른 살쯤 되어 보이는데, 심부름하는 사람도 없이 혼자서 모든 일을 하고 있다.

그런데 얼마나 여유가 있는지 손님들이 막무가내로 음식 재촉을 해도 하나도 서두르는 기색이 없고, 욕을 해도 화내지 않고, 개들이 들어와서 어슬렁거려도 쫓으려고도 하지 않는다. 젊은 사람이 어쩌면 저렇게 느긋하고 세상 근심 모르는 표정일까 신기할 정도다.

저녁을 먹으면서 본의 아니게 큰 실수를 했다. 볶은 국수를 시켰는데 한 가닥도 남기지 않고 다 먹어버린 것이다. 어디를 가든 음식을 남기는 것이 실례이지만 여기서는 그게 아니라는 것을 몰랐다.

내가 식당에 들어설 때부터 나를 유심히 지켜보던 남루한 차림의 남자가 있었다. 그 사람은 내가 국수를 반쯤 먹었을 때, 내 발밑에서 뭔가 떨어지기를 기다리는 개들을 쫓아내더니 그릇을 말끔히 비우자 그 음식 그릇을 들고는 당장이라도 울 것 같은 표정이 된다.

"아니, 저 사람이 왜 저러는 거예요?"

내가 깜짝 놀라 주인에게 물으니 아무렇지도 않게 대답한다.

"저 사람, 거지예요."

그러면서 주인은 내 낭패한 표정을 읽었는지 오늘 팔고 남는 만두를 거지에게 줄 테니 걱정하지 말라고 한다.

"그런데 아저씨네 집 음식이 건너편보다 더 맛있는데 왜 외국인 여행자들이 모르죠?"

"우리 식당은 영어 메뉴판이 없잖아요."

"내일 당장 영어 메뉴판 만들어요. 내가 도와줄게요."

내가 적극적으로 나서자 아저씨는 순진하게 웃는다.

"그나저나 아저씨는 그 더벅머리를 자르면 훨씬 멋있을 텐데."

내 말에 부끄러워 어쩔 줄 모르며 부엌으로 들어가 버린다. 다음날 늦은 아침을 먹으러 식당에 갔더니 주인이 머리를 단정하게 자르고 나타났다. 나를 보더니 멋쩍은지 주문받으러도 못 온다. 그날 아침 주인과 둘이서 머리를 맞대고 영어 메뉴를 만들었다.

"우선 아저씨가 만들 수 있는 것을 다 적어 보세요."

그가 적은 것을 음료 따로, 주요 음식 따로, 후식 따로 분류하고 주요 음식은 국수, 밥, 만두, 빵, 감자요리, 달걀요리 등으로 나눠서 6쪽짜리의 아주 그럴듯한 메뉴판을 만들었다. 음식값을 얼마나 받아야 할지 감을 못 잡는 아저씨에게 배낭여행자로서 너무 싸지도, 비싸지도 않은 가격을 제시했더니 무조건 '하오(좋아요)' 만 연발한다.

외국 여행자들은 식당에 게스트 북이 있으면 자기 의견이나 유익한 정보도 적고, 음식을 기다리면서 들춰보기도 한다니까 얼른 뛰어나가서 공책을 한 권 사온다. 공책 첫 페이지에 내 전공을 살려서, 가게 음식과 주인에 관해 아주 그럴듯한 홍보글을 적어주었다. 아저씨는 영어 메뉴판이 생졌다는 기쁨 때문인지 좀처럼 표정을 드러내지 않던 사람이 그날은 싱글벙글 희색을 감추지 못한다.

수줍어 손도 못 흔드는 서른 살 노총각

하루 만에 온다는 바올리나는 오지 않았다. 눈에 잘 띄는 서양인이라 혹시 오다가 꽁안에게 걸린 게 아닌가 은근히 걱정이 된다. 전화가 있어야 라싸에 전화를 해 보지. 여기는 전화는커녕 전기도 안 들어오는 곳이다.

저녁을 먹으러 식당에 가서 요즘 동네 꽁안의 동태가 어떠냐고 물었더니, 별일 없을 거라면서 만약 무슨 일이 생기면 자기 친구의 친구가 꽁안의 친구니까 손을 쓸 수 있다고 걱정 말란다. 그러면서 시키지도 않은 티베트식 만두를 한 접시 내온다. 내가 메뉴를 만들 때 '티베트식 만두'는 뭐냐고 했더니 일부러 만든 모양이다. '모모'라고 하는데 아주 두꺼운 밀가루 피에 양고기를 다져넣은 것이다. 샤허에서도 먹어 본 것이다.

내가 마늘을 넣으면 더 맛이 있을 것 같다고 하니까 좋은 생각이라고 한다. 그러면서 나보고 언제 라싸로 갈 거냐고 묻는다. 2, 3일 뒤라고 했더니 그냥 웃고 만다. 어제는 묻는 말에도 대답을 못할 정도로 부끄러워하더니 오늘은 먼저 물어보기까지 하고 웬일인지 모르겠다. 저녁을 먹고 돈을 내려고 하니 한사코 사양이다.

"쩐더 뿌야오(정말로 필요 없어요)."

떠날 때까지 자기 식당에 와서 공짜로 먹으라고 한다. 내가 그럼 내일부터 안 온다고 하니까 그냥 웃기만 한다.

다음날 아침 늦잠을 자고 있는데 누가 문을 두드린다. 아침마다 뜨거운 물이 담긴 보온병을 갈아 주러 오는 사람일 거라고 생각하고 "시엔자이 뿌야오(지금은 필요 없어요)."라고 했더니 계속 두드리는 것이 아닌가. 무슨 일인가 나가보니 조그만 소년이 아주 당차게 소리친다.

"식당 주인이 아침밥 먹으러 오래요."

그러면서 바깥에서 기다릴 테니 꾸물거리지 말고 빨리 나오란다. 우습기도 하고 기가 막혀서 대충 옷을 입고 따라나섰다. 나를 본 주인은 눈도 제대로 맞추지 못하고는 얼른 부엌으로 들어가 달걀 오믈렛과 버터 차를 내온다. 내가 외국인들은 아침에 달걀 오믈렛을 잘 먹는데 그냥 달걀 프라이로 파는 것보다 양파와 당근, 토마토를 조금씩 넣어서 만들면 맛도 좋고 돈도 더 받을 수 있다고 가르쳐주었더니 그대로 만든 것이다. 아주 기특한 제자다.

이곳은 정말로 개가 많다. 자그마한 몸집의 떠돌이 개들이 돌아다니다가 사람을 보면 제 주인인 양 싹싹하고 반갑게 매달린다. 보살펴 주는 사람도 없는 개들이 뭘 그렇게 잘 얻어먹기야 했을까만 표정이나 털의 상태가 그리 나쁘지 않으니 영 천덕꾸러기로 산 것 같지는 않다. 그런 개들이 그 작은 마을에 백 마리는 족히 될 것 같다.

이곳 스님들은 성불하지 못한 스님들이 개가 되어 절 근처를 배회하는 것이라고 믿으며 먹을 것을 나누어 준다는데 정말로 스님들, 특히 노스님들이 지나가면 수십 마리가 스님을 따라붙는다. 동네 사람들도 그렇게 많은 개들과 별 문제 없이 같이 잘 지내고 있다.

혼자서 슬슬 동네를 한바퀴 돌아보았다. 뒷동산 '하이 보리 언덕' 에 올라가니 마을이 한눈에 보인다. 위에서 보니까 가이드 북에 적힌 대로 사미에 사원이 우주의 상징이라는 뜻을 알 것 같다.

꼭대기라서 어찌나 바람이 부는지 수십 장의 오색 깃발들이 파도처럼 출렁이며 펄럭이는 것이 장관을 이룬다. 정말 혼자 보기 아까운 순간이다. 바올리나는 왜 안 오는 거야?

'폭풍의 언덕' 에서 혼자 절을 지키고 계신 스님께 버터 차를 한 잔 얻어 마셨다. 중국말을 할 줄 아는 스님인데 거기서 뜻밖에도 식당 주인의 정체를 알았다.

그도 예전에 스님이었다는 것이다. 그런데 왜 승복을 벗었느냐고 물었더니 잘은 모르지만 티베트 독립군 조직에 연루된 것 같다고 한다. 그러면서 이곳 사미에 사원은 독립투사를 많이 배출하는 곳으로 유명하다는 것이다. 그럼 그 순진하게 생긴 사람이 말로만 듣던 '프리덤 파이터(자유병사)' 란 말인가?

그날은 1월의 마지막날이었다. 차를 많이 마셔서인지 새벽 5시까지 잠을 이룰 수 없었다. 덕분에 별이 뜨고 지는 것을 볼 수 있었다. 까만 하늘에 정말 예쁘게 펼쳐져 있는 별들을 실컷 보았다. 여기는 특히 자가발전기로 일으키는 전기가 8시부터 9시 30분까지밖에 들어오지 않아 한밤중에는 빛 한 점 없는 암흑천지다. 게다가 달도 초승달이니 별들이 이때다 하고 성대한 잔치를 벌인 것이다. 티베트에서 왜 점성술이 발달했는지 이유를 확실히 알겠다. 이토록 별들이 가깝고 크고 뚜렷하게 보이는 곳이 세상천지 또 있을까.

다음날 오후에 기다리던 바올리나가 왔다. 원래는 여기서 며칠 있을 예정이었는데 네팔 가는 일행들을 만나 내일 떠나야 한단다. 사정이 그러면 라싸 근처 사원들 구경이나 잘 하지 먼데까지 뭐하러 왔느냐니까 나한테 작별인사를 하러 왔다면서 활짝 웃는다. 내일 아침에 가려면 어두워지기 전에 빨리 절 구경이랑 동네 구경 나가자니까 딴소리를 한다.

"비야 얼굴 봤으니 구경은 안해도 돼요. 우리 어디 가서 맥주나 해요."

아 참, 내 정신 좀 봐라. 분명히 아침, 점심 쫄쫄 굶고 왔을 텐데. 얼른 '우리 식당' 으로 데리고 갔다.

"아, 기다리던 친구가 왔군요."

주인 총각은 내가 바올리나와 들어서는 것을 보고 처음 보는 바올리나에게 반갑게 인사한다.

"이 사람이 날 어떻게 알죠?"

"네가 오다가 꽁안한테 잡힐 것을 대비해서 꽁안의 친구의 친구의 친구를 잘 사귀어두었지."

"뭐라고요?"

내가 자초지종을 이야기하는데 바올리나가 또 딴소리를 한다.

"그런데 비야, 저 사람이 비야 좋아하는 것 같아요. 비야는 그걸 못 느껴요?"

"좋아하긴 뭘 좋아해. 저 사람 예전에는 중이었다는데."

그런데 바올리나의 말이 맞는가 보다. 떠나는 날 아침, 트럭 뒤에 타고 있는데 그 사람이 나타나서 눈으로 나를 찾는 것 같다. 내가 어떻게 하나 보려고 모른 척하고 있었더니 내 눈에 띌 만한 곳에서 계속 트럭 주위를 빙빙 돈다. 트럭이 떠나려고 시동을 걸 때까지도 모른 척하고 있으니까 다급해진 그 사람이 드디어 나를 부른다.

"웨이(여봐요)."

내가 고개를 돌려 쳐다보며 손을 흔들자 소리까지 질렀던 그 사람은 눈이 마주치는 순간 다시 부끄러워하며 내게 손도 흔들지 못한다. 이렇게 헤어지고 나면 다시는 못 만나는 줄 뻔히 알면서도. 살다보면 이런 식의 인연도 있는 것이다. 저 사람에게는 이 만남이 어떻게 기억될까. 그리고 또 나에게는….

담벼락에서 말라가는 정겨운 야크 똥

티베트 제2, 제3의 도시라는 시가체와 강체도 둘러보았다. 시가체는 티베트의 현존하는 또 다른 부처 판체 라마가 있는 곳이고, 강체는 지방교통의 요지로 아주 티베트답다는 평이다. 예전에 인도와 티베트 사이의 양털무역이 성행했던 곳으로 산중에 사는 사람들이 일상용품을 사러 오는 마을이다.

강체에 여행자들이 많이 오는 이유는 허허벌판에 거짓말같이 나타나는 요새와 티베트에서 제일 크다는 불탑 초르텐 때문이다. 여기는 한눈에 보아도 티베트족 마을이다. 거리의 모든 사람들은 옷차림과 머리 모양이 모두 티베트식이다. 아주 어린 꼬마 아이들까지도 까만 외투에 무지개 앞치마, 그리고 빨간색 신발까지 갖춘 전통의상을 입고 있다.

날씨가 추우니까 남자들은 가지각색의 모자를 쓰고, 여자들은 심한 치통을 앓는 사람들처럼 스카프로 턱을 친친 감고 다닌다. 양쪽 관자놀이에 조그맣게 파스를 붙이고 다니는 여자들도 많은데 두통이 날 때 진통효과가 있다고 해서 생긴 새로운 유행이란다.

아침이면 팔길이만한 꼬챙이에 끼운 말린 야크 똥을 메고 집집마다 다니며 파는 것도 흔하게 볼 수 있다. 햇볕이 잘 드는 담벼락이나 지붕 위, 바위 위에서는 말리려고 널어놓은 야크 똥이 우리 나라 초가지붕 위에서 익어가는 박이나 앞마당에서 말라가는 붉은 고추처럼 정겨워 보인다. 옛정취 물씬한 시골 마을에 위성 안테나같이 생긴 집열판으로 태양열을 끌어들여 주전자의 물을 끓이는 첨단장치가 있다는 게 신기하다.

마을 중심에서 절까지 가는 길에는 집집마다 오색 깃발이 걸려 있고, 인도의 비시뉴신 문양 같은 것이 그려져 있다. 집 벽은 하얗게 칠해져 있는데, 창문과 창은 붉은 테두리를 둘러 아주 화려하다.

강렬한 태양 아래 하얀 집들이 늘어선 좁은 골목이 엉뚱하게도 그리스를 연상케 한다. 그리스가 푸른 바다를 배경으로 한 하얀 집이 강한 색상대비를 이룬다면 여기는 바다만큼 푸른 하늘 아래 하얀 집이라는 것이 다를 뿐이다.

강체에 있는 사원에도 큰 부처를 모신 화려한 불당이 있는데 나는 그 옆에 있는 쿰붐 초르텐이라는 곳이 훨씬 재미있다. 쿰붐 초르텐은 만 개의 부처님상이 있는 탑이라는 뜻이다. 이것은 1427년에 만들어졌는데, 9층짜리 탑 건물을 빙 돌아 조그만 방들이 108개 있고, 방마다 각양각색의 부처님상과 화려한 벽화가 있다. 입구에 들어서니 20대 중반의 스님과 어린 여승이 양지바른 곳에서 차를 마시고 있다가 나를 보고 차를 권한다.

"어디에서 오셨습니까?"

이런 시골에 사는 스님이 영어가 정확하다.

"티베트에 오신 지 얼마나 되셨습니까?"

내가 대꾸하자 자기 말을 알아듣는 것이 신기하다는 듯, 문법과 발음도 정확하게 또 묻는다.

"스님, 영어를 아주 잘하시네요."

내가 칭찬을 했더니 얼른 방으로 들어가서 무엇인가를 꺼내온다. 독학 영어회화책이다. 이것으로 혼자 공부하면서 가끔 가다 외국인 여행자를 만나면 조금씩 배우기도 한단다.

"영어를 왜 하려고 하세요?"

"그래야 내가 갈 수 없는 여러 나라 이야기를 알 수 있지 않겠어요?"

스님은 활짝 웃으며 오늘은 다른 관광객이 없으니 자기가 불탑을 안내해 주겠다고 자청한다. 그의 짧은 영어와 나의 짧은 중국어를 섞어 아무 불편 없이 불탑의 방방을 구경하며 설명도 잘 들었다. 동굴같이 깜깜한 방에서는 손전등까지 비춰주어서 벽화도 자세히 볼 수 있었다.

불상이 만 개나 되다보니 정말 희한한 불상이 많다. 빨간색, 초록색, 노란색, 까만색의 불상. 남자 부처 몇을 거느리고 있는 여자 불상. 손이 여러 개인 부처님에, 얼굴이 여러 개인 부처님. 눈이 세 개인 부처님에, 손바닥에도 눈이 있는 부처님. 틀니 같은 것을 꺼내놓고 있는 부처님. 이밖에 섹시한 포즈의 일명 '스포팅 부처님' 라는 것이 있는데, 남자와 여자 사이의 뜨거운 에너지가 열반으로 가는 가장 빠른 길이라고 생각하는 인도 밀교의 영향이 강하게 느껴진다.

이름을 한자로 '심양' 이라고 쓰는 스님이 초르텐은 인간의 일생을 상징하는 것이라고 설명한다. 인간은 태어나면서부터 자기 수련을 쌓게 되는데 그 수련의 정도에 따라 서서히 계단을 오르게 된다고 한다. 마지막으로는 초르텐의 맨 꼭대기까지 올라가는 성숙한 영혼이 되면 거기서 우주로 떠나게 된다는 것이다.

나는 물론 꼭대기까지 올라가보고 싶은데 4층에 자물쇠가 잠겨 있다. 심양 스님은 잠깐 망설이더니 아래로 내려가 열쇠뭉치를 가져온다. 5층부터는 달팽이 속처럼 아주 좁고 꼬불꼬불한 계단이다. 사다리를 타고 오르기도 여러 차례, 어느 사다리를 오르자 시야가 탁 트이면서 멀리 눈 덮인 산과 여름에는 보리밭이었을 넓은 벌판이 한눈에 들어온다. 속이 시원해지는 경치가 말문이 막힐 정도로 멋지다.

경사진 지붕이 타일이라서 미끄러운데다가 바람이 몹시 불어 몸의 균형을 잡기도 쉽지 않은데 경치에 취해서 이리저리 뛰어다니니까 심양 스님이 소리 친다.

"노 니드, 노 니드."

무슨 말인가 생각해 보니 '하지 말라'는 말의 중국식 표현인 '뿌야오〔不要〕'를 직역한 것이다.

"이럴 때는 '비 케어풀(조심하라)'이라고 하는 거예요."

웃으며 말했더니 주머니에서 노트를 꺼내 얼른 적는다. 젊은 스님이 이만한 열의가 있으니 나중에 뭐가 돼도 되겠다. 그래서 심양 스님이 반복적으로 틀리는 발음과 표현을 적어주면서 같이 영어 연습을 했다. 싱글벙글 어찌나 좋아하는지 나도 흐뭇해진다.

성숙한 인간의 영혼이 떠나간다는 지붕 위에서 우리는 아주 즐거운 영어교습 시간을 가졌다. 스님은 영어를 배워서 좋고, 나는 가르치는 재미에 더하여 내세를 위한 복 하나를 지어 놓았으니 한 계단 올라간 셈이다. 나중에 라싸에 돌아가서 다른 외국인 여행자들에게 강체에 가면 이 스님에게 영어회화 연습 좀 시켜주라고 신신당부했다.

티베트 사람들은 야크를 신이 내린 선물이라고 한다. 왜냐하면 이들은 야크에서 생활에 필요한 거의 모든 것을 얻기 때문이다. 야크 털로 옷을 만들고, 텐트를 만들고, 야크 가죽으로는 배까지 만들며, 야크 젖으로 버터를 만들어 그대로 먹기도 하고, 차를 만들어 마시거나 양초를 만들어 어둠을 밝힌다. 물론 고기는 중요한 주식이 되고, 똥은 그대로는 집을 짓는 데 사용하고 말려서는 연료로 쓴다. 야크는 티베트 같은 고산지대의 혹독한 추위를 견디며 짐을 나르고 사람을 태우는 유일한 동물이다.

티베트 안에 있는 한 여행자들도 야크의 영향권을 벗어날 수 없기는 마찬가지다. 우선은 그 냄새, 야크버터의 냄새를 피할 수 없다. 보온병 안에서도, 절에서도, 숙소 침대에서도 그리고 사람들에게서도 머리부터 발끝까지 온몸에서 늘 야크버터의 비릿한 냄새가 난다.

옷에서는 물론 배낭에서도, 심지어는 가지고 다니는 공책이나 돈에 이르기까지 속속들이 배어 있는 이 티베트의 냄새. 게다가 가는 곳마다 야크 호텔이 있고, 식당 이름도 야크 식당 천지다. 강체에도 물론 같은 이름의 식당이 있다.

야크 식당에는 이미 순례자 한 가족이 버터 차에 딱딱한 빵을 적셔 먹고 있었다. 할머니와 할아버지, 젊은 아버지와 엄마 그리고 세 살이나 되었을까 싶은 꼬마 계집아이다. 내가 국수를 한 그릇 시켜놓고 기다리고 있자니까 할아버지가 빵을 권한다.

중국어를 하는 주인 말이 이 가족은 멀리 네팔 국경에서 왔다고 한다. 할아버지의 열다섯 살난 막내딸도 같이 떠났는데 국경을 넘을 때 붙잡혀서 못 왔다고 한다. 이들은 본래 티베트인인데 종교박해를 피해 네팔에서 산다는 것이다. 아이 아버지는 총각 때 독립투사로 활약했던 사람이라고 한다. 비록 제 나라에서 살 수 없는 처지이지만 이 일가족의 표정은 아주 평화롭다.

티베트인들은 삶의 뿌리를 송두리째 빼앗기고 다른 나라에 망명 중일지라도 그런 환경에서 사람들이 일반적으로 나타내는 우울증이나 피해망상증 같은 것들을 거의 나타내지 않는다고 한다. 이것은 티베트 망명정부가 있는 인도의 달람살라에서 오랫동안 자원봉사를 한 의사의 말이다. 그 이유는 자신들이 처한 외적인 조건과는 상관없이 티베트인들이 심지 깊은 내적 평화를 가지고 있기 때문이란다.

이들 가족의 모습이 바로 이런 게 아닐까. 사진 한 장 같이 찍을 수 있겠느냐고 했더니 순순히 승낙하며 포즈를 취해준다. 뭐라도 주고 싶어서 궁리를 하다가 일기장에 끼여 있는 14대 달라이 라마 사진을 생각해 냈다. 그걸 꺼내 할머니께 드렸더니 할머니는 깜짝 놀라시며 사진을 소중히 받아들고는 이마에 한 번 갖다대고 경의를 표한다. 그러고 나서 사진을 할아버지에게 건네니 할아버지도 똑같이 예를 갖추고 다시 아들에게 주고, 아들은 어린아이 이마에 사진을 갖다댄다.

할머니는 목에서 예쁜 돌이 매달린 목걸이를 빼서 내게 주신다. 얼마나 오래 걸고 계셨던 것인지 가죽 줄이 닳아서 반들반들하다. 내가 아무리 안 받겠다고 해도 계속 달라이 라마 사진을 들어 이마에 대시며 '축지차이(고맙습니다)' 라고만 하신다. 이럴 때는 너무 사양하는 것도 예의가 아닐 것 같아서 '축지차이' 하고는 그 목걸이를 받았다. 그리고 한국에 돌아와서 열심히 걸고 다닌다.

모든 것을 빼앗겼지만 그 모든 것을 마음 속에 지니고 있는 그 가족을 생각하며.

라싸에 돌아와 보니 바올리나가 편지 한 통과 책 두 권을 남겨놓고 떠났다. 한 권은 달라이 라마 자서전이고 다른 하나는 〈소피의 세계〉라는 노르웨이 책이다. 이 책은 나도 아주 읽고 싶던 것이었는데 마침 이 아이가 가지고 있었던 것이다. 베이징에서 사서 아직 읽지 않았는데, 자신은 카트만두에 가면 다시 구할 수 있을 테니 나더러 읽으라면서 두고 갔다. 고맙기도 하지.

그런데 편지 봉투를 열어보니 글쎄, 돈이 9백 위안이나 들어 있는 것이 아닌가. 얼른 편지를 읽어보았다.

'사랑하는 비야에게. 그동안 정말 즐거웠어요. 비야 덕분에 여행의 괴로움과 즐거움을 동시에 맛보았어요. 동봉한 돈은 내가 쓰고 남은 중국 돈이니 부담 갖지 말고 받아주세요. 좋아하는 타쉬 레스토랑의 치즈 케이크도 실컷 사먹고요. 보고 싶을 거예요. 비야를 좋아하는 바올리나.

추신 : 스칸디나비아 반도에 올 기회가 있으면 꼭 연락해야 돼요. 핀란드 근처에 왔는데도 전화 안 하면 내 친구 아님.'

내가 거기까지 간다면 전화 안 할 리가 없지만 그것이 아니더라도 바올리나는 이미 확실한 내 친구다.

순백 설산에 휘날리는 무지개 깃발

열흘만에 다시 온 라싸는 사람들만 바뀌었지, 여행자들은 비슷한 일상을 보내고 있다.

고산증으로 골치가 아프다는 핑계로 늦게 일어나고, 일어나서는 마당 벤치에 앉아 해바라기를 하고, 점심과 저녁은 타쉬 레스토랑에서 토마토 수프와 치즈 케이크를 먹거나 서드 아이 식당에서 채소카레나 닭뒷다리 튀김을 먹고, 8시면 펜톡 호텔에 모여 영화를 본다.

'틈틈이' 시간을 낼 수 있으면 포탈라 궁이나 조캉 광장에 가고, 조금 부지런한 아이들은 세라 사원이나 드레풍 사원에 간다. 아주 부지런한 아이들이 사미에 사원이나 시가체와 강체를 간다. 돈과 시간이 충분하거나 운이 좋아 여러 명을 모을 수 있으면 지프를 빌려 호수나 더 멀리 히말라야와 에베레스트 베이스 캠프까지 가는 사람도 있다.

외국 여행자들의 티베트 여행 감상은 가지각색이다. 너무너무 좋다고 하는 사람들도 많지만, 듣던 바와는 다르게 별것 아니어서 실망하고 간다는 이야기도 심심찮게 나온다. 티베트는 이미 전통을 잃었다거나, 거리나 사람들이 너무 지저분해서 신비한 이상향과는 거리가 멀다거나, 아이들

무지개 깃발 휘날리는 티베트 민둥산

은 그렇다고 쳐도 사지 멀쩡한 어른들까지 왜 돈을 달라고 하느냐는 등의 이유다.

특히 라마승들에게 종교인의 엄숙함이 없다는 이야기를 자주 한다. 일생을 걸고 택한 종교의 길이라면 죽을 힘을 다하여 그 길을 가고 있다는 진지함이 엿보여야 한다는 이야기다.

물론 이런 말에는 일리가 있다. 사원에 가보면 법당 안에 앉아 있는 스님들은 염불을 외는 건지, 차를 마시며 노는 건지 모를 정도로 흐트러진 모습일 때가 많다. 허리를 꼿꼿이 세워 자세를 바로 하고 몰아지경에서 염불을 하는 스님을 기대한 사람이라면 분명히 실망할 만하다.

솔직히 말하면 나도 티베트 승려들에게서 거룩함이나 종교적인 엄숙함 같은 것은 찾을 수 없었다. 젊은 스님들도 절제된 수도자라기보다는 보통 젊은이들과 다른 게 없고, 나이 든 스님들도 밤송이 머리에 초라한 행색이 아무도 돌보는 이 없는 노인 같다고 생각할 때가 많았다.

그러나 종교인은 반드시 거룩하고 엄숙하고 진지해 보여야만 하는 것일까. 겉으로는 일반인들과 다를 바 없이 자연스러우면서도 속으로 진지하다면 그쪽이 더 종교인다운 것이 아닐까. 그렇지만 스님들의 그런 속까지야 알 수 없으니 겉으로 드러나 보이는 것만 가지고 판단하게 마련인데, 사실은 이런 속단 또한 편견의 산물은 아닌지 모르겠다.

나는 외국인 여행자 중에서도 '아주 부지런한' 그룹으로 라싸 근처에 있는 드레풍 사원, 세라 사원은 물론, 사람을 모아 지프를 빌려서 호수에도 가 보았다. 드레풍 사원은 전성기 때는 승려가 7천 명이나 되어 세계에서 제일 큰 사원으로 불리었다고 한다. 웅장한 규모의 사원은 양옆으로 이어진 하얀 회칠을 한 건물 사이로 좁고도 꼬불꼬불한 계단이 나 있어 중세의 가톨릭 수도원을 연상케 한다.

그 사원 밑의 오라클로 유명한 네창 사원도 흥미롭다. '오라클'이란 쉽게 말해 무당이 신이 들린 상태에서 국정 전반에 관한 질문에 대답하는 의식인데, 현재 달라이 라마도 중요한 일을 결정할 때는 반드시 오라클을 한다고 자서전에서 고백하고 있다.

네창 사원 주위에는 다 부서진 건물들이 아직까지 방치되어 있는데, 문화혁명 때 '홍위군'의 깃발을 단 철부지 어린아이들이 몽땅 파괴해 놓은 것이란다. 아, 권력의 어리석음이여. 피맛을 본 야생동물의 집단적 광기의 흔적이다.

세라 사원에 도착했을 때는 마침 젊은 스님들이 넓은 마당에서 교리공부하는 모습을 볼 수 있었다. 어린 스님들이 둘씩 짝이 되어 질의응답하는 소리가 요란한데, 묻는 사람이 서서 무엇인가를 물은 다음 대답을 재촉하듯 한 발을 구르면서 손바닥을 치면, 대답하는 사람이 앉아서 얼른 설명을 하는 것이다. 어린 스님들이라 내 눈에는 진지한 교리문답이라기보다 장난기 섞인 일종의 '공부놀이'처럼 보이는데 그렇게 좋아보일 수가 없다.

호수 여행은 사람 모으기가 좀 번거로웠지만 가보기를 정말 잘했다. 가

오체투지로 단련된 탓일까. 스님들은 한겨울에
팔뚝을 다 드러내놓고도 추운 줄 모른다.

이드 북에는 이곳이 티베트에서 가장 아름다운 경치라고 되어 있는데 과연 허풍이 아니다. 처음 몇 시간은 아주 황량한 산만 보이더니 한참을 올라가니 멀리 터키석 빛깔의 호수가 보인다. 그 빛깔 때문에 더욱 이 호수가 티베트의 중요한 성지로 여겨진다.

정작 그날의 하이라이트는 순백의 설산 정상에서 휘날리는 오색 무지개 깃발의 눈부신 아름다움이다. 해발 5,000미터가 넘는 이곳에 얼음 바람까지 불어 체감온도가 적어도 영하 20도는 될 것 같다. 하지만 우리는 그 아름다움에 취해 입술이 새파래지는 것도 모르고, 귀가 떨어져 나가려는 것도 모른 채 오랫동안 넋이 나가 있었다.

시신을 독수리에게 먹이는 장례식

나는 라싸에서도 '역시 운 좋게' 민박할 기회를 만났다. 시골이 아니라서 좀 섭섭하지만 그래도 이게 웬 떡이냐. 사미에 사원에서 만났던 어린 순례자 일행 중 띵촌왕모가 자기 고모와 함께 정말 날 찾아왔다. 라싸에 오면 자기 친척집에 묵으라고 한 그 아이의 말을 나는 그저 지나가는 인사말이라고 생각했었는데 말이다.

고모네 집은 조캉 시장을 지나 어디론가 꼬불꼬불 가서 다시 찾아가라면 절대로 찾지 못할 깊숙한 골목 안에 있다. 아파트 같은 곳인데 집에 들어가니 어떻게 이야기를 해 놓았는지 남자들 네 명이 반갑게 맞는다. 내가 농담으로 모두 남편이냐고 물었더니 내 뜻을 알고는 웃으면서 고모는 자기 남편은 외아들이라서 남편이 하나밖에 없고, 이분들은 모두 다른 지방에서 온 친척들이란다.

티베트의 일처다부제 이야기는 이제 널리 알려져 있다. 한 여자가 한 집안의 남자 형제 모두와 결혼하는 풍습 말이다. 그 반대인 일부다처제도 있었다고 한다. 즉 한 남자가 한 집안의 자매 모두와 함께 사는 것이다. 그런데 이런 결혼제도는 사회형태라기보다 아주 처절한 생존의 지혜였다고 한다. 한정된 사람만을 먹일 수 있는 척박한 자연에서 살아남기 위해 인구가 많아지면 일처다부제를, 인구가 줄어들면 일부다처제를 행한 것이다. 그러나 티베트에서 가장 보편적인 결혼 형태는 단혼제, 즉 일부일처제였다. 더구나 지금은 특히 도시에서는 일처다부나 일부다처는 말로만 남아 있을 뿐 사라지고 없다는 설명이다.

고모가 띵촌왕모를 라모라고 불러서 이름이 두 개인 줄 알았더니, 몇 년 전에 아이가 병에 걸려 죽다 살아나서 그 전 이름을 안 쓰고 새로운 이름으로 부른다는 것이다.

띵촌왕모는 나를 보자마자 사미에 사원에서 같이 찍은 사진들이 나왔느냐고 묻는다. 물론 라싸에도 현상소가 있지만 지금은 돈이 떨어졌으니 나중에 베이징에 가서 사진을 현상하면 반드시 보내주겠다고 하는데도 실망하는 표정이 역력하다. 저런, 사진을 찍을 기회가 별로 없는 아이라

속으로 그 사진을 많이 기다렸나 보다. 어떡하지, 미안해서.

그 순간 바코르 광장에 즉석사진관이 있는 것이 생각났다. 멀리서 순례 온 사람들이 포탈라 궁 그림 앞에서 기념사진을 찍는 곳인데, 두 장에 7위안이나 하는데도 인기가 대단하다. 내가 당장 거기 가서 사진을 찍자고 했더니 약간 흥분하며 잠깐 기다리라고 한다. 그러더니 얼른 고모의 코트와 시계, 구두를 빌려서 양장으로 빼입고 나온다. 사실 그 아이의 장족 전통의상이 훨씬 보기 좋았는데 말이다.

무슨 말 끝에 티베트 전통 장례의식인 조장(鳥葬)이야기가 나왔다. 고모 말로는 라싸 근처에 이런 의식을 하는 사원이 두 군데 있다고 한다. 지금도 조장 지내는 것을 볼 수 있느냐니까 놀랍게도 그렇다고 대답한다. 내가 묵고 있는 호텔 게시판에는 조장은 티베트 사람들의 엄숙한 장례의식이므로 관광객의 출입을 금하며, 만약 몰래 출입하다 발각될 때는 엄벌에 처한다는 공문이 붙어 있었다.

그러나 고모는 자기네 바로 아랫집에서도 일주일 전에 조장을 했다면서 그때 왔더라면 참석할 수 있었을 것이라고 말한다. 여기서는 그 장례의식을 '아도'라고 하는데, 그 말은 '새를 먹인다'는 뜻이란다. 고모가 말해 준 조장의 방법과 과정은 이렇다.

사람이 죽으면 시신을 흰색 천으로 싸서 3~5일(여름에는 1~3일) 동안 집 안에 뉘어 놓는다. 그동안 스님이 염불을 하며 지은 죄를 없애주고, 친척과 친지들이 문상을 한다. 이 애도기간에 가족들은 머리를 빗지 않으며 얼굴도 씻지 않고 웃거나 크게 말하지도 않는다.

장례를 치르는 날 장지까지 따라갔던 사람들은 당분간 죽은 이의 집을 찾아가지 않는다. 죽은 사람의 영혼이 그들을 따라 집으로 돌아갈 수도 있기 때문이다. 장지는 보통 앞에 산이 있고, 약간 비탈진 바위를 선택한다. 바위 위에 시체를 놓고는 향불을 피우고, 참파를 모닥불에 뿌리고, 사람 넓적다리 뼈로 만든 통소를 불어 독수리를 부른다.

독수리 떼가 나타나면 장의사는 바위에 죽은 사람의 머리를 묶어 고정시키고 등과 복부를 갈라서 내장을 꺼내 놓는다. 그리고는 칼로 시신의 가죽과 살을 발라낸 다음 살을 토막쳐 놓고, 머리와 뼈는 잘 빻아서 참파 가루와 섞어 작은 주먹밥을 만든다. 독수리들이 먹기 좋게 해 주는 것이다.

독수리 떼는 서너 구의 시신을 한 시간 안에 다 먹어치운다. 유가족들은 새떼가 시신을 말끔히 먹어치우면 그 영혼이 하늘나라로 가서 영원한 안식을 찾고, 윤회의 영겁에서 벗어날 수 있다고 생각한다.

이렇게 엄숙하게 영혼을 하늘로 보내는 의식을 치르고 있는데 분별없는 관광객들이 요란스럽게 사진을 찍으며 돌아다니는 통에 독수리들이 놀라서 날아가는 등 한심한 작태가 더러 있었던 모양이다. 그래서 당국에서는 관광객의 출입을 금지시켰는데 몇 주일 전에는 어떻게 알고 왔는지 홍콩 관광객이 사진을 함부로 찍다가 장의사의 신경을 건드려 장의사가 바르다 만 허벅지를 번쩍 들고 쫓아버렸다고 한다.

게다가 서양인들 중에는 이런 조장 장면을 낱낱이 찍어가면서 조장은 천하에 둘도 없는 야만행위이니 그런 만행을 즉시 중단해야 한다는 항의가 망명정부에 빗발쳤다고 한다. 이런 항의는 무식과 교만이 하늘을 찌르는 서양 사람들의 되어먹지 못한 행동이 아니고 무엇이냐 말이다.

이 장례법에는 인간도 죽으면 자연으로 돌아가 세상 윤회의 한 고리가 되어야 하고, 죽은 몸조차 자연에 보시(布施)해야 한다는 불교적 사고방식이 그 바탕에 깔려 있다는 깊은 뜻까지는 모른다 하더라도 척박한 환경에서 살아가는 티베트인들의 지혜의 산물이라는 것을 전혀 알지 못한 처사이기 때문이다.

화장할 나무가 없고, 땅이 얼어 있어 매장도 할 수 없는 티베트의 자연 속에서 가장 합리적인 장례법은 무엇이겠는가. 그로부터 발생한 조장의 문화적 의미와 기능은 이해하려고도 않고 자신들의 잣대로 우월을 따지는 서구인들의 오만방자함이라니. 한마디로 역겨울 뿐이다.

고모는 조장만 하는 것이 아니라 아주 적지만 수장(水葬), 매장(埋葬), 화장(火葬)도 하는데 조장이 가장 일반적이라고 설명한다. 처음 고모한테 이야기를 들었을 때는 졸라서라도 조장을 볼 수 있도록 주선해 달라고 할 생각이었으나 다시 한 번 생각해 보고는 그러지 않기로 했다.

나 역시 다름아닌 구경꾼일 뿐이니 방해만 될 것이 아닌가. 한 영혼의 무사한 극락행을 위해, 그리고 유가족들의 마음의 평화를 위해 나서지 않는 편이 나을 것 같다.

진짜 프리덤 파이터와 밤을 새며

고모네 방안은 그대로 작은 법당이라고 해도 좋을 만큼 성물(聖物)들이 가득하다. 족자에 부처님의 일생을 적어놓은 '탕가'가 벽지를 대신해 바른 듯 걸려 있다. 버터초가 타고 있는 제단에는 향이 피워져 있고, 참파를 반죽해 만든 조그만 탑들도 수십 개 늘어서 있다. 맑은 물을 담은 종지들도 한 줄로 놓여져 있다. 그리고 불상 대신 14대 달라이 라마 사진과 판체 라마 사진도 모셔져 있다.

방안에는 또 카펫이 가득이다. 깔려도 있고, 걸려도 있다. 보통의 카펫처럼 정사각형에 가까운 넓은 모양이 아니라 폭이 1미터 정도에 길이가 아주 길다.

이 방은 가정 법당이자 안방이다. 여기서 밥을 먹고, 차를 마시며 이야기를 나누기도 하는데, 잘 때는 남자들은 여기서, 여자들은 부엌에서 잔다. 부엌에는 항상 물이 끓고 있어서 남자들이 자는 방보다 훨씬 따뜻하다. 잘 때는 입고 있던 외투를 이불처럼 뒤집어쓰고 잔다. 나는 손님이라고 요 대신 카펫을 깔아주고 깨끗한 이불도 따로 가져다주었다.

처음으로 만난 티베트 민박 집에서 그냥 맨송맨송 자기가 너무나 아깝다고 생각하고 있는데 마지막 순간에 뜻밖의 사람을 만났다. 남자 손님 중에 왼쪽 다리를 저는 40대 중반의 남자가 있었는데 그 사람이 바로 내가 그렇게 만나고 싶어했던 프리덤 파이터였던 것이다.

1987년 라싸 바코르 광장에서 일어난 독립운동 당시 격렬한 시위로 체포되어 고문 끝에 발목이 잘린 스님이라고 한다. 잠자리에 든 고모를 끌어내 티베트어 통역을 부탁했다. 그러고도 내 부족한 중국어 실력으로 잘못 알아듣는 중요한 대목이 있을까 봐 가지고 다니는 사전을 꺼내고, 필담도 곁들였다.

그 아저씨의 생생한 이야기를 들을 수 있었던 것은 수확 중의 수확이다. 밤이 이슥하도록 들은 이야기는 대충 이렇다.

전성기 때 티베트는 네팔과 지금의 윈난성에 있는 나라들로부터 조공을 받을 정도로 강대했다. 실크로드 무역의 중심지인 신장의 카슈가르를 지배하고, 당나라의 침공에는 수도였던 시안을 되치는 것으로 응수했던 막강한 나라였다. 9세기에는 사원을 중심으로, 15세기 이후에는 달라이 라마를 중심으로 하는 신왕(神王)정치가 자리를 잡으면서 1천 년 넘게 번영해왔다.

그런데 1950년 중공군이 침략했다. 티베트는 최선을 다해 싸웠으나 이듬해 라싸를 점령당하고 중국의 식민지배하에 놓이게 되었다. 당시 이른바 인민해방군의 침공 구실은 '소수 지배계급에 신음하고 있는 민중을 해방시킨다' 는 것이었다. 그들은 이 땅을 점령하고 티베트가 '마침내 어머니의 나라에 되돌아왔다' 고 선전했다. 중국이 티베트의 어머니라니. 티베트는 역사적으로 한 번도 중국의 땅인 적이 없었다.

물론 티베트에 문제가 아주 없었던 것은 아니었다. 인구의 3퍼센트에 불과한 지배계층이 국가의 모든 재산과 권력을 장악하는 극심한 부의 편중이 있었다. 그러나 그것은 전적으로 이 나라의 내부적인 일일 뿐 다른 나라인 중국이 관여할 문제가 아니었다.

티베트를 점령한 중국은 59년에 티베트의 토지개혁을 실시했는데, 그들은 티베트에서는 밀을 재배할 수 없다는 것을 모르고 보리 대신 밀을 심게 해 많은 사람들이 굶어죽었다. 그 다음 시련은 66년부터 10년간 자행된 무시무시한 문화혁명이었다. 그 파괴의 불개미들은 티베트의 문화와 종교와 전통을 한꺼번에 파괴하려고 달려들었다.

59년에는 전국적으로 1천 6백 개가 넘던 사원이 문화혁명이 끝난 다음에는 겨우 열 개가 남았고, 일부 사원들은 돼지우리가 되었다. 이 과정에서 유명한 사원의 성물들이 약탈, 파괴되었음은 물론 승려들은 강제 징용되거나 추방, 또는 사형당했다.

그 후 중국은 한족의 티베트 이주를 적극 장려하여 지금 라싸에는 한족의 수가 티베트인인 장족보다 많으며, 14대 달라이 라마의 고향인 암도 지역에도 장족 70만에 중국인이 50만을 넘는다고 한다. 중국은 티베트족에게 강제 불임 및 인공유산을 자행해서 다른 소수민족들에게 해당되는 1가족 2자녀 정책 대신 1가족 1자녀 정책을 강력하게 시행하고 있다고 한다.

이렇게 중국은 민족과 종교, 문화를 억압하는 잔인한 말살정책을 폈다. 여기에 대항해 티베트의 지도층이 들고 일어나 대규모 독립운동을 전개했다. 이것이 바로 87년의 바코르 광장 국민봉기다. 그때 이후 93년까지 해마다 대규모 시위가 벌어졌고, 중국은 군대를 파견해 이를 억압했다. 국제사면위원회는 중국이 티베트를 점령한 후 숨지거나 다친 티베트인이 1백만 명이라고 발표했다.

오랜 시간 이야기를 듣고 아저씨한테 이렇게 프리덤 파이터를 만나게 되어 정말 반갑다고 했더니 자기만 특별한 것이 아니라 장족이면 모두 프리덤 파이터라고 못을 박는다. 그렇다고 쳐도 아저씨의 눈빛이 예사롭지 않다.

내가 지금 국제정세로는 어차피 자주독립은 요원하니 중국하고 좋게 지내면서 훗날을 기약하는 것이 보다 현실적이지 않겠느냐니까 입술을 한일자로 잠깐 긋더니 단호하게 이야기한다.

"중국인들은 우리에게서 신앙만 빼앗으면 된다고 생각하지요. 그러나 보세요. 우리 장족에게 '신앙'이란 없어도 살 수 있는 생활의 일부가 아니라 없으면 죽는 삶의 전부랍니다. 자기의 존재가 몽땅 부인되는 마당에 어떤 타협이 있을 수 있겠습니까? 도저히 그럴 수는 없는 일이지요."

그리고는 곧 말을 잇는다.

"이대로 가면 머지않아 우리는 우리 땅에서 소수민족으로 전락하게 될 겁니다. 티베트족의 문화와 전통은 단지 관광객의 호기심을 충족시키기 위해서나 남아 있을 것이고요."

내가 티베트의 가장 당면한 문제를 묻자 그는 거침없이 대답한다.

"자주독립이죠. 그래서 달라이 라마가 하루빨리 돌아오셔야 합니다."

자주독립.

혹독한 상황하에서도 티베트인들은 간절히 독립을 원하고 있다. 이 아저씨처럼 조국독립에 몸바친 독립투사나 학생 등 지식인뿐만 아니라 조캉 사원에서 오체투지를 하던 할머니도, 기념품을 파는 상인도, 숙소 주인 아저씨도, 네팔에서 왔다는 망명 순례자 일가족도, 사미에 사원에서 만난 나이 어린 스님도, 불법으로 달라이 라마 사진을 차 안에 붙이고 다니는 버스 운전사도, 그리고 깡촌 시골에서 온 열여덟 살 먹은 띵촌왕모도 모두 같은 말을 했다.

라싸를 떠나는 날 포탈라 궁에 다시 가보았다. 파란 하늘 아래 하얀 포탈라 궁, 그 앞에는 중국 국기가 펄럭이고 있다. 파란색과 빨간색은 태극기의 문양에서처럼 언제나 보기 좋은 조화를 이루지만, 티베트의 푸른 하늘 아래, 그것도 6백만 장족의 마음의 고향인 포탈라궁 앞에서 펄럭이는 그 깃발은 보는 이의 마음을 섬뜩하고도 아프게 한다. 저 붉은 깃발이 마치 파란 하늘의 심장을 뚫고 떨어지는 핏방울처럼 보였다.

하늘이여, 부디 티베트를 자유의 땅으로 돌아가게 하소서.

울어도 넘지 못한 국경, 두만강 3미터 반

두만강에서 넘어다 본 북한 땅

베이징에서 본격적인 중국어 연수

베이징 어언문화대학(語言文化大學) 외국학생 여학생 기숙사 4동 2층 27호. 베이징 미니 유학 동안의 내 임시거처다.

어떻게 5주일 남짓의 단기 어학 연수를 하면서 외국인학생 기숙사에 묵을 수 있게 되었나? 그건 티베트에서 만난 한국인 유학생 자매 은정이와 은향이 덕분이다. 은정이는 1년간 어학연수차 베이징에서 공부를 하고 있고, 한국에서 대학 중문과에 다니는 동생 은향이는 겨울 방학을 이용해 베이징에서 어학 연수 중이다.

티베트 라싸의 타쉬 레스토랑에서 만났는데, 나는 처음에 그 아이들이 중국말을 잘해서 홍콩 사람인 줄 알았다. 그런데 내 책을 읽은 은정이가 거기서 나를 한눈에 알아보고도 내가 '너무 유명한 사람'이라 자기가 아는 척 해 보았자 반가워하지 않을 것 같아서 인사를 하지 않았단다. 책을 읽었다면서 어떻게 내가 사람 만나기 좋아한다는 것을 몰랐을까.

그러나 은정이가 그 이야기를 라싸의 '빠른 입', 여행자 사회의 터줏대감 조슈아에게 했으니 내 귀에 안 들어올 리가 있나. 덕분에 나는 그 동네에서 '유명인사'가 되었다. 이 자매는 예의 바르고, 유머도 철철 넘치고, 싹싹하기까지 해서 마음에 쏙 들었다. 그래서 같이 억지로 날짜를 맞추어 도둑 버스를 타고 꺼얼무, 시안을 거쳐 함께 베이징까지 오게 되었다.

중국 여행 중에 체계적인 중국 어학연수를 꼭 하려고 생각했다. 지금까지는 심봉사가 어린 심청이 동냥젖 얻어 먹이듯 여기서 찔끔, 저기서 찔끔 배워서 요긴하게 쓰긴 했지만 성에 차지 않는다. 그래서 중국을 떠나기 전에 적어도 한 달간은 제대로 된 선생님과 교과서를 가지고, 책상에 앉아 규칙적으로 공부를 해야겠다고 마음먹고 있었다.

베이징으로 오는 길에 은정이에게 베이징에서 공부를 하고 싶은데 단기학원이나 학교가 있느냐니까 당장 '지구촌 학원'을 소개해 준다. 은향이도 방학 동안 거기서 공부했는데 알짜배기로 잘 배웠다며 추천한다. 방학기간이라 비어 있는 유학생 기숙사에 묵을 수 있다고 해서 숙소도 쉽게 해결되었다.

학원에서는 진도는 빨리 나가지만 여러 명이 같이 공부하기 때문에 발음이나 성조, 틀린 표현을 일일이 바로잡아 줄 수 없을 것 같아서 개인 가정교사를 찾아달라고 했더니 같은 학교 영문과 학생을 물색해 주었다. '이창창' 이라는 아주 똘똘하게 생긴 여학생과 중국어와 영어를 한 시간 반씩 교환 공부하기로 했다.

스케줄을 종합해 시간표를 짜보니 한 달간의 일과는 이렇다. 아침 8시부터 12시까지 학원 수업, 점심 먹고 3시간 가정교사와 과외공부, 저녁 먹고 새벽 1시까지 예습, 복습, 숙제. 특히 가정교사와 공부할 때는 그동안 말이 제대로 안 통해 궁금했던 중국의 여러가지를 영어로 속시원하게 물어볼 수 있어서 잘 되었다.

그곳에 있는 동안 먹을 걱정은 안 해도 좋다. 우선 학교 근방에 유학생을 위한 한국 식당이 많아 김밥, 떡볶이, 비빔국수, 돌솥비빔밥 등 골고루 실컷 먹을 수 있다. 꼭 한국 음식이 아니더라도 밥과 여러 가지 반찬을 골라 담을 수 있는 '허판' 이라는 도시락 장수가 있기 때문에 입맛에 맞는 도시락을 10위안 정도에 사 먹을 수도 있다.

모든 것이 완벽하게 준비되었다. 이제는 신나게 공부하는 일만 남았다. 다른 나라 말을 배울 때, 그 말을 모국어로 쓰는 나라에 와서 배운다는 것 이상으로 좋은 기회는 없다.

특히 중국어를 배우는 데 있어서는 한문문화권인 우리는 대단한 특혜를 누리게 된다. 나처럼 한문교육을 중요시할 때 학교에 다닌 사람들은 배운 한자만으로 중국인과 어느 정도 의사소통이 가능하다. 이것은 중국어에 친근감을 느끼게 하면서 배우는 데 큰 자신감을 준다. 영어나 프랑스어를 하는 유럽인이 이탈리아어나 스페인어를 아주 쉽게 하는 것과 마찬가지다.

중국어는 세계 인구의 5분의 1인 12억 인구가 쓰는 언어이자 영어, 불어, 스페인어, 아랍어, 러시아어와 함께 유엔 공용어 중 하나이기 때문에 나로서는 난민 관련 프로그램에서 일할 때 아주 유용하게 쓰이리라는 기대도 있다. 그리고 나의 또 다른 꿈 하나, '마흔 살 전에 5개국어를 마스터하자' 라는 계획의 마지막 언어이기도 하다.

중국어 미니 유학의 첫날, 오랜만에 일찍 일어나 발걸음도 가볍게 학원으로 향했다. 8시부터 4시간을 이어 들어도 지겹기는커녕 얼굴이 벌개져 수업을 받았다. 같은 반 학생들은 전부 이곳에 살고 있는 한국인들인데, 대부분 우리 나라 기업 주재원이나 공무원, 교수, 대사관 직원의 부인들이다. 중국 생활을 더 알차게 해 보려고 학원에 나와 열심히 공부하며 건전하고 유익한 생활을 하고 있는 것을 보니 보기 좋고 괜히 마음이 뿌듯하다.

"와, 한 번도 학교나 학원에서 배워본 적이 없다며 참 말을 잘하네요."

같은 반 학생들의 말이다. 하지만 수업을 받아 보니 내 중국어 사용의 문제점들이 확실히 드러난다. 첫날이라 틀리면 창피할까 봐 확실하다고 생각되는 말만 했는데도 수업 내용을 녹음해서 다시 잘 들어보니 반 이상은 틀린 말이다. 발음이 맞으면 성조가 틀리고 성조가 맞으면 발음이 틀리고 둘다 맞으면 문법이 틀렸다. 이제껏 중국 여행에서 틀려도 알아듣게만 하면 된다는 버릇이 단단히 든 것이다.

점심 후 이창창과의 개인 교습시간에도 문제가 나타났다. 중국어로 내 소개를 간단히 했는데 뜬금없이 이창창이 묻는다.

"전에 배우던 선생님이 남방 사람 아니에요?"

"왜 그러는데?"

"비야따제(비야언니)는 광둥〔廣東〕 사투리가 아주 심하네요."

광둥사투리라고? 다리에 있는 웨이야가 상하이 사람이었으니 웨이야

사투리인가 보다. 게다가 남방 지방을 넉 달 넘게 다녔으니 사투리로 배울 만하지. 어쩐지 사람들이 나를 보면 광둥이나 홍콩 사람이냐고 꼭 물어보더라니.

그동안 내 복장이 다른 지방 사람보다 세련되어 그러는 줄 알았는데 이제 보니 말투 때문이었다. 그 덕에 여태껏 외국인 요금 안 내고 잘 다녔지만 이제부터는 큰일이다. 말도 제대로 하기 전에 사투리부터 배웠으니 마치 한국말 못하는 외국 사람이 경상도나 전라도 사투리로 이야기하는 꼴이다. 어쨌든 본격적인 중국어 공부는 사투리 교정부터 해야 하니 시간이 두 배로 걸리게 됐다.

길에서 배운 중국어와 책상에서 배우는 중국어는 판이하게 다르다. 6개월 여행을 다니면서 매일같이 썼던 말, 예를 들면 뜨거운 물이라는 '카이슈웨이〔開水〕'를 여태껏 카이슈이라고 발음했었는데 그게 아니라는 것을 처음 알았다. 발음이 틀렸지만 무슨 말인지 알아들을 수 있으니까 아무도 고쳐주지 않은 것이다. 어떻게 쓰는 줄도 모르면서 골백번 쓰던 말을 글로 써 놓고 보니 그것도 참 신기하다.

밤 1시가 넘어 잠자리에 들었는데도 정신이 말똥말똥하다. 명색이 '유학 중'이니 오는 잠도 쫓을 판에 안 오는 잠을 청할 수는 없는 일. 새벽 2시에 벌떡 일어나 책상에 앉아 교과서를 편다. 내가 기특하게 느껴지는 밤이다.

내가 몇 가지 언어를 한다고 하면 보통 사람들은 내가 머리가 좋거나 언어학습에 특별한 재능이 있다고 생각하는데 알고 보면 정반대다. 물론 다른 나라 언어에 대단한 관심이 있는 것만은 사실이지만 한 번 들은 것이 그대로 머릿속에 박히는 그런 사람이 절대로 아니다. 그렇기 때문에 무슨 공부를 하려면 많은 시간이 필요하다.

그러니 가장 만만한 게 잠자는 시간을 줄이는 것이다. 그 덕분에 나는 졸음을 쫓는 여러가지 방법을 알고 있다. 다행히 커피를 마시면 늦게까지 잠이 안 오는데 이것도 아주 피곤할 때는 소용이 없어서 안티프라민을 눈가에 바르는 등 적극적으로 잠을 쫓아야 한다. 수험준비나 유학 등 집중적으로 시간이 필요한 때가 되면 "어제 자고 오늘 또 자?"라는 농담을 하면서 이틀에 한 번씩만 자는 일이 흔했다.

나도 머리 나빠 몸고생 톡톡히 한 사람이다.

늦은 것보다 중단할 것을 두려워하라

공부를 시작한 지 삼주일이 될 무렵 조선족 자치주 옌볜〔延邊〕에 다급하게 다녀와야 할 일이 생겨 공부에 공백이 생겼다. 그런데 이주일 남짓의 옌볜 여행을 마치고 돌아와 큰 행운을 잡게 되었다. 이미 새학기가 시작되어 기숙사 방에서는 머물 수 없게 되었으므로 집을 새로 구했는데 이 집이 중국인과 같이 사는 개인 아파트였던 것이다.

옌지〔延吉〕에서 베이징으로 돌아와 그 길로 학원으로 갔다. 수업이 끝나고 나오는데 인상 좋은 어떤 남학생이 다가와 묻는다.

"배낭 한 번 크네요. 어디 놀러가세요?"

"아니, 놀러다니다가 지금 공부 좀 하려고 한 달 정도 묵을 방을 찾는 중이야."

"그래요? 내 친구 아파트에 빈방이 하나 있는데…."

그래서 장경식이라고 하는 이 학생을 따라가 보니 학원에서 엎어지면 코 닿을 곳에 있는 아파트다. 방이 세 칸 있는 30평 남짓한 아파트에는 서종희와 조종화라는 한국 유학생 둘과 중국 아가씨 다섯이 살고 있다. 중국 유학을 온 한국 학생들은 두 사람의 1년 동안 유학자금을 투자하여 문화어언대학과 북경대학, 청화대학 등에 우리 나라 커피자판기를 설치하여 거기서 번 돈으로 학비와 생활비를 충당하고 있는 아주 기특한 학생들이다.

중국 꾸냥(아가씨)들은 그 자판기 도우미들이다. 기계가 한국산이라 한국 동전이 필요하기 때문에 중국 아가씨들이 자판기 옆에 지켜서서 일일이 한국 동전을 바꿔 준다는 것이다.

나로서는 정말 띵호아 중의 띵호아다. 중국인들과, 그것도 한시라도 말을 않고는 못 배기는 수다스러운 10대 처녀들과 한 집에 살게 되었으니 말이다. 그 중에 왕샹이라는 똘똘한 아가씨에게는 시간당 20위안을 주고 하루에 한두 시간씩 특별과외를 받기로 했다.

우리 '조직' 에서는 커피 장사 외에도 톈진〔天津〕에서 도매로 가져온 한국 라면을 팔고 있었다. 나는 다른 것은 몰라도 내가 있는 동안 라면 1백 상자는 팔아주겠다는 목표를 정하고 학원에서 만나는 한국인 부인들에게 홍보를 시작했다.

"기왕 사는 라면이라면 이 학생들 것 팔아주세요. 기특하잖아요. 부모한테 손 안 내밀고 스스로 돈 벌어 공부한다는 게 말예요. 라면 사주는 게 장학금 주는 거라니까요."

이런 내 입심의 '홍보력' 과 그곳 따제 부대〔大弟部隊, 큰언니 부대〕 주축인 서귀원 씨와 천문학 박사 이은희 씨의 '인맥' 이 어우러져 중국을 떠나오기까지 목표를 초과달성했다.

후반부의 2주간 어학연수 스케줄은 아침 조깅과 배드민턴 등 약간의 운동을 제외하고는 만학의 불꽃을 태우는 데 총력을 기울이기로 했다. '페이 창 총밍(아주 머리가 좋아요)' 이라며 학원 선생님들은 나를 치켜세우지만 중국어는 내가 지금까지 공부한 외국어 중에서 배우는 속도가 가장 느리다. 발음이 특히 나빠서 남방 사투리에다가 한국 악센트가 섞이고, 영어 발음까지 끼여들어 다국적 발음이 되는 것이 제일 큰 문제다.

우리 나라에서는 기초는 혼자서 하거나, 초보 선생님한테 배우고 고급으로 들어가서야 실력 있는 선생님을 찾는 것이 보통인데, 내가 배워보니까 천만의 말씀이다. 이렇게 하는 것은 1, 2층의 기초를 대충 얽어놓고 3

층만 멋진 누각을 올리려는 것과 다름이 없다. 내가 다니는 학원에서도 '니하오' 도 모르고 시작한 완전초보 학생들은 2, 3개월만 지나면 발음과 성조가 아주 정확해지는데, 한국에서 어설프게 공부하고 온 사람들은 1년이 지나도 권설음조차 제대로 내지 못하니 그것으로도 확실히 알 수 있는 일이다.

외국어를 배우는 일은 만만한 일이 아니다. 세상 어디에 공짜가 있겠는가. '3개월 속성, 6개월 완성' 이라는 말은 사기다. 학창 시절에 벼락치기로 외운 내용은 시험지를 내는 순간 모두 잊어버린다. 속성이나 지름길은 비슷하게는 되어도 진짜는 되지 못하는 사이비 얼치기다. 외국어에 관한 한 내가 터득한 진리는 딱 두 가지다. 지름길은 없다. 그리고 공든 탑은 절대 무너지지 않는다.

내 또래나 나보다 나이가 많은 분들은 외국어에 대해 이렇게 말한다.

"내가 5년만 젊었어도 공부를 시작하겠어요."

"언제부터 그 외국어를 배우고 싶으셨는데요?"

"생각은 아주 오래되었지요."

"그럼 5년 전에는 왜 시작을 못하셨어요?"

"그때야…."

이런 사람들은 드물지 않다. '5년만 젊었어도, 10년만 젊었어도' 라며 공부를 시작해 볼 엄두를 내지 못하는 사람들은 많다. 용기를 내 시작해 보지도 않고 몇십 년 동안 '5년만 젊었어도' 라는 변함없는 레퍼토리만 되풀이하고 있다. 그런 사람들은 아마 꽃다운 나이 20대부터 그 말을 애용했을지도 모른다. 자기가 무슨 일을 못하는 것이 마치 순전히 나이라는 장애물 때문인 것처럼.

내가 제일 싫어하는 말 중 하나가 바로 '이 나이에…' 라는 말이다. 앞으로 더 나이들 일밖에 남지 않았으니 바로 '이 나이' 가 그 사람의 인생으로서는 제일 젊은 나이인데도 말이다. 바로 '이 나이' 가 자기보다 나이든 사람들이 부러워하며 돌아가고 싶은 '참 좋은 때' 인데도 말이다.

스스로 자신을 '이 나이에' 라는 올가미로 얽어매지 않는다면 나이로부터 얼마든지 자유로울 수 있다. 언제 어느 때든 용기를 내어 새로운 일을 시작하는 분들에게 들려드리고 싶은 중국 격언이 있다.

'늦게 시작하는 것을 두려워 말고, 하다 중단할 것을 두려워하라.'

나도 늘 명심하고 있는 말이다.

'중국서 번 돈 젊은 애인에게 다 털리고'

베이징발 555열차. 오후 3시 35분 출발하여 다음날 오후 7시 옌지에 도착한다는 기차에 몸을 실었다. 조선족이 사는 옌지는 오주일간 중국어 공부를 끝내고 가려고 했었다. 그런데 옌벤 가면 묵기로 한 집 아저씨가 몇 주일 후에는 다른 지방에 가게 되었으니 지금 오면 좋겠다는 연락이 왔다. 공부도 중요하지만 아무래도 그 아저씨가 있을 때 가는 것이 여러모로 좋을 것 같아 다녀오기로 한 것이다.

공부를 잠시 쉬어야 한다는 아쉬움이 있어서, 옌지까지 가는 장거리 기찻길 28시간 동안 수다스러운 중국 사람을 만나서 중국어 실습이나 실컷 했으면 좋겠다고 생각했다.

그러나 막상 같은 칸에 탄 사람들은 한국에서 온 50대 아저씨 두 명과 투먼〔圖們〕에 산다는 조선족 신혼부부 그리고 허룽〔和龍〕에 산다는 50대 조선족 아줌마다. 이분들은 허름한 옷차림에 서울 말씨를 쓰는 내가 헤이룽장성〔黑龍江省〕에서 온 사람인 줄 알았단다. 북한하고 가까운 지린성〔吉林省〕은 함경도나 평안도 출신이 많은 반면 헤이룽장성은 후발대인 경상도, 전라도 등 남쪽 출신이 많아서 서울 말씨를 쓴다는 것이다.

옌지로 가는 기차여서 그런지 조금만 귀를 기울이면 '무스그', '옳소', '동무', '일없다' 등 정겨운 북한 말투가 여기저기서 쏟아진다. 다음날 오후가 되니, 갑자기 차내 방송으로 태진아 노래가 메들리로 흘러나오며 한국어로 안내방송이 나온다. 조선족 자치주에 들어선 것이다.

창 밖으로 스쳐가는 경치를 본다. 야트막한 언덕, 마을 앞을 흐르는 작은 강물, 논 사이로 꼬불거리는 논두렁길, 벼 벤 논 응달에 남아 있는 하얀 눈, 그리고 그 위로 쏟아지는 투명한 햇살. 나에게는 너무나 낯익은 풍경이다.

경춘선을 타고 가다가 경기도 마석쯤에서부터 보게 되는 바로 그 길이다. 버스를 타고 충청도 어디 지방도로를 지나가면 내내 눈앞에 펼쳐지는 바로 그 풍경이다. 이런 정겨운 경치를 보니 마음이 놓인다. 우리 동포들이 고향과 비슷한 이 산야에서 정 붙이고 살기가 그만큼 나았을 테니까.

한국 사람이나 중국 동포들과 같이 가느라 중국어 공부를 못하게 되었다고 내심 아쉬워했는데 뒤에 보니 그게 또 커다란 횡재였다. 한국에서 온 아저씨들은 상인들인데, 한중수교 직후부터 10년간 이곳을 드나들어서 옌볜의 중국 동포와 한국인에 대한 산 증인이자 정보의 바다요, 인간 인터넷이었던 것이다.

"중국에 와서 돈 벌었다는 사람은 백에 열이 될까말까예요. 나머지는 모두 거덜나서 나가요."

"아저씨는 버신 모양이죠?"

"벌었다 까먹었다 해요. 나도 중국병에 걸려서 아직도 이렇게 왔다갔다 하고 있지만 보따리 장사 해서 돈 벌겠다는 사람 만나면 정말 말리고 싶어요."

"왜요?"

"돈을 벌면 뭘 해요. 벌면 버는 대로 고스란히 여자한테 다 꼬나박고 마는데."

"무슨 여자요?"

"조선족 애인 말예요. 그런 사람 어디 한둘인가요? 나도 지난해만도 지금 애한테 6만 위안 들어갔어요."

"어머, 한국에 부인 없으세요?"

"없기는요. 말하자면 현지처란 말이죠. 나만 그런 것 아니에요."

이 말을 하면서 멋쩍게 웃는 것을 보면 언행이 거칠기는 하지만 그래도 영 이상한 아저씨들은 아닌 것 같아서 이야기를 계속했다. 이 아저씨들이 다투어서 들려준 이야기를 종합해 보면 이렇다.

1949년부터 83년까지는 한중간에 왕래가 전혀 없다가 83,4년에 재미교포들이 중국 방문을 시작했고, 85년에는 한국과 편지 왕래가 되었으며, 88년에는 친지 방문이 허용되었다. 7년 전인 92년에 드디어 양국의 국교가 정상화되면서 여행 등이 자유로워져 지금은 연간 7, 8만 명의 한국인들이 이곳을 드나들고 있단다.

대부분 백두산 관광 등 단기 관광객이지만 이 아저씨들 같은 장사꾼도 무시 못할 숫자라며 바로 자기들이 '옌볜을 싹 바꿔 놓았다'고 자랑한다.

"무슨 장사가 잘 되나요?"

내가 물었다.

"처음에는 명태랑 미꾸라지로 돈 좀 벌었죠. 여기서 근당 3백50원에 사서 한국에 1만 5천 원에 팔았으니까. 그때 좋았지요. 그런데 배 안에서 만난 사람이 개장사 하면 떼돈 번다고 해서 시작했다가 그동안 번 돈까지 다 까먹었어요. 재수가 더럽게 없었지요. 그 뒤에도 도라지, 전기 밥가마(전기밥솥) 등을 하다가 지금은 가라오케 바에 나가는 조선족 아가씨들 상대로 가죽점퍼와 무스탕을 팔아요. 그애들 아주 사치스러워서 고급 옷이 잘 먹히거든요. 이번에는 좀 될 것 같은데 해 봐야 알지요, 뭐."

젊은 아저씨가 대답했다.

"아저씨는요?"

나이 든 분에게도 물어보았다.

"이거 말해도 되나. 실은 난 골동품 장사해요. 북한 골동품을 내오는 거죠."

"어머, 아저씨가 직접 북한에 가세요?"

"나는 미국 국적이지만 한국에도 나가야 하니 가면 안 되죠. 중간에 심부름하는 조선족이랑 북한 사람이 있어요. 그 사람들이 북한 전 지역을 커버하거든요. 그래서 주소만 있으면 북한에 있는 친척을 찾을 수도 있어요. 이번에도 한 건 하고 왔어요."

"그럼 이산가족도 만나게 해 줄 수 있나요?"

"그건 쉬워요."

"그렇게 하는 데 얼마나 드나요?"

"2만 위안 정도."

"우와, 아저씨 떼돈 버시겠네."

"그래도 요새는 정신없어요. 조선족 애인이랑 애인 집 식구 먹여살리느라고."

예순도 넘어 보이는 아저씨에게 스물다섯 살짜리 애인이 있다고 젊은 아저씨가 고자질하듯 말한다.

그 여자를 어떻게 알았느냐니까 가라오케 바에서 만났다며 여기 여자들은 돈 많은 남자를 보면 나이가 많든 적든 아주 적극적이란다. 그 아가씨도 아저씨를 만난 첫날 아파트 구경 시켜달라고 꾀어서 그날로 넘어가고 말았단다. 이런 여자와 살려면 여자는 물론 여자 집안 전체를 먹여 살려야 하기 때문에 끝도 없이 돈이 들어간다며, 돈을 안 쓰면 여자가 당장 다른 사람을 찾는다고 스스럼없이 말한다.

"지난 10년 동안 한국 남자들이 연변 사람들 먹여살렸지, 뭐. 그래도 이 사람들 고마운 줄도 몰라."

젊은 아저씨가 누구에겐가 큰 불만이 있는 것처럼 볼멘소리로 말한다.

"보통 중국으로 장사하러 오는 사람들은 혼자 오는 경우가 대부분이거든요. 타국에서 외롭지, 새파란 아가씨가 간 빼줄 듯이 잘하지, 그러니 이런 일이 많은 거예요."

나이 든 아저씨가 속 들여다보이는 궁색한 변명을 한다. 이런 여자 문제 말고도 돈 벌기가 어려운 이유는 사업을 할 때 법적으로 반드시 중국 사람 이름을 빌려야 하는 규정 때문이란다. 이름을 빌려준 사람과 문제가 생겼을 경우 서류상에 자신의 이름이 하나도 없으니 치명적인 불이익을 당하게 된다는 것이다.

또 중국말을 못하니 통역과 관리를 조선족에게 맡길 수밖에 없는데 그 사람들에게 사기를 당해 2, 3년 안에 망하는 경우가 허다하다고 한다. 조선족 사이에는 '같이 일하는 한국 사람 돈 있는 것 알면서 못 빼먹으면 바보' 라는 말이 공공연히 나돌 정도란다. 이렇게 사기를 당한 사람들이 빈손으로 돌아갈 수 없으니까 조선족을 상대로 다시 사기를 친다고 한다. 요즘에는 같은 한국 사람끼리 사기를 치고 당하는 것이 액수도 크고 건수도 점점 늘어나고 있다고 한다.

"하여튼 나도 이번에 한 탕 하면 뜰 생각이에요. 중국, 이제는 지긋지긋 신물이 나요."

젊은 아저씨가 넌더리를 낸다.

"아저씨 그 '한 탕' 타령 10년 전부터 하셨지요?"

내가 농담 반, 진담 반 말했더니 두 아저씨가 "맞아."라고 합창을 한다.

옌지는 다 왔는데 문제가 생겼다. 베이징을 떠나면서 옌볜 아저씨의 전화번호 가지고 오는 걸 깜빡 잊어버렸다. 아기 예방주사 맞히러 가면서 정작 아기는 안 데리고 갔다는 친구 흉볼 일이 아니었던 것이다. 어쩐담? 같은 칸에 탄 투먼 사는 신혼부부가 함께 걱정을 하면서 오늘밤은 자기네 집으로 가잔다. 괜찮다고 해도 마음이 안 놓이는지 전화번호를 적어주며 무슨 일이 있으면 꼭 연락하라고 몇 번이나 당부를 한다.

옌지역에 닿으니 붉은 글씨로 '연길에 오시니 반가워요' 라는 한글문구가 눈에 들어온다. 그런데 다행히 옌지역 바깥에 옌볜 아저씨와 아주머니가 역시 붉은 한자로 '한비야(韓飛野)' 라고 쓴 도화지를 들고 나와 계신다.

한국인은 사기치고, 조선족은 등쳐먹고

다음날 옌지 시내를 슬슬 둘러보니 중심가가 생각보다 크고 번화하다.

인구 30만이라는데 노래방, 호프집, 스탠드 바 등 먹고 노는 곳이 아주 많다. 지나다니는 사람들의 차림도 말끔하고 고급스러운 것이 여느 한족 도시와는 확실히 구별된다.

특히 짙은 화장에 입술을 시커멓게 그려서 마치 관에서 튀어나온 송장같이 하고 다니는 여자들은 열이면 열 조선족이다. 한 벌에 보통 사람들 월급의 4, 5배 하는 가죽이나 무스탕 점퍼를 입은 사람들이 흔하다. 아주 높은 까만색 통굽 신발도 유행인가 보다. 무전기만한 휴대폰을 가지고 다니는 사람도 심심치 않게 보인다.

시장에는 한국에서 들여온 물건들이 산처럼 쌓여 있다. 운반비가 만만치 않을 텐데 화장품이며 옷, 라면 등이 어떻게 한국보다 더 쌀 수 있을까. 저게 다 가짜란 말인가? 긴가민가하면서도 베이징에서는 30개들이 한 박스에 180위안 하는 신라면이 단돈 87위안이라서 두 박스 샀다. 한 박스는 베이징의 미정이와 은정이에게, 다른 한 박스는 한국 라면이 먹고 싶어 몸살을 하는 윈난성 리지앙의 김명애에게 보내야지. 애들이 좋아하겠다.

지하매장에는 명태, 오징어 말린 것은 물론 낙지, 오징어, 소라 등 아직 싱싱하게 살아 있는 북한산 해산물이 천지다. 한국산 라면에 북한산 해산물이라. 옌볜 시장에서는 이미 남북통일이 이루어졌다.

'신화서점' 이라는 국영 책방에도 가보았다. 2층에 조선어 코너가 따로 있는데, 옌볜, 평양, 한국에서 만든 책들이 전시 판매되고 있다. 월마다 나와야 하는 평양화보집 〈금강산〉은 95년 6월 이후로는 나오지 않는다고

우리의 옛날이 고스란히 남아있는 옌볜의 농촌 초가

한다. 기념으로 평양 인쇄공장에서 만든 〈대동강과 처녀〉, 옌볜조선족 학교의 교과서 〈고향〉, 그리고 〈세계 속의 우리 민족〉이라는 책을 샀다.

신화서점 근처에 있는 옌지 냉면집의 '랭면부' 에도 가보았다. 강당만큼 큰 식당에 손님으로 발 디딜 틈이 없다. 그곳 '랭면' 은 소문대로 무지무지 맛있다. 내가 세상에 태어나 먹어본 물냉면 중에서 제일 맛있는 것 같다. 가격은 8위안.

우선 육수맛이 아주 특이하다. 기름기가 없는 쇠고기 삶은 물에 무, 겨자, 계피 등을 넣어 육수를 만들고 거기에 쇠고기편 두세 쪽, 뼈까지 함께 갈아 만든 닭고기 완자 몇 개, 통달걀, 오이채, 양념 무채, 배, 잣 등을 고명으로 얹어 먹는다. 추운 날 냉면을 먹고 나니 이와 손발이 달달 떨리고 오장육부가 얼어붙는 듯했지만 겨울에 먹는 냉면은 바로 이 맛으로 먹는 게 아닌가. 먹고 나서 달달 떠는 맛.

거리에서는 옌볜 명물 사과배를 팔고 있다. 겉보기에 추위에 언 배처럼 보이는 이 과일은 우리 나라 사람이 개발한 것이라고 한다. 하나 사서 먹어보니 사과의 향에 배의 단맛이 섞여 있어 아주 독특한 맛이 난다.

옌지 일주를 하고 집에 들어가니 주인 아주머니가 귀한 손님이 오셨다고 개장국을 사오셨다. 개고기는 다 맛있지만 옌볜 개고기는 정말 맛있다. 특히 개의 내장을 다져서 양념을 한 다대기맛이 일품이다.

그런데 그날 저녁 개고기 때문인지 두드러기가 났다. 팔다리를 빼고 몸통 전부가 두들두들 벌겋게 부풀어 올라 마치 그런 무늬 난 조끼를 입은 것 같다. 갖고 다니던 알레르기 약을 먹어도 가려움증과 부기가 가라앉지 않는다. 한번 긁으면 잠을 잘 수 없을 것 같아 밤새도록 손깍지를 끼고 있었다. 벌써 몇 달째 시도 때도 없이 나타나는 현상이다.

그날처럼 '두드러기 조끼'를 입는 날은 드물고 보통은 엉덩이, 종아리 뒤, 허벅지 등에 집중적으로 난다. 아침이나 낮에는 멀쩡하다가 이상하게 밤만 되면 나타난다. 한국에서라면 미나리 즙을 내서 설탕을 약간 타서 먹고 바르면 잘 낫던데, 여기서는 무슨 약을 어떻게 먹어야 하나. 아무튼 이 두드러기가 간기능하고만은 아무 상관이 없었으면 좋겠다. 간이 나빠져 해독기능이 떨어지면 두드러기를 유발할 수 있다고 어딘가에서 주워들었다. 난 정말 아는 것이 병이다.

다음날은 작정을 하고 아저씨에게 물어보았다.

"연변 왔다갔다하는 한국 사람 가운데 꼴불견 많지요?"

"다 알겠는데 뭐."

아저씨는 내 물음에 그냥 얼버무리려 하다가 내가 하도 조르니까 이야기를 쏟아 놓는다.

"점잖고 좋은 사람들도 있는데 한국 사람들 너무 붑니다. (허풍이 셉니다) 헷소리도 많이 치고. 내 한 사람만 말하겠습니다."

맨 처음 이 아저씨가 소개받아 옌볜을 안내해 주었던 사람은 택시운전사를 하던 사람이었단다. 택시를 그만두고 차를 팔아 장사를 할까 하고 왔다는데 어떤 백화점 건물을 보고는, "저 백화점 통째로 사 버릴까?"라고 해서 속으로 한없이 비웃었단다. 택시 팔아서 빌딩을 사겠다니.

그날 밤 술집에서는 더 가관이었단다. 온갖 허풍을 떨던 그 아저씨는 취기가 오르자, "야, 여기 문닫아. 오늘 술값 내가 다 낸다."고 하더란다. 그날 술값이 이곳 사람들의 석달치 월급인 2천 위안이었다는 것이다.

그래서 그 사람 지금은 어떻게 되었느냐니까 혀를 끌끌 찬다.

"자기가 돈 가져오겠으니까 내복공장을 합작하자고 헛소리를 치길래 내가 여기서 합작할 만한 사람을 찾아서 문건까지 다 준비해 놓았는데 지금까지 감감 무소식입니다, 나만 부는 사람 됐단 말입네다."

그러나 초기에 온 사람들은 이렇게 허풍과 허세를 부리며 눈살을 찌푸리게는 했지만 남에게 큰 피해를 주지는 않았다고 한다. 그러나 요즘에는 정신적, 물질적으로 치명적인 피해를 주는 악질들이 많다고 한다. 가장 흔한 것이 위장결혼 사기다. 물론 가짜 서류라도 수속을 밟아 한국으로 가는 경우도 있지만 중간에 돈을 떼이는 경우가 더 많단다. 한국에 가는 데는 8만 위안에서 8만 5천 위안의 비용이 든다고 한다.

"어떻게 하는 거죠?"

"한국 농촌 총각이 조선족 여자를 얻어가는 것입니다. 정식으로 초청장을 보내면 여자 부모는 결혼식을 보러 가는 일로 친지 방문이 되니 석 달까지 연기해서 체류하다가 그냥 눌러 있는 겁니다. 그 부모도 진짜 부모가 아니라 문건을 꾸며 만든 가짜예요. 나이 든 사람들이 한국에 가려면 이 방법밖에 없지요. 이 사람들한테는 5만 위안 정도 받습니다."

이렇게 호적을 빌려주는 대가로 한국 남자는 5백만 원 정도를 받는단다. 한국에 가서 돈을 벌어야 하는 여자들이 농촌에서 농사를 짓지 않을 것은 불을 보듯 뻔하다. 요즘에는 착수금을 선불로 받아 수십만 위안을 챙겨서 도망가는 한국인이 한두 명이 아니라 문제란다.

"한국 사람들 골(머리)이 좋아 눈 깜짝할 새 사기를 쳐요. 우리 조선족들은 당하지 못한단 말입네다."

"그래도 죽어도 가고 싶은 사람들이 있으니까 이런 사기가 끊이질 않는 거 아니에요?"

"한국에 가서 2, 3년만 고생하믄 집도 사고 뭐 하나도 꾸릴 수(차릴 수) 있는데 어떻게 해두 가구 싶지, 아이 가구 싶은 사람이 어디 있겠음?"

참 안타까운 일이다. 처음 왕래가 시작되었을 때는 통일이 된 것처럼 감격하며 헤어졌던 세월을 아쉬워했는데, 그것이 겨우 십년 만에 불신과 증오로 바뀌었다. 이런 감정의 골은 어디서 비롯된 것일까.

나는 그것이 그동안 이념의 장벽 너머에서 아주 다르게 살아오면서 서로에 대한 기대가 달랐기 때문이 아닐까 생각해 본다. 한국인들은 조선족이 '우리는 중국 사람'이라고 말하는 것에 배신감을 느낀다고 흥분하지만 마찬가지로 조선족은 한국인들이 자기들을 못 산다고 무시하면서도 이용해 먹으려는 것에 한없는 모멸감을 느낀다.

하나의 민족이 한나라를 이루고 있는 아주 특별한 상황을 가진 우리 나라 사람들은 우리 민족이면서도 중국 사람이라고 생각하는 조선족을 이해하기가 어려운 것이다. 반면 사회주의 체제를 살아온 조선족들은 자본주의 국가에서는 너무도 일반적인 피고용인과 고용주 사이의 갈등을 인간적인 멸시로 이해하려 하는 것이다.

옌벤 아저씨와 기차에서 만난 한국 아저씨의 이야기는 다른 입장에서 본 상반된 말 같지만 결국 같은 말이다. 서로에 대한 배려나 같은 민족이라는 정서적 유대감보다 저마다 자신들의 경제적 이익만을 추구하겠다는 것이다.

친척도 한두 번이지 만날 어떻게 도와?

"홍대 졸업생 아니세요?"

연변과학기술대학 김진경 총장을 만나러 갔다가 마침 베이징 출장 중이라 허탕을 치고 돌아서려는데, 어떤 남자가 한참 쳐다보다가 말을 꺼낸다.

"맞는데요."

대답하고 자세히 살펴보니 순진하면서도 똘똘하게 생긴 얼굴이 어디서 많이 본 듯하다. 이것은 홍익대가 '아담 사이즈(아담한 크기)'라서 생기는 보너스다. 학교 다닐 때는 캠퍼스가 작다고 징징거렸는데 그 덕에 비슷한 시기에 학교에 다닌 학생들은 서로 얼굴이 익어 통성명 한 번 없어도 잘 아는 사람 같다.

"공대 졸업생 김재능이에요. 영문과 다녔지요? 학교 다닐 때, 영문과 수업을 들어보려고 청강을 했었어요."

김재능 동창은 미국에서 박사 학위를 받고 이 학교 식품공학과 교수가 되어 있었다. 그에게 물었다.

"어쩌다 옌벤까지 왔어요?"

"개인적으로 김진경 총장님의 인격과 교육사업 이념을 존경해요. 한국에서 좋은 대접 받는 것보다 여기서는 거의 무료로 가르치지만 훨씬 보람이 있을 것 같아 결심을 했어요."

놀랍게도 과기대는 북한 나진 선봉 지구에 과기대 북한 분교를 짓고 있다고 한다. 올 1월 기공식을 했는데 33만평 규모로 2, 3년 후 개교를 목표로 하고 있다고 한다. 이런 교육사업을 통한 민간교류가 통일을 앞당기는데 크게 기여할 것이라고 믿고 있다.

"아, 그때 영문과에서 한비야씨랑 같이 다니던 학생 있지요? 키 작고 또릿또릿하게 생긴…."

"아, 김순영 말이죠. 지금 휴렛 팩커드에 다녀요. 벌써 두 아이의 엄마예요."

볕이 잘 드는 따뜻한 창가에 커피를 놓고 앉아 이런저런 옛날 이야기를 주고받으니 마음이 저절로 따뜻해지면서 힘이 솟는다. 사람은 무슨 맛으로 사는가. 여러 맛이 있겠지만 오래 전에 알던 사람을 만나 지난 이야기 하는 맛도 사는 맛 중의 중요한 하나임에 틀림없다.

"북한 가본 적 있으세요?"

저녁을 먹은 뒤 차를 마시면서 위성 안테나로 한국 드라마를 보고 있는 아저씨 내외에게 물었다.

"아이구, 조금 있다가 이야기해 주겠소. 저거 다 보구서리."

드라마는 〈용의 눈물〉이란다. 나는 저런 사극이 있는 줄도 몰랐는데 두 사람은 거기에 푹 빠져서 나와 놀아주지도 않는다.

"한번은 말입네다. 얼굴도 모르는 조카한테서 편지가 왔습니다."

프로그램이 다 끝났는지 아저씨가 말문을 연다. 그 편지를 받은 아저씨는 쌀 두 가마, 옥수수, 기름 등을 리어카까지 빌려 싣고 회령으로 넘어가 그 친척에게 전해주었단다. 중국 조선족과 북한간에는 협정이 되어 있어서 하루 만에 갔다오는 것은 비자 없이 1백 위안을 내고 일일 통행증을 끊으면 된다고 한다.

"가서 보니 사정이 어때요?"

"영 바쁘단 말입네다(아주 힘들어요)."

기차역에는 죽은 사람인지 힘이 없어 널브러진 사람 십여 명이 누워 있고 친척집에 가보니 한겨울인데도 옷이나 신발을 변변하게 신은 사람이 없더라는 것이다. 또한 노인들은 눈에도 띄지 않았다고 한다.

"사람도 잡아먹는다더라, 토막내서 소금통에 넣어놓고 절궈 먹는다더라는 말이 있어 옌볜에서는 실한 사람들은 북조선에 가지 말라는 농담이 돌고 있습네다. 그런데 정말 가보니 사람 절굴 소금도 없단 말입네다."

바다가 있는데 왜 소금이 없을까? 아주 궁금했는데, 나중에 중앙일보 통일문화연구소 기자로 있는 친구 최원기 씨가 그건 낭림산맥 때문이라고 설명해 주었다. 북한의 지형은 낭림산맥을 중심으로 동서로 나뉘어지는데 서해안에서만 생산되는 소금이 험한 낭림산맥 동쪽인 함경도까지는 운반이 제대로 되지 않기 때문이란다.

아저씨가 중국으로 돌아오는 길에 보니, 회령 세관 뒤에 북한 주민 3백 명 정도가 진을 치고 중국으로 넘어가는 사람들을 기다리고 있더란다. 옌벤에 사는 친척들에게 쪽지를 전해달라는 것이었다. 아저씨도 세관들의 눈을 피해 손에 잡히는 대로 받아다가 옌벤에 와서 연락되는 사람들에게 모두 전해주었다고 한다.

"연락을 받은 친척들이 무척 반가워했겠네요?"

"무스그, 좋아하긴. 거의 다 아이 좋아하더란 말입니다. '한 번, 두 번이고 일년 이년이지.' 라고 한단 말입네다. 알 만합네까?"

무슨 말인지 알 것 같다.

"그건 그렇고, 여기 가라오케 바에도 북한에서 온 여자들 많다면서요?"

"누기 그럽데까?"

"베이징에서도 알 만한 사람은 다 알던데요. 기차에서 만난 한국 아저씨들도 한번 만나게 해 준다고 했는데요, 뭐."

북한 특공대 출신 술집 아가씨의 건배

그 아저씨들이 혹시 허풍을 떤 것은 아닐까 걱정했는데 '놀랍게도' 약속한 시간에 대우 호텔 앞으로 나타나 주었다. 가라오케 바는 우리 나라의 단란주점이나 룸살롱처럼 침침한 분위기다. 이름만 가라오케지 이곳을 찾는 손님들은 노래 부르는 것에는 관심이 없고 술을 마시거나 하룻밤 잘 여자를 만나러 오기 때문에 여자들이 많다는 설명이다.

룸에 앉아 술을 시키자 양주가 들어오고 과일 등의 안주가 들어오더니 드디어 소매없는 헐렁한 블라우스에 딱 붙는 쫄바지를 입은 여자가 들어온다. 얼굴을 훔쳐보니 눈매가 날카로운 게 벌써 예사롭지 않다. 젊은 아저씨한테 내가 자기 한국 애인이니 형님이나 시중 들라고 말하라고 일렀다. 그래야 여러가지를 편안하게 물어볼 수 있을 것 같았기 때문이다.

"공화국에서 왔지?"

나이 든 아저씨가 단도직입적으로 물었다.

"알면서 뭘 묻습네까?"

"그러다가 조교한테 걸리면 어떻게 하려고?"

"넘어올 때 이미 죽을 각오를 하고 왔단 말입니다. 배고파 넘어왔지만 조국을 배반했으니 죽어도 싸디오."

술기운도 하나 없이 말이 술술 잘도 나온다. 이야기를 들어보니 압록강 물살이 아주 센 곳을 넘어오느라 빠져 죽을 뻔했단다. 국경 초소에 돈을 주기는 했지만 군인들이 언제 마음이 변해 총을 쏠지도 모르는 상황이었다고 한다.

"옌볜에만 5백 여명도 더 있을 거란 말입네다."

여자가 말한다. 전국적으로는 약 1,500여명 정도의 북한 여자 술집 종업원들이 있고, 약 5만 명 정도의 북한 난민들이 국경 근처에 숨어 살 거라고 자기들끼리 말한다는 것이다. 국경으로 딸을 팔러 오는 경우도 심심치 않다는데 한 입 줄이고, 딸만이라도 먹고 살라고 부모들이 내다판다는 것이다. 가격은 1인당 2천 위안에서 4천 위안선이라니 당시 환율로 우리 돈 40만 원이 안 되는 돈이다.

북한은 여자들도 6년간 의무적으로 군대 복무를 해서 그런지 그녀의 팔뚝이 아주 굵고 단단해 보인다. 이 여자는 특공대 출신이란다. 모두 술잔을 들고 건배를 하자고 했더니 그 여자는 공화국의 딸답게 구호를 외친다.

"위대한 수령님을 위하여 자폭하자!"

그 가라오케 바를 나오면서 나이 든 아저씨는 물어보지도 않은 정보를 준다.

"재네들하고 2차 가는 데 50위안이면 돼."

정말 이 아저씨는 그 방면에서는 정보의 바다다. 호색한은 호색한인가 보다.

아주 씁쓸한 저녁이다. 옌볜에서는 이렇게 조금만 살펴보면 어렵지 않게 탈북자들을 만날 수 있는 것이 현실이다. 실제로 작년까지 약 3만 명, 올해 들어와 10만 명 이상의 탈북자들이 중국 각지를 떠돌고 있다고 한다. 나는 투먼에서 또 한 명의 북한 주민과 만날 수 있었다. 이번에는 순전히 우연이었으니 그만큼 주위에 흔하다는 뜻이다.

기차에서 만난 신혼 부부가 옌볜에 있는 동안 투먼에 있는 자기 집에 꼭 오라고 해서 두만강을 구경하러 가는 날, 그 집에 들렀다. 이 동무들이랑 (이 부부는 서로 동무라고 부른다) 이런저런 이야기를 하고 있는데, 이 댁 시아버지가 열 살 정도의 남자아이를 데리고 들어온다. 굴뚝 청소를 하다가 온 아이처럼 얼굴이며 옷이 숯검댕이다.

이 아이는 북한에서 왔는데, 청진에서 화물차를 몰래 훔쳐타고 오느라 이렇게 되었단다. 놀란 부부에게 할아버지는 이 아이가 전화번호를 들고 가게에 들어와 전화를 걸어 달래서 걸어보니 이미 없는 번호더라는 것이다. 그래서 갈 곳이 없게 된 아이를 하룻밤 재워주려고 데리고 왔다고 설명한다. 열세 살이라는 아이는 함경도 청진에 있는 집에 어머니, 아버지가 모두 아파서 투먼에 산다는 먼 친척에게 돈을 구하러 왔다고 한다.

'부인 동무'가 끓여 준 물로 목욕을 한 아이를 할아버지가 이발소에 데려가 더벅머리를 스포츠 머리로 깎아주었다. 내가 아이에게 뭔가 필요한 것을 사 주고 싶어 물어보니 자기는 통행증 없이 와서 물건을 가지고 가면 빼앗긴다고 말한다. 그래서 돈을 주려고 했는데, 할아버지 말로는 중국 돈보다 달러가 훨씬 유용할 것이라고 한다.

달러를 어떻게 안전하게 가져갈 수 있을까 생각하다가 신발 밑창에 돈을 비닐봉지로 한 번 싼 후 넣고 꿰매자고 했더니 모두들 좋다고 한다. 내가 50달러를 내고 '동무 부부' 와 할아버지도 조금씩 보탠다. 아이는 그저 고맙다는 말만 할 뿐이다.

비쩍 마르고 얼굴 전체에 마른 버짐이 피어 울긋불긋하지만 눈만은 초롱초롱하다. 쌀밥에 돼지고기 반찬으로 저녁상을 차려주니 아이는 그야말로 마파람에 게눈 감추듯 먹어치운다. 뭐가 더 먹고 싶느냐니까 빵이 먹고 싶단다. 아이는 아이다.

빵을 사러 아이를 데리고 저녁 어스름에 가게로 나가는데 아이가 가로등을 보고 신기해 한다.

"방도 아닌 바깥에 왜 불을 켜놓았습네까?"

아이는 중국 구멍가게의 옹색한 물건들을 보고도 눈이 휘둥그래진다.

"중국에 오면 없는 게 없다더니 참말입네다."

이 아이가 만약 내가 한국에서 온 줄 알았다면 어떤 반응을 보였을까?

나는 아쉽게도 약속이 있어 그날 부랴부랴 옌지로 돌아와야 했다. 다음날 전화를 해 보니 아이는 아침 나절에 강가에서 노는 척하다가 무사히 북쪽으로 건너갔다고 한다. 그 돈 넣고 꿰맨 신발을 신고서.

한씨네 셋째딸, 두만강 가에서 통곡하다

옌벤에 왔으니 윤동주 시인의 시비와 해란강이 있다는 용정을 빼놓을 수가 없지만 나는 용정 가는 중간에서 버스를 내리고 말았다. 옹기종기 엎드린 초가집 마을과 넓은 옥수수밭, 그리고 드넓은 논이 영락없이 어렸을 때 보았던, 지금은 사라져가고 있는 우리 시골의 어느 풍경 같았기 때문이다. 초가집 지붕 위에 옥수수 말리는 모습이나 마당에 누렁이가 한두 마리 누워 있는 모습도 정겹다.

야트막한 언덕에 오르니 조악한 하얀 조형탑에 '렬사비' 라고 새겨져 있다. 한바탕 동네 풍경사진을 찍고 내려오니 나를 이상하게 여기며 모여 있던 동네 사람들이 묻는다.

"어디서 왔습니까?"

간단하게 내 소개를 했더니 동네 사람 몇이 자기네 누구누구도 한국에 산다며 이야기를 시작한다. 이런 이야기 저런 이야기 오가다가 한 아줌마가 묻는다.

"나그네(남편) 어디 있습니까?"

"저는 나그네 아직 없어요."

"무스그, 나이 많아 보이는데. 나그네 없음 여기서 마음대로 골라가시오. 이 동네는 노총각들이 너무 많아가지구."

이 동네에 장가 못 간 노총각이 서른 명도 넘는다고 옆에 있던 아저씨도 거든다.

"왜 장가들을 못 가죠?"

"아니, 여자두 없는데 어떻게 서방갑니까?"

"여자가 왜 없어요?"

"다들 안쪽 가고 남조선 가고 남은 여자들도 한족한테 시집간단 말입니다."

이 동네만 해도 선양[瀋陽]이나 다롄[大連] 등 도시로 간 적령기 여자와 한국으로 시집간 여자가 열 명도 넘고, 최근에는 여자 셋 모두 한족과 결혼했단다.

"여자들이 바람이 차서 다 외지로 나간단 말입니다."

아저씨가 볼멘소리를 한다.

"바람은 뭔 바람. 조선족 나그네들 그잘락케 하는데.(혼자 잘난척 해서지) 집에 일은 하나도 안 하지, 지 마음대로 하자고 하지, 집안 식구들에게는 뚱하면서 다른 사람한테는 잘하지, 안가이(아내)와 애들 때리지. 어이구, 지금 누가 그런 나그네들과 삽네까? 이전에는 몰랐으니까 살았지."

옆에 있던 아줌마가 머리를 설레설레 저으며 퉁명스럽게 말한다.

"그런 여자들 땜에 조선족 인구가 점점 줄어들고 있단 말입네다."

또 아저씨가 끼여든다. 실제로 여행 후 한국에 와서 조사를 해보니 옌볜 농촌 인구가 5년 사이에 20만이나 줄었다고 한다. 그들이 고향을 떠난 빈 자리를 속속 한족들이 메우고 있다는 것이다. 그래서 옌볜 조선족 자치주의 조선족 점유율이 70퍼센트에서 최근에는 40퍼센트 이하로 떨어졌다고 한다.

더구나 조선족들은 소수민족이라 두 명의 자녀를 가질 수 있는데도 한 명만 낳는 가정이 많아 조선족 인구가 점점 줄어들고 있다고 한다. 그 때문에 최근에는 옌볜 '조선족 자치주'의 장으로 한족이 임명되는 사태에 이르렀다.

잠깐 들은 시골 아낙네의 이야기에서도 현재 조선족이 갖고 있는 가장 큰 문제인 인구의 급격한 감소와 배금주의의 만연이 중국 이민 100년사에 최대의 위기를 가져오고 있다는 사실을 절실하게 느낄 수 있다.

우리의 소원은 통일
꿈에도 소원은 통일

통일이 되기까지 이 노래는 제2의 애국가로 불릴 것이다. 내가 가지고 다니는 유일한 카세트 테이프인 들국화 1집 마지막 곡도 이 곡이다. 이번 여행길에서 골백번도 더 들은 이 무반주 노래는 들을 때마다 어떻게 한결같이 가슴을 찡하게 하는지 정말 모를 일이다.

한국의 통일전망대보다 훨씬 북한이 가깝게 보인다는 두만강 가의 투먼에서는 정말 강 건너가 빤히 내다보인다. 폭이 2, 3미터도 안 되는 건너편 강가에 누워 낮잠을 자고 있는 사람도 보이고, 총을 들고 강 근처에서 경계 근무를 하는 군인도 뚜렷이 보인다. 망원경으로 보면 멀리 있는 북한 주민들도 보인다. 그곳이 북한의 남양시란다.

두만강 위로는 기다란 철도가 놓여 있고, 중간을 반으로 나눠 빨간색과 파란색으로 두 나라의 국경을 표시하고 있다. 그 철로로는 주로 화물차가 지나가지만 베이징에서는 일주일에 두 번씩 압록강변의 단동을 거쳐 평양으로 가는 국제 열차가 다니고 있다. 같은 민족인 우리가 절대로 갈 수 없는 곳이 다른 나라에서는 한 줄기 철도로 이어져 있다.

북한 쪽으로 좀더 가까이 가보려고 강가로 내려간다. 강둑은 쓰레기로 지저분하고, 강물은 시커멓게 오염되어 있다. 두만강은 두만강인데 '푸른 물'은 이미 아니다. 따뜻한 햇볕을 받으며 강을 따라 걸어 본다. 철길 위에는 북한과 중국을 오가는 기차가 무심히 지나간다. 강의 두꺼운 얼음이 햇볕에 녹아 우두둑 소리를 내며 깨진다. 그 소리가 우는 소리처럼 들리는 건 내가 너무 감상적이 되어서일까.

강가에 피어 있는 버들강아지가 인상적이다. 봄의 첨병, 버들강아지는 지천인데 한반도의 봄은 언제나 오려나. 지구가 좁다고 구석구석 누비고 다니면서도 정작 제 땅은 들어가보지 못하고 먼 발치에서 바라보고 있다. 그것도 다름아닌 내 반쪽의 고향, 아버지의 고향을 말이다.

아버지 고향은 함경남도 정평이다. 아버지가 가족사진 한 장 없이 월남하셔서 나는 할아버지, 할머니, 큰아버지, 그리고 아주 미인이라는 고모 얼굴을 모른다. 그곳은 한씨 집성촌이라 마을 사람 모두가 친인척으로 끈적하게 뒤섞여 살다가 열여덟 살에 아버지 혼자 남쪽으로 내려오셨으니 홀로 뚝 떨어져 사시면서 얼마나 허전하셨을까.

내가 이렇게 다니다가도 돌아가 쉴 가족과 집이 있다는 생각만 하면 힘이 솟고 든든한데, 아버지는 일점 혈육도 없는 남한에서 무슨 때마다, 무슨 명절마다 얼마나 외로우셨을까.

통일전망대에서 나이 든 실향민들이 북에 대고 가족들의 이름을 부르는 것을 볼 때마다 촌스럽고 부질없는 일이라고 생각했었는데 북한이 바로 코 앞인 곳에 오니 나 역시 나도 모르게 강 건너에 대고 손나팔을 만들어 목청껏 부르게 된다.

할머니이이이이.

할아버지이이이.

고모오오오오오.

한남희 셋째딸 왔어요오오오.

목구멍으로 뜨거운 것이 올라와 목소리는 제대로 나오지 않는데 눈에서는 굵은 눈물이 쏟아진다. 마구 쏟아진다. 그 눈물에 더 서러워져 뚝뚝 떨어지는 눈물을 닦지도 않고, 그대로 주저앉아 엉엉엉 소리를 내어 울어 버렸다.

그래, 나도 안다. 이런 감정만으로는 통일을 할 수 없다는 것을. 이렇게 두만강 가에 앉아 운다고 이산가족이 자유롭게 만날 수 있게 되지도 않는다는 것을. 만에 하나 독일처럼 '날벼락 통일'이 된다고 해도 우리가 북한을 끌어안고 살기 위해서는 상당 기간 막대한 희생과 대가를 치러야 한다는 것을. 남북의 이산가족이 만나 한바탕 얼싸안고 울고 나면, 그 다음에 겪고 넘어야 할 분단 50년의 괴리가 너무나 크리라는 것을.

그러나, 그러나 말이다.

우리는 언젠가는 반드시 다시 만나서 함께 살아야 할 핏줄이고 형제다. 이것이야말로 통일을 꼭 이루어야 하는 변할 수 없는 이유다. 그리고 통일은 국가 지도층의 단호한 의지나 정책만으로 성사되는 것이 아니라 나 같은 백성 개개인의 이런 절실한 감정과 염원이 모이고 쌓여서 이룩되는 것이다. 그래야 통일에 한걸음 다가가는 자연스러운 '힘'과 '행동'이 나오게 되기 때문이다.

그동안 여행다니면서 똑같은 질문을 수천, 수만 번 받았다.

"어느 나라에서 왔어요?"

"한국이요."

"북한이요, 남한이요?"

나는 이 질문에 남한이라고 대답할 수밖에 없었지만 지금 한국의 어린

아들 딸들이 세계여행을 할 때는 이런 대답을 하기를 진심으로 바란다.
"통일한국이요."
마음 속 깊이 다시 한 번 노래를 부른다.

우리의 소원은 통일.
꿈에도 소원은 통일.
이 목숨 다해서 통일
통일이여 오라.

그날을 기다린다. 아주 간절하게.

〈세계여행 힌트〉

세계 배낭여행자의 사부

한비야가 발로 터득한 세계여행 정보

중국, 티베트, 몽골

4권의 여행기간은 1997년 9월부터 1998년 5월까지이고 루트는 다음과 같다.
(본문의 환율은 IMF 전인 1997년의 달러 환율 900 : 1을 기준으로 했다.)

여행루트

1) 실크로드 : 중국 신장의 카슈가르- 호탄- 치에무- 로아짱- 쿠얼라를 거치는 사막남로와 우루무치- 투르판- 둔황- 란저우- 시안

2) 간쑤성의 란저우- 샤허- 랑무스- 쑹판- 청두- 어메이산- 장강삼협- 양수오- 홍콩

3) 윈난성의 쿤밍- 시쌍판나- 바오산 지역- 다리- 리지앙- 중띠엔

4) 티베트와 몽골: 청두 - 꺼얼무 - 티베트의 라싸 - 베이징- 옌볜- 베이징- 몽골

여행을 떠나기에 앞서

혼자 갈까? 여럿이 갈까?

많은 사람들이 묻는 말 중의 하나가 이것이다.

"혼자서, 그것도 여자 혼자서 어떻게 다녔어요?"

결론부터 말하면 여행은 혼자 하는 것이 제일 알짜이고 여자 혼자서도 얼마든지 안전한 여행을 할 수 있다. 혼자여행은 자기 자신이 모든 일을 처리해야 하므로 자신감과 책임감이 생기고 현지인이나, 동료 배낭 여행자들을 훨씬 많이 사귈 수 있다. 차를 얻어타기도 쉽고 민박도 훨씬 수월하다. 더욱이 자기와의 시간이 많아서 많은 생각과 자기성찰을 할 수 있어서 여행이 줄 수 있는 최대의 이점을 얻을 수 있다고 생각한다. 물론 외롭거나 옆사람의 도움을 받지 못한다는 점도 있다. 여럿이 다니면 여행 경험을 공유하고, 서로 의지가 된다는 장점이 있기는 하지만 항상 행동을 함께 해야 하니 여행의 주목적인 자유가 그만큼 줄어든다.

여자 혼자 여행하는 것은 물론 조심을 더 해야 할 때도 있지만 훨씬 유리한 경우도 얼마든지 있다. 예를 들어 여자이기 때문에 민박 마을에 들어설 때 낯선 사람에 대한 경계심이 남자들에 비해 훨씬 덜하다. 또 민박집 여주인이나 아이들과도 금방 친해지고 바쁜 여자들의 일손을 거들 수 있어 당장 필요한 도움을 줄 수도 있다. 특히 중동 같은 곳에서는 남자 여행객은 현지 여자들과는 대화는커녕 얼굴도 보지 못하는 반쪽 민박밖에 하지 못한다면 여자들은 남자, 여자를 모두 접할 수 있는 온전한 민박을 할 수 있다.

나는 그동안 우리나라 여자 여행자들이 똘똘하고 싹싹하고 사리분별이 밝아서 현지인들과 외국배낭 여행자들의 사랑을 받는 것을 많이 보았다. 우리나라 여자들이 여행을 더 많이 다니면서 시야와 식견을 넓혔으면 하는 바람이다.

그러나 여자 여행자들이 지켜야 할 몇 가지 사항이 있다. 우선 매사에 의사를 분명히 해야 한다는 점이다. 여행자건 현지인이건 남자들이 관심을 보일 때 싫으면 싫다는 표시를 정확히 해서 쓸데없는 오해의 소지를 남기지 않아야 한다. 그것이 자기를 지키는 최선의 방책이다. 2권 여행정보의 〈치한 퇴치법〉을 참고하기 바란다.

다음으로 여행 중 만난 남자 여행자들에게 아무런 이유 없이 밥값이나 입장료 등을 내게 해서는 절대로 안된다는 것이다. 우리나라처럼 남자들이 비용을 전담하는 나라도 드물뿐더러 다 같이 저경비 여행을 하는 가난한 여행자들이라는 것을 늘 유념해야 한다.

또 하나. 진한 화장을 하고 다니는 아이들보다 내가 더 꼴보기 싫어하는 여자 여행자들은 무거운 짐이나 귀찮은 일을 일행이 된 남자에게 미루는 여자들이다. 그 남자 만나기 전에는 어떻게 다녔나? 제발 그런 엄살이나 얌체짓은 하지 말자. 무거운 짐은 작게 꾸리고, 귀찮은 일은 나눠서 할 일이다. 아프거나 피치 못할 사정이 아닌 다음에는 혼자 힘으로 해결하고 동행이 있더라도 제몫의 일은 반드시 자기가 알아서 하자.

중국

중국은 두말할 것도 없이 땅이 넓고, 그 안에 사는 사람들이 각양각색인 다면성의 나라다. 여정을 아무리 길게 해도 다 볼 수 없는 곳이 중국이니 평소에 관심이 있는 지역이나 주제를 정해 집중 투자하는 것이 더 알찬 여행이 될 것이다.

우선 유념해 둘 일은 중국은 장구한 역사와 문화와 사상을 자랑하고 있고, 사회주의 체제하에서 자존심이 대단하다는 점이다. 현재의 의식주 생활수준이 우리보다 조금 못하다고 해서 무시하거나 우쭐거리는 마음을 가지고 있다면 중국 여행은 십중팔구 실패하게 될 것이다. 이런 마음으로는 텔레비전이나 비디오에서만 보던 것을 현지에서 직접 대하는 경험은 할 수 있을지라도 여행이 주는 최대의 선물인 '사람 만나기'는 하지 못할 것이기 때문이다.

좋은 소식은 중국이 생각하는 것보다 훨씬 여행이 편하다는 점이다. 치안도 좋은 편이고, 대중 교통도 잘 발달되어 있고, 물가도 싸다. 예전에는 기차표 사느라 여정의 반을 쓴다는 말도 있었지만 지금은 아주 일부를 제외하고는 그렇게 힘들지 않다. 공식적으로 외국인 요금을 받는 곳만 아니면 바가지 요금도 그리 큰 문제가 되지 않는다.

게다가 중국말을 전혀 하지 못한다 하더라도 옥편 하나만 준비하면 필담으로 충분히 여행에 필요한 의사소통을 할 수 있어서 언어 걱정이 별로 필요없는 곳이다.

미리 알아둘 일

＊비자 : 비행기로 가는 사람은 중국대사관(☎02-771-3726)에 사진 한 장과 여권, 비자료 2만원을 내면 된다. 비자 처리기간은 1주일 정도이고, 비자기간은 관광비자일 경우 한 달이다. 서울에서 베이징까지의 편도 요금은 26만원에서 32만원 정도.

배로 갈 경우 인천에서 중국의 톈진, 다롄, 위하이 등으로 가는 정기 여객선이 있으며 선상 비자를 받을 수 있다. 선상 비자는 즉석에서 받는 대신 수속료가 미화 40달러이고 비자기간은 역시 한 달이다. 학생 할인이 있으니 반드시 확인해 보기 바란다. 진천훼리(☎032-887-3964). 요금은 1998년 12월 현재 편도 120달러인데 학생 할인은 편도 113,600원, 왕복 198,800원이다.

비자는 한 달짜리 관광비자를 받았을 경우, 원칙적으로 처음 한 달은 아무 문제 없이 연기가 된다. 지역에 따라 그리고 국적별로 수수료가 틀린데 40위안에서 250위안 사이이다.

*베이징에서 큰 액수의 달러나 한화를 중국돈으로 바꾸려면 은행보다는 청해구 학원로 베이징문화어언대학 근처의 소위 한국인 거리에서 암달러를 바꾸는 편이 훨씬 좋다. 내가 바꿀 당시 미화 100달러당 은행에서는 804위안인데 암달러상에서는 847위안이었다.

***건강문제** : 중국에 가면 남자는 살이 빠지고 여자는 살이 찐다는 말이 있는데 내 경험으로도 맞는 것 같다. 생전 살이 안 찌는 내가 중국 여행하는 동안 몸무게가 3킬로그램이나 늘어서 매일 아침 바지가 안 맞을까봐 걱정했다. 기름진 음식에다가 중국 전역에 감도는 음기(陰氣) 때문이라나. 어쨌든 이런 거창한 이유가 있다니 여자고 남자고 살찌고 빠짐에 너무 신경쓰지 말도록.

지방별 여행정보

나의 이번 중국 여행 주제는 '소수민족을 찾아서' 였다. 그래서 소수민족들이 살고 있는 곳에 대한 이야기는 많고, 중국의 대다수를 차지하는 한족들의 이야기가 적은 것을 이해해 주기 바란다.

● 실크로드

시간이 촉박한 사람들이나 실크로드의 하이라이트만을 보고 싶은 여행자들은 시안에서 시작하여 란저우-둔황-투르판-우루무치-카슈가르 길을 택한다. 잘 꾸며지고 보존된 곳을 짧은 시간에 볼 수 있는 루트로 최소한의 실크로드를 맛볼 수 있는 곳이다. 이 길을 소위 '천산북로' 라고 하는데 이 길 외에도 투르판에서 쿠얼라, 쿠차를 거쳐 카슈가르로 가는 사막북로

또한 인기가 있다. 여기서는 내가 가본 사막남로에 대한 정보를 싣는다.

〈주의사항〉

1) 신장 지방은 다른 곳에서는 이미 없어진 외국인 이중가격제가 아직도 실행되고 있어서 버스나 숙박 요금, 관광지 입장료 등이 최소한 현지인의 두 배다. 나는 개인적으로 이것은 부당요금이라고 생각해 여권을 대조하는 경우가 아닌 한 여러 가지 꾀를 내어 거의 외국인 요금을 내지 않았다. 중국말을 조금 하는 사람들이면 베이징, 시안, 양수오 등지에서 쉽게 만들 수 있는 가짜 학생증을 만들어 휴대하면 유용하게 쓰인다.

2) 이곳의 공식 표준 시간은 베이징 시간으로 신장 시간보다 2시간 빠르다. 일상생활에는 신장 시간을 쓰니 버스나 기차를 탈 때는 반드시 베이징 시간인가 신장 시간인가를 확인해 보아야 한다.

3) 실크로드상에 있는 많은 사람들은 위구르족, 회족, 카자흐족 등 모슬렘이다. 모슬렘 여자들은 사진찍는 것을 꺼리는 경우가 많은데 싫다고 하면 절대로 찍지 말아야 한다. 그곳 풍습을 존중해 주는 마음이 필요하다.

4) 이곳은 먼지가 아주 많이 나는 곳이니 특히 눈병과 목을 조심해야 한다. 나는 자기 전에 눈을 깨끗한 물로 헹구고 양치질도 자주 했다.

〈사막남로〉

***카슈가르** : 전 러시아 영사관을 개조해서 만든 셔먼〔色滿〕호텔. 여러 종류의 방이 있지만 역시 저경비 배낭여행자들에게는 한 침대에 15위안짜리 3인실방이 경제적이다. 일요시장 구경은 필수. 될수록 아침 일찍 나가 각지에서 오는 장사꾼들이 갖가지 짐을 부리고 장을 형성해 나가는 것부터 보는 것이 재미있다. 셔먼 호텔 앞의 존스 카페 주인 부부는 영어도 잘하고 카슈가르와 실크로드에 대한 정보를 많이 가지고 있다.

우루무치에서 카슈가르는 버스로 2박3일 거리이고 예약이 필요하다.

표를 살 때 학생증을 제시해도 외국인 요금을 받으려고 하면 버스터미널 창구에서 표를 사지 말고 운전사와 직접 교섭을 해 보도록. 밑져야 본전이니까.

＊호탄 : 외국인들이 묵을 수 있는 숙소 중 제일 싼 곳이 바로 내가 묵었던 호탄 영빈관이다. 하루에 32위안. 이곳에서 며칠 머물 생각이면 자전거를 빌려서 강가나 마을 근처를 돌아보는 것도 좋겠고, 이 도시가 옥과 비단, 양탄자로 유명한 곳이니까 근처에 있는 공장을 견학하는 것도 흥미롭다. 8, 9월에는 강가에서 조그만 돌과 섞여 있는 옥을 채취할 수 있다고 한다. 근처에 불교 유적지가 있지만 유적지라기보다 '흔적지'여서 내게는 그다지 흥미롭지 않았다.

카슈가르에서 정기 버스가 있고 우루무치에서는 비행기도 있다.

타클라마칸 사막을 낙타타고 여행하지 못할망정 버스로라도 종단하고 싶다면 1996년 가을 개통된 호탄에서 니야를 거치는 사막공로를 타고 북쪽 쿠얼라까지 갈 수 있다.

사막종단을 하면서 한 가지 알아두어야 할 것은 여행자는 사막 경치를 구경하는 것이 좋겠지만 현지인들이나 운전하는 사람들은 될수록 선선할 때 이곳을 지나야 하기 때문에 버스는 밤에 떠나 새벽에 도착한다. 사막을 종단하기는 하지만 사막경치를 볼 수 없다는 것을 염두에 두길 바란다.

＊치에무 : 묵을 곳은 정부 빈관. 화장실은 자전거를 빌려타고 가야 할 만큼 멀지만 3인실방에는 텔레비전도 있고 세면실에서는 언제나 뜨거운 물을 쓸 수 있다. 일박에 32위안. 근처에는 자전거로 갈 수 있는 거리에 위구르족들의 생활을 엿볼 수 있는 곳이 얼마든지 있다.

＊로아짱 : 치에무에서 로아짱까지 가려면 운좋게 부정기 미니 버스를 타지 않으면 우체국 차밖에는 방법이 없는데 본문에서 말한 대로 일주일에 두 번씩 로아짱까지 가는 차편이 있다. 100위안 정도를 요구하는데 현

지인들은 2, 30위안 정도를 내니 참고하도록. 사거리 근처에서 제일 큰 건물이 정부 빈관이고 외국인이 묵을 수 있는 곳이다.

***쿠얼라** : 이곳에서는 종처럼 생긴 쿠얼라 특산 배 향리(香梨)를 꼭 맛보기 바란다.

***우루무치** : 실크로드 천산북로의 요충지. 란저우에서 우루무치까지 가는 기차가 생긴 이래 교통의 요지가 되었다. 신장 지방의 성도로서 정치 · 경제의 요지이기도 하다. 근처에 하루에 다녀올 수 있는 티엔츠[天池], 우루무치 안의 박물관과 시끌벅적한 재래시장도 꼭 가보기 바란다. 약간 비싸지만 홍산공원 앞 홍산판띠엔[紅山飯店]은 화장실과 침구가 깨끗하다. 털레비전도 있다. 4인실방이 40위안이다. 물론 중국의 각 대도시와 비행기로 연결이 되어 있고 베이징에서 기차를 타면 72시간 정도 걸린다.

***투르판** : 포도로 유명한 곳이다. 관광지로 잘 발달된 곳이어서 2, 3일이면 족하다. 시간이 없는 사람들이라도 실크로드를 왔다면 둔황, 카슈가르와 더불어 반드시 들러야 할 곳이다.

***둔황** : 투르판과 마찬가지로 실크로드의 하이라이트. 뻬이티엔삔관[飛天賓館]의 10인실 기숙사는 겨우 10위안인데 다른 배낭족들을 쉽게 만날 수 있어 실크로드의 따끈따끈한 정보를 얻기에 안성맞춤이다.

***란저우** : 가이드북에도 나오지 않는 시장의 먹자골목은 도시 서쪽 여우이 판띠엔[友誼飯店]에서 걸어서 서쪽으로 십분 정도 가면 나온다. (일박 32위안) 시간이 있으면 여우이 판띠엔 바로 앞에 있는 박물관과 도시의 북쪽으로 흐르는 황허강을 따라 걸어보는 것도 좋겠다. 간쑤성에서 리틀 티베트라는 샤허로 가고 싶다면 여우이 판띠엔 정문 오른쪽에 있는 여행사에서 15일간의 보험증을 사는 것이 제일 싸다. 20위안. 참고로 터미널에서는 같은 보험증을 40위안에, 보험공사에서는 30위안에 팔고 있다.

●샤허-쑹판

시간적 여유가 있고 장족들의 생활을 보다 가까이 엿보고 싶다면 이 길을 권한다. 제대로 보려면 보름 정도는 필요하다.

***샤허** : 이름하여 리틀 티베트. 티베트에 갈 계획이 있는 사람이라도 이곳에서 또 다른 티베트를 느껴보는 것이 좋을 것 같다. 내가 묵은 곳은 라부랑스사 초대소. 4인실 하루에 12위안이고 겨울에는 난로를 피워준다. 이미 많은 여행자들이 찾는 곳으로 먹을 곳, 선물가게 등이 제법 많지만 아직까지 번잡하지 않고 평화로움을 유지하고 있는 마을이다. 란저우에서 버스로 7시간 걸린다.

라부랑스 사원과 그 주변도 멋있지만 자전거를 타고 서쪽으로 가면 나오는 대초원지대가 볼 만하다. 야크며 말들을 방목하는 것을 볼 수 있는데 몽골과 아주 흡사한 풍경이다. 몽골 기분을 맛보려면 필히 가볼 것. 샤허에서 약 15킬로미터 정도.

나는 샤허로 가면서 얼떨결에 린샤〔臨夏〕에 묵었는데 아주 흥미있는 회족마을이다. 사람들의 모습이나 거리 풍경이 한족화된 회족마을의 독특한 분위기를 갖추고 있다.

***랑무스** : 샤허에서 가자면 바로 연결되는 버스가 없다. 허쭈워〔合作〕에서 하룻밤 자고 다음날 새벽버스를 타고 사거리에서 내려 랑무스까지 트랙터를 타고 가면 된다. 묵을 곳은 랑무스 초대소. 바로 앞에 있는 회족식당의 애플파이는 천하 일품이다.

***쑹판** : 뭐니뭐니해도 말타고 하는 산수유람이 쑹판 여행의 하이라이트. 버스에서 내리기도 전에 여행사의 고객유치 활동이 펼쳐진다. 배낭도 들어주고 근처 기상초대소라는 싸구려 숙소도 잡아준다. 표준가격은 1997년 10월 현재 하루에 50위안, 하루 세 끼 식사와 텐트, 말, 가이드

샤허 라부랑스 사원의 스님들

등 일체를 포함한 비용이다. 가격도 싸고 아주 유쾌한 여행이다. 내 개인적으로는 마지막 날 갔던 산경치가 제일 좋았다. 2박3일보다 3박4일 코스가 더 알찬 것 같다.

이 밖에 가보지는 않았지만 주자이고우〔九寨溝〕라는 국립공원도 볼만하다고 하는데 200위안도 훨씬 넘는 외국인 요금이 너무 비싼 것이 흠이다. 쑹판에서 버스로 약 세 시간 거리.

●어메이산, 장강삼협길

＊어메이산 등정 : 비록 정상까지 돌계단으로 되어 있기는 하지만 경치가 그만이라 산을 오르는 맛이 난다. 적어도 산에서 이틀 정도는 묵어야 제대로 볼 수 있지 않을까? 큰 짐은 산 밑의 숙소에 맡기고 가도 좋다. 나는 첫날은 산정에서, 둘째날은 선봉사에서 묵었다. 산정에 있는 4인방 기숙사는 25위안이고 전기담요도 있다.

＊장강삼협 : 충칭〔重慶〕에서 우한〔武漢〕에 이르는 5일간의 뱃길을 말하는데 보통 여행자들은 이창까지만 간다. 내가 탄 유람선 가격은 소삼협의 보트여행을 포함, 1등석 1,300위안부터 4등석 370위안까지였다. 이 배를 타고 일주일 걸려 상하이까지 가기도 한다.

＊양수오 : 저경비 배낭여행자 중 구이린에 묵는 사람은 아마 아무도 없을 것이다. 구이린에서 버스로 약 두 시간 거리인 양수오는 그야말로 여행자의 천국이다. 내가 묵은 숙소는 소위 외국인 거리에 있는 시하이 호텔인데 정거장 근방에도 유스호스텔이나 싸고 안전한 기숙사가 얼마든지 있다. 먹을 것도 풍부하고 가볼 곳도 많아서 장기 여행을 하는 사람이라면 오랜만에 느긋하게 쌓인 여독을 풀기에 안성맞춤이다. 리장 유람선 관광(100위안)은 꼭 해보기 바란다.

＊홍콩 : 양수오에서 홍콩을 가려면 일단 15시간 정도 버스를 타고 광저우로 가서 다시 버스로 선전을 거쳐 홍콩으로 간다. 홍콩으로 들어갈 때는 국경에서 바로 15일간의 비자를 내주지만 홍콩에서 중국으로 들어갈 때는 중국비자가 반드시 필요하다.

홍콩 시내에는 하얏트 호텔 건너편 총킹맨션에 값싼 기숙사식 숙소가 많이 있다. 보통 침대 하나에 55~60홍콩달러. 굳이 열심히 찾지 않아도 그 건물 근처에서 호객하는 사람들을 만날 수 있다.

중국 비자를 내려면 중국대사관에서 150홍콩달러를 내고 한달간의 관광비자를 받을수 있다. 만약 3개월 이상의 장기비자가 필요한 사람은 여행사를 통하는 것이 훨씬 빠르다. 특히 6개월 복수비자는 한 번 이상 중국을 다녀온 일이 있는 여행자의 경우 여행사를 통해 상업비자인 F비자를 내는 데 문제가 없다. 단 만료된 비자가 같은 여권에 있어야 한다. 비용은 여행사마다 다른데 나는 총킹맨션 바로 앞의 천성(天星)여행사에서 550홍콩달러에 부탁했다. 당시 환율로 미화 1달러는 7.7홍콩달러. 분명히 정식비자이지만 이런 복잡한 비자는 여행사들만이 할 수 있고 개인이 받기

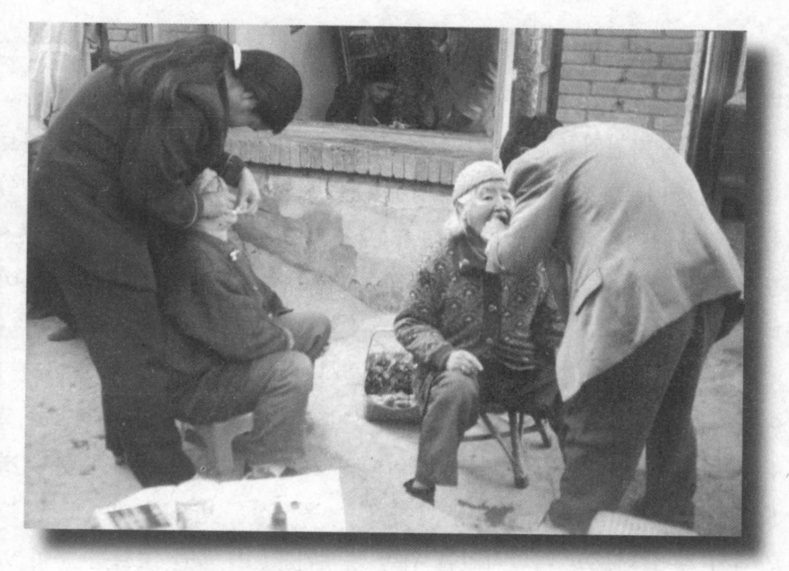

윈난성 소수민족 마을의 거리 치과. 할머니들이 이를 뽑고 있다.

는 어렵다.

이곳이 아니더라도 총킹맨션 16층에 있는 타임 트래블 등 그 건물 근처에 많은 여행사가 있으니 시장조사를 해 볼 일.

●윈난성

＊쿤밍 : 윈난성의 성도로 태국으로 가는 비행기가 뜬다. 우리나라 사람은 비자없이도 태국으로 갈 수 있다. 또 여기서 하루에 한 번 베트남 국경까지 가는 기차를 탈 수도 있다. 베트남 비자는 반드시 베이징에서 받아야 한다. 자세한 것은 3권의 여행정보를 참고하도록.

＊시쌍판나의 징홍〔景洪〕 : 쿤밍에서 하루거리다. 라오스나 태국적인 이국적 정취를 느끼고 싶은 사람들에게 권할 만한 곳이다. 다이족을 비롯한 소수민족의 땅이다. 인도차이나 반도를 흐르는 메콩강을 볼 수 있

고 라오스로 넘어갈 수도 있다. 라오스로 가고 싶은 사람은 미리 라오스 비자를 받아놓아야 한다. 빤나삔관의 3인실은 아주 값싸고 깨끗하다.

깐란바로 자전거를 타고 가는 것도 재미있고, 멍훈의 일요시장을 가보는 것도 좋다. 그 밖에 멍하이나 멍롱 등도 시외버스나 자전거로 갈 수 있는 거리다. (여기 지명은 아무래도 라오스의 영향을 받은 것같다. 라오스 도시들은 거의가 멍으로 시작하는데 멍은 라오스말로 마을이라는 뜻이다.)

***바오산 지역** : 보통 이 지역은 길도 나쁘고 특이하게 볼 것이 없어서 여행자들이 잘 가지 않는 곳이지만 미얀마와 국경을 하고 있는 루일리 등은 아주 흥미롭다. 만약 루일리를 간다면 자전거를 빌려 동네를 하루 정도 돌아보는 것이 좋겠고 시장 안에 있는 옥시장은 반드시 가보도록. 그 안에서 잘 살펴보면 다국적인을 위한 카페가 있고, 옥을 고르는 눈이 있다면 고급 옥을 아주 싼값에 살 수도 있다. 나는 버스정거장 근처 숙소에서 묵었는데 저녁 5, 6시쯤에는 숙소 바로 옆 식당에서 수십 가지의 반찬을 해놓고 도시락을 팔고 있다. 찐 음식 중심의 미얀마식이라 중국 음식처럼 기름지지 않고 마늘장아찌처럼 생긴 것도 있어 우리 입맛에 딱 맞는다. 도시락에 뷔페식 반찬을 골라 7위안 정도면 충분하다.

여기까지 왔으면 미얀마 국경까지 꼭 가볼 것. 시내에서 버스로 15분 정도 거리다. 시장이 서는 롱따오는 배로 연결되는 국경이 더 볼 만하다.

***다리** : 윈난성의 대표적인 소수민족인 바이족과 나시족을 만날 수 있는 곳. 산수도 수려하고 옛 문화의 흔적도 많이 남아 있어 아주 재미있는 곳이다. 게다가 중국여행 중 느긋하게 장기여행의 여독을 풀 만한 몇 안 되는 곳이 바로 여기 다리, 리지앙이다.

다리는 시장 구경, 산 구경, 배타고 호수 구경, 자전거 타고 동네 한 바퀴 등으로도 시간이 어떻게 가는 줄 모른다. 게다가 값싸고 그럴듯한 선물을 사기에 알맞은 곳이다. 물론 대리석의 본고장답게 대리석으로 도장을 파는 사람도 많이 있고 그밖에 탁자보나 벽걸이, 바이족의 특이한 문양을 넣어 만든 작은 헝겊 손지갑이나 필통 등도 기념품으로 적당하다.

***리지앙** : 리지앙에는 근교에 후티아오시아〔虎跳峽〕라는 좋은 하이킹 코스가 있는데 그냥 차를 타고 가서 슬쩍 보고 오기에는 너무나 아까운 곳이니 시간을 내서 이틀 코스의 하이킹 전구간을 해 보기 바란다. 하이킹 중간에 월넛 게스트 하우스 등 두 군데의 게스트 하우스가 있다. 원하면 숙소에서 샤워를 할 수 있게 더운물을 준비해 주지만 물을 데우려면 주위의 나무를 베어야 한다는 것을 생각해보기 바란다.

리지앙에 가면 고성에서 묵을 것을 권한다. 싼허〔三合〕호텔 기숙사는 하룻밤에 20위안인데 가끔 쥐가 나오기는 하지만 겨울에 스팀이 들어오고 화장실이 깨끗하며 사람이 바뀔 때마다 침구를 갈아준다. 리지앙 고성 안을 이 골목 저 골목 슬슬 걸어다니는 것 자체가 즐겁다.

***루구호** : 리지앙에서 닝랑까지 가서 거기에서 하루 묵고 다음날 버스를 타고 가는 곳이다. 호수까지 가는 창 밖으로 보이는 이족등 소수민족들의 의상이 더 신기하다. 모계사회의 흔적이 많이 남아 있는 곳으로 알려져 중국인 관광객이 많이 가는 곳이다. 시간이 허락한다면 가보아도 후회하지 않을 것이다. 숙박시설은 호수를 따라 있다. 민박도 할 수 있는데 내가 갔을 때는 하루 세 끼 포함해서 20위안 정도였다.

●베이징 어학연수

*베이징에서 중국어 공부를 하는 데는 얼마만큼의 기간을 두고 하느냐에 따라 정식으로 학교에 들어가느냐 학원에 다니면서 개인교사를 두느냐가 결정된다. 6개월 이상이라면 비자 문제 등을 고려할 때 베이징문화어언대학의 등의 정규코스가 좋겠고, 그 이하라면 느리게 나가는 학교보다는 오히려 자기 수준과 진도에 맞게 학원과 개인교습을 병행하는 편

이 더욱 효과적이다. 본문에서 나오는 '지구촌학원'은 훌륭한 강사진으로 좋은 평을 받고 있다. 전화번호 86-10-6231-5601. 이 학원에서는 한 달 단위로 방도 소개해준다. 총 연수비용은 학교든 학원이든 6개월 기준 350만원에서 400만원 정도로 생각하면 된다.

티베트

미리 알아둘 일

＊책 : 티베트에 관한 좋은 책을 몇 권 읽고 가면 훨씬 도움이 된다. 하인리히 하러의 〈티베트에서의 7년〉(수문사, 민음사), 헬레나 노르베리-호지가 쓴 〈오래된 미래〉(녹색평론사), 14대 달라이 라마 자서전인 〈유배된 자유〉(정신세계사, 원제목은 Freedom In Exile). 티베트 여행의 필독서들이다. 〈티베트에서의 7년〉은 영화로 나오기는 했지만 반드시 책으로 보기 바란다. 그 영화는 기가 막힐 만큼 엉망이고 엉치기였다. 원작에 충실하지 않았을뿐더러 당시의 풍습 등을 제대로 나타내지도 못했다.

＊달라이 라마 사진을 가지고 가서 시골 사람들에게 주면 아주 좋아한다. 시골에 가면 그들이 할 수 있는 유일한 영어가 달라이 라마 포토이다. 이들이 살아 있는 부처라고 믿고 있는 14대 달라이 라마 사진은 티베트 내에서는 판매, 구입, 소지가 금지되어 있기 때문에 돈이 있어도 구할 수가 없다.

티베트에서 주의할 점

1)우선은 고산증이다. 해발 3,500미터 이상이면 나타나는 이 증세에 대해서는 여러 번 얘기를 했으니 더이상 설명은 생략한다. 어쨌든 고도적

응이 될 때까지 천천히 행동해야 한다. 물과 마늘을 많다 싶을 정도로 충분히 섭취하고 담배와 술은 되도록 삼가는 것이 좋다. 비행기를 타고 온 사람보다 버스를 타고 온 사람들이 훨씬 고도적응에 빠르다. 정 견디기 어려우면 시내호텔에서 팔고 있는 산소통을 구입하는 방법도 있는데 사태가 나빠진다면 지체없이 병원에 갈 일이다. 최악의 경우 목숨이 위험할 수도 있다.

고산증은 두통, 구토, 어지럼증 등으로 나타나지만 나처럼 눈이 뻑뻑해지기도 한다. 이럴 때를 대비해 안약을 가지고 가면 자신에게도 도움이 되고, 통계적으로 티베트에는 안질환 환자가 많다니까 현지인에게 주어도 좋아할 것이다.

2)겨울에 간다면 아주 따뜻한 오버와 윈드 브레이크가 필요하다. 고무로 된 공책만한 보온 물주머니를 가지고 다니면 유용하게 쓰인다. 숙소에는 언제나 뜨거운 물이 준비되어 있으니까 온수 주머니를 만들어 가슴에 안고 다니든지 잘 때 발밑에 넣어두면 한결 따뜻하다.

3)티베트는 햇빛이 아주 강하므로 선글라스와 챙이 있는 모자가 필요하다. 나는 모자가 번거로워서 자외선 차단 크림 SPF35를 바르고 다녔는데도 주근깨가 다 도졌다. 입술에도 신경써서 발라야 한다. 손이나 발에도 충분히 바르지 않으면 터질 수 있다. 나는 바셀린을 가지고 다니며 다용도로 썼다. 티베트 사람들은 야크버터를 손발과 얼굴에 바른다고 한다.

***언제 갈 것인가** : 많은 가이드북에서 5월에서 9월 사이가 좋다고 하지만 개인적으로는 겨울도 그리 나쁘지 않다고 생각한다. 특히 겨울에는 가을철까지 농사나 유목을 하던 장족들이 식구들을 모두 데리고 성지순례를 하는 계절이고, 신년에는 사원마다 다채로운 행사가 벌어지며 가정집에서도 이채로운 명절 분위기를 맛볼 수 있기 때문이다.

***티베트가는 길** : 비행기와 육로가 있다. 비행기는 청두와 베이징, 네팔의 카트만두에서 각각 이륙한다. 육로로 외국인에게 허락된 길은 칭

하이성의 꺼얼무에서 라싸로 가는 길 하나이지만 그 외에의 길이 적어도 세 군데 더 있다. 특히 신장의 카슈가르에서 알리를 거쳐 라싸까지 가는 길은 여름이면 많은 사람들이 이용하는데, 경치가 이 세상 것이 아니라고 한다. 외국인 통행금지 구역이기는 하지만 알리까지 트럭을 얻어탈 수 있다면 거기서부터는 커다란 문제가 없다고 한다. 알리에서는 영어를 잘 하는 외사과 소속 꽁안 미스터 리가 벌금을 물리고(보통 300위안) 까다롭지 않게 라싸까지 가는 통행증을 끊어주었다고 한다. 티베트의 서쪽은 동쪽에 비해 한족의 행정권이 그렇게 강력히 행사되는 곳이 아니라니 나도 꼭 한 번 가고 싶다.

네팔에서 육로로 티베트까지 갈 수 있다. 한 가지 유념할 것은 네팔 카트만두에서 중국으로 넘어가려면 반드시 15일짜리 그룹비자를 받아야 한다. 다른 곳에서 받은 개인비자는 그룹비자를 받는 순간 무효가 되고 만다. 일단 티베트까지 오면 개인비자를 다시 받을 수 있는데 라싸에서는 7일 내지 5일짜리 비자밖에 받을 수 없다. 오히려 시가체에서는 한 달짜리도 내준다고 들었다.

라싸에서 네팔로 가려는 많은 여행자들이 동행을 구하느라 주요 배낭여행자 숙소에 메모를 붙여놓는다. 요금은 여행사와 얼마나 사람이 많이 모였는가에 따라서 200위안에서 300위안 정도. 가는 길에 시가체와 강체 등을 들러서 카트만두까지 간다고 한다.

꺼얼무에서 라싸까지는 합법적으로 가는 방법과 그렇지 않은 방법이 있다. 현지인 요금이 200위안 남짓인데, 외국인은 그 8배가 넘는 1,700위안을 내야 한다. 몸과 마음이 편안하게 허가증 끊고 이 차를 타겠다면 상관없지만 나처럼 비행기값보다 더 비싼 버스 요금을 도저히 낼 수 없다고 생각하는 사람은 우선 회족 버스터미널에 가보도록. 나는 시닝에서부터 버스를 타고 왔기 때문에 라싸까지 다른 사람보다 훨씬 유리한 조건으로 깎았지만 그러지 않아도 꺼얼무에서 7, 800위안이면 그 회족 버스를 탈 수 있다. 가는 길에 꽁안에게 걸릴 확률은 거의 없다고 한다.

지방별 여행정보

***꺼얼무** : 란저우와 시닝을 거쳐 버스나 기차로 연결되어 있다. 둔황에서는 버스를 타고 13시간 정도 걸리는 곳이다.

***라싸** : 내가 묵은 야크 호텔(기숙사 20위안)과 밤마다 비디오를 상영해주는 펜톡 호텔, 그리고 스노 랜드 호텔 등이 배낭여행자들에게 인기다. 외국인들을 위한 식당도 많지만 여행자들이 주로 모이는 곳은 야크 호텔 근처의 서드 아이와 길 건너 타쉬 레스토랑이다. 특히 타쉬 레스토랑의 5위안짜리 야크치즈케이크는 정말 별미다. 라싸만 돌아보려고 해도 고도적응기까지 합해 적어도 4, 5일은 잡아야 한다.

***사미에 사원**: 라싸에서 이른 아침에 떠나면 오후 3, 4시쯤 도착할 수 있다.

사원 자체보다는 오고 가는 길이 더욱 흥미롭다. 묵을 곳은 사원내에 있는 호텔인데 남쪽방에 들면(218호나 219호) 세 개의 눈이 그려진 탑과 언덕들, 그리고 일몰이 잘 어우러진 멋진 경치를 볼 수 있다. 겨울에는 이곳에 주둔한 꽁안들이 철수를 해서 상관없지만 다른 계절에는 이곳에 오려면 특별한 허가증을 만들어야 한단다. 떠나기 전에 라싸에 있는 공안국 외사과에 문의를 해 보는 것이 좋겠다.

***시가체와 강체**는 여행자들이 하루 정도 짧게 묵어가는 곳인데 보다 티베트다운 티베트를 경험하고 싶다면 강체에서 될수록 느긋하게 지내기를 권한다. 티베트 제3의 도시라는 말이 무색하게 옛날의 티베트를 지키고 있는 곳이다. 시가체에서 나는 텐진〔旦增〕 호텔에서 묵었는데 바로 앞에 서는 관광객용 시장도 재미있지만 사거리 밖의 현지인 재래시장을 꼭 한 번 들러보도록. 그 호텔 옥상에서는 바로 눈앞에 문화혁명 때 부서

진 성채가 있고 다른 쪽은 산들에 둘러싸여 경치가 아주 기막히다. 바로 앞동네도 슬슬 올라가면 유순하고 순박한 티베트 사람들을 만날 수 있다. 그런데 한 가지, 여기는 주인 없는 개가 많으니 어두울 때 다니려면 손전등을 가지고 다니는 것이 좋다.

***라싸**의 포탈라 궁과 조캉 사원, 그리고 근처의 세라 사원, 드레풍 사원 등은 걸어서 혹은 시내버스를 타고 갈 수 있는 거리다. 사미에 사원이나 시가체, 강체 등도 대중교통이 있어 쉽게 갈 수 있지만 히말라야가 있는 탕그리 지방이나 호수 등 좀더 깊은 곳에 가려면 지프를 빌리지 않으면 안된다. 라싸 안에는 여러 여행사가 있는데 치밀한 시장조사를 한 결과 야크 호텔 주인의 친구인 데이비드 미그마르(David Migmar, ☎86-891-6333871, 86-1398915618)가 제일 믿을 만하고 싸다. 한 예로 남투 호수로 가는 차편이 똑같은 차인데도 다른 곳은 1,200위안이고 이곳은 900위안이었다.

*라싸에서 꺼얼무로 나올 때에도 나는 회족버스를 타고 시닝까지 400위안에 왔다. 처음에는 절대로 안 된다고 하지만 버스 떠날 때가 되었는데도 사람이 다 차지 않으면 대부분 태워준다. 꺼얼무까지 외국인 정식 요금은 700위안 남짓이다. 내려가는 길은 올라가는 길에 비해 싸다.

몽골

미리 알아둘 일

***비자** : 반갑게도 1997년 7월부터 몽골은 초청장 필요없이 여권과 신청서만 가지고 비자를 낼 수 있다. 한국에서는 몽골대사관(☎02-794-1951)에 사진 한 장, 여권, 비자료 3만5천 원을 내면 무려 3개월짜리 비자를 받을 수 있다.

나는 베이징에서 비자를 발급받았는데 한 달짜리 관광비자로 걸리는 기간은 3일, 비용은 30달러였다. 몽골 내에서 비자기간 연기도 가능한데 처음 일주일 연기비 15달러에 초청장비 10달러 등 총 25달러가 든다. 일주일 이상 연기하려면 하루에 추가로 2달러씩 내면 된다.

여기서 한가지. 몽골에서는 한 지역에서 다른 지역으로 가는 대중버스가 발달하지 않았으므로 일행을 구하는 데 시간이 걸린다는 것을 감안하여 여정을 짜야 한다.

＊몽골 가는 길 : 베이징에서 몽골의 울란바토르까지 가는 직행기차가 매주 월요일, 화요일에 있다. 가격은 560위안. 국제 기차 요금이 비싸다고 생각하거나 주중에 여행을 하고 싶은 경우에는 나처럼 베이징에서 지닝〔集寧〕을 거쳐 국경도시인 얼리엔까지 가서, 다시 몽골 국경까지 한 정거장만 국제기차를 타고 가 내리면 거기에서 몽골 국내 기차를 탈 수 있다.

러시아와는 기차로 연결되어 있다. 울란바토르에서 우르츠크까지 매일 기차가 다니고 있으며 모스크바에서 시작하여 베이징까지 가는 '트랜스 몽골리아' 기차도 울란바토르를 통과한다.

＊언제 갈 것인가 : 제일 좋은 시기는 5월부터 10월까지. 특히 7월 11일부터 13일까지가 나담축제다. 몽골 최대의 축제이니까 미리 호텔 등을 예약해야 한다. 내가 갔던 4월도 바람이 조금 문제였지 그 나름의 맛이 있었다.

＊무엇을 가져갈 것인가 : 비록 수입품이기는 하지만 울란바토르 간단사가 있는 버스정거장 근처에 있는 도매시장에서 무엇이든지 살 수 있다. 무엇보다도 튼튼한 플라스틱 백은 다목적으로 유용하게 쓰인다. 겨울에 간다면 모자와 윈드 브레이크 등 단단한 겨울장비가 필요하다. 특히 나와 같이 봄에 가려는 사람은 바람이 몹시 불어 눈에 먼지가 들어가니 반드시 안약을 가지고 가야 한다. 지프 여행을 갈 때는 가벼운 슬리핑 백

을 가져가는 것이 좋다. 추울 때를 대비하는 것도 좋고 여름이라면 초원이나 사막에서 잘 수도 있으니 편리할 것이다.

주의할 일

1)울란바토르 시내에는 알코올중독자들과 술취한 사람들을 흔히 볼 수 있으니 밤에는 이런 사람들을 조심할 것.

2)돈을 바꿀 때는 반드시 시내에 있는 암달러상에서 바꿀 것.

3)돌무덤인 오보는 이들의 성지다. 그곳을 지날 때는 몽골 사람들이 하는 것처럼 의식을 따라 하는 것이 좋다.

4)게르에서는 지켜야 할 것들이 많다. 우선 게르의 손님으로 갔을 때 주인이 내놓는 음식과 음료를 반드시 먹고 마셔야 한다. 보통 수태차, 보드카, 양고기만두, 우유로 만든 과자 등이 나오는데 입맛에 맞지 않아 도저히 먹을 수 없는 경우라도 먹는 척이라도 해야 주인이 언짢아하지 않는다. 무엇을 주고받을 때는 반드시 오른손으로 해야 한다. 게르 중앙 무쇠 난로에 타고 있는 불은 신성시해서 그 쪽으로 발을 뻗어도 안되며 특히 난로에 휴지 등 쓰레기를 버리는 것은 커다란 모욕이니 조심해야 한다. 난로의 불에 물을 뿌리는 것은 이 집을 망하게 하려는 저주로 해석한다고 한다.

5)몽골인들은 선물을 주고받기 좋아한다. 다른 사람 게르에 놀러갈 때는 수입 초콜릿이나 보드카 등 작은 성의라도 보여야 한다. 반면 몽골인이 우유과자나 다른 조그만 선물을 줄 때도 사양하지 않고 받는 것이 예의이다.

지방별 여행정보

좋은 소식 하나. 몽골은 중국이나 티베트처럼 외국인이 민박을 못한다는 규정이 없으므로 사람만 사귄다면 얼마든지 민박을 할 수 있다. 몽골은 나그네나 손님 대접이 아주 후한 곳이다.

***울란바토르** : 내가 묵었던 가나 게스트 하우스는 간단사 바로 근처에 있다. 기차역에서 전화를 하면 데리러 나온다. 주소는 P.O. Box 1017, Ulanbatar 13 Mongolia, ☎976-1-367343, 하루에 5달러다.

***카라코룸** : '하르호린' 이라고도 부르는 몽골제국의 옛수도. 몽골내에서 첫번째 불교사원인 에르테네주 히드 사원이 있다. 울란바토르에서 약 400킬로미터 남서쪽으로 가는 곳이다. 울란바토르에서 정기적으로 다니는 버스가 있지만 일행을 모아서 지프를 빌려 서쪽 호수로 갔다가 들르는 것이 좋다. 울란바토르까지 오는 길에 사막 구릉 같은 것이 보이는 곳이 있는데 한나절 캠핑을 하며 미니 고비 사막의 정취를 맛보는 것도 좋을 것이다.

***고비 사막** : 한여름만 아니라면 반드시 해 보아야 할 여행이다. 가나 게스트 하우스의 주인 가나는 4박 5일 고비 여행에 두 사람 이상이 모이는 경우, 모든 경비를 포함해 한 사람당 미화 125달러를 받는다.

***서쪽 호수지방** : 위에서 말한 카라코룸을 포함한 3박 4일 여행에 가나는 역시 일행이 두 명 이상인 경우 100달러를 받는다. 이 여행을 직접 해보니 3박 4일 일정은 여행 내내 거의 차 안에 앉아 있어야 한다. 여유있게 4박 5일을 권한다.

시간이 더 있는 사람들은 시베리아 국경 근처인 북쪽의 아름다운 호수인 호브스골 호수로 간다. 최소한 왕복 10일은 걸린다는데 오가는 경치도 기가 막히다고 한다.

▩ 뒷 이야기

많은 독자들이 그동안 내가 세계여행을 하면서 만났던 사람들의 뒷이야기를 궁금해 한다. 나는 물론 각지에서 사귄 친구들과 지속적으로 연락을 주고받고 있다. 그러나 현지인 친구들 대부분이 영어를 잘 못하고, 나 역시 그 나라 말을 몰라 내가 영어로 편지를 보내도 그 친구들이 답장을 하려면 영어를 하는 사람에게 부탁해야 하므로 아주 큰 노력과 시간이 든다. 더욱이 정말 오지는 주소가 없는 경우도 많다. 이런 조건에도 불구하고 지금까지 소식을 주고받고 있는 친구들의 근황을 전한다.

〈1권〉

***맨 앞에 나오는 이란의 오마르는 지금은 다른 이름으로 바레인에서 살고 있다. 아직까지 직접 연락은 안 되고 마샤드의 종군기자 친구를 통해 간간이 전화나 팩스를 받고 있다. 이란의 현 정부는 반정부인사들에게 부드러운 정책을 펴고 있다지만 이 친구는 아직도 제대로 자신을 드러낼 수가 없다고 한다.

***이집트의 알렉산드리아에서 조금 떨어진 곳에 있는 마을에서 민박을 했던 함디네 조카 아슈라프는 향수 가게에 손님으로 찾아왔던 영국여자 여행자와 사랑에 빠져 곧 결혼을 하고 지금은 영국에서 아들 낳고 잘 살고 있다는 소식을 보내왔다. 어쩌면 이런 기쁜 일이. 내 신발을 감추며 못 가게 하던 함디네 큰딸, 작은딸은 모두 시집을 갔단다. 경사가 겹쳤다.

* * * 케냐에서 만난 옛날 직장상사 리드씨와 부인 선정씨는 귀엽고 튼튼한 아들을 낳고 아주 행복하게 잘 살고 있다.

* * * 케냐 국경도시 모얄레에서 만났던 '케냐의 살아 있는 양심' 흑인의사 디다는 작년에, 에티오피아 출신 간호사와 찍은 결혼사진을 보내왔다. 겸손하고도 진지한 그 인격에 반한 여자가 하나 둘이 아니었을 것이다.

* * * 에티오피아에서 만난 '나의 가족' 시플렛의 아들과 딸은 모두 미국에서 재혼한 아버지에게로 공부를 하러 가고 집에는 오로지 할머니와 시플렛 모녀만이 사신단다. 두 분, 부디 건강하시길.

* * * 나를 '대단한 여성' 으로 크게 추켜주며 격려해주셨던 당시 에티오피아 주재 공선섭 대사는 지금 리비아 대사로 근무하고 계시는데 내 책에 출연해 주셨으니 만나면 '출연료' 를 드리겠다고 했더니 아주 좋아하셨다.

* * * 터키에서 나를 결정적으로 도와주었던 터키대사관 무관 김상원 중령과 오정희 씨 부부는 임기를 마치고 한국으로 돌아왔다. 김상원 님은 중령에서 대령으로 승진했다. 좋은 사람들은 역시 잘 된다.

* * * 우즈베키스탄의 배금자 목사님은 6개월에 한 번씩 미국에 가시는 길에 한국을 거쳐가는데 그때마다 만났다. 사마르칸트에서 신학교를 새로 개교해 학장이 되셨다.

＊＊＊러시아에서 만난 로켓 공학도 강승수 군은 뜻한 바 있어 한국으로 돌아와 가톨릭 신학대학교에 입학, 수도자의 길을 가기로 했다.

〈2권〉

＊＊＊미국 양부모인 위튼씨 부부는 아직도 알래스카에서 살고 계시다. 위튼씨는 은퇴를 하셨는데 내가 내년초 우리나라 국토종단을 한다니까 내외가 전구간을 같이 걷겠다고 단단히 벼르고 있다. 이 두 분은 내가 유명해져서 얼마나 바쁜지도 잘 모르시면서 여행이 끝난 게 언제인데 아직까지 알래스카에 오지 않는 거냐고 야단야단이시다.

＊＊＊아르헨티나에 사는 대학 후배 박금옥 · 김원경 부부는 그동안 아들, 딸 하나씩 낳고 의류도매업에 공장까지 갖추고 번창하고 있다. 내 주위는 어떻게 모두들 잘 나간다.

＊＊＊과테말라의 아티틀란 호수 안 산 페드로 마을에 사는 레히니 곤살레스 아저씨는 내가 과테말라를 다녀온 그 해에만 연락이 되더니 그 후에는 소식이 끊겼다. 만약 독자들 중에 그곳에 갈 계획이 있는 분은 부디 출판사로 연락해 주시기 바란다.(주소와 전화번호는 책 앞에 나와 있음.) 우편으로 소식이 전해지지 않는다면 인편으로라도 꼭 소식을 보내고 싶다.

〈3권〉

*** 털보 필립은 파키스탄 여행을 잘 하고 호주로 가서 현재 국제사면협회에서 동티모르 사태에 관여하고 있다고 편지가 왔다. 카슈가르에서 내가 혼자 떠나버려서 몹시 섭섭하고 알미웠지만 한참 지나서 곰곰이 생각해보니 그렇게 하는 것이 둘을 위한 최선책이라는 것을 깨달았다나. 내년(99년) 초 한국에 올 거란다.

*** 베트남의 '못난 천사' 투이와도 자주 편지를 주고받는다. 내가 준 장학금으로 원하던 컴퓨터 학원을 다니고 있는데 영어회화도 공짜청강을 하고 있단다. 이 욕심 많은 천사, 나중에 뭐가 돼도 될 것이다.

*** 라오스에서 만났던 반듯한 이스라엘 청년 엘리는 그렇게 모기에 많이 뜯기더니 결국 집에 돌아가 말라리아를 지독히 앓아 병원에 입원했었단다. 나는 괜찮은지 걱정된다는 편지를 보내왔다, 쯧쯧.

그러나 엘리에게도 역시 행운이 있어 태국에서 대판 싸웠던 바로 그 여자친구와 지난 9월 결혼을 했다. 그래, 땅은 비 온 뒤에 더 굳어진다니까. 두 사람, 부디 영원히 행복하기를.

*** 인도 바라나시에서 결성된 '크레이지 클럽'의 독일 아이는 지금 히말라야의 산중에서 약초로 병을 고치는 아슈람에 들어가 평화롭게 살고 있다는 편지를 보내왔다. 같은 클럽 배불뚝이 로빈은 가끔씩 비자연기가

필요할 때 한국에 온다. 아직도 일본을 오가면서 일본 애인 마음 사로잡기에 총력을 기울이고 있다고.

＊＊＊ 방글라데시의 유엔 직원 만주르가 내 후배 이현신과 회의차 방콕에서 만났는데 내가 민박을 했던 비야푸르 마을의 집 주인 큰딸 사비나가 무슨 병인가를 앓다가 갑자기 죽었다고 한다. 그럼 아버지도 없는 그녀의 외동딸이자 내 임시 비서였던 루나는 누가 키우나?

＊＊＊ 파키스탄의 페샤와르에 있는 아프가니스탄 난민촌의 그 똘똘한 아이들은 모두 파키스탄 학교에 잘 다니고 있다고 편지를 보내왔다. 그 중 크면 국제기구에서 일하고 싶다는 큰아들이 불어와 컴퓨터를 배우기 시작했다고 해서 내가 한달에 30달러씩 일년간의 학비를 대주기로 했다. 지금은 자기 나라에서 살 수도 없는 난민이면서도 희망을 잃지 않고 미래를 준비하는 자세가 기특하다.

〈4권 끝〉

한비야가 육로로 다닌 곳

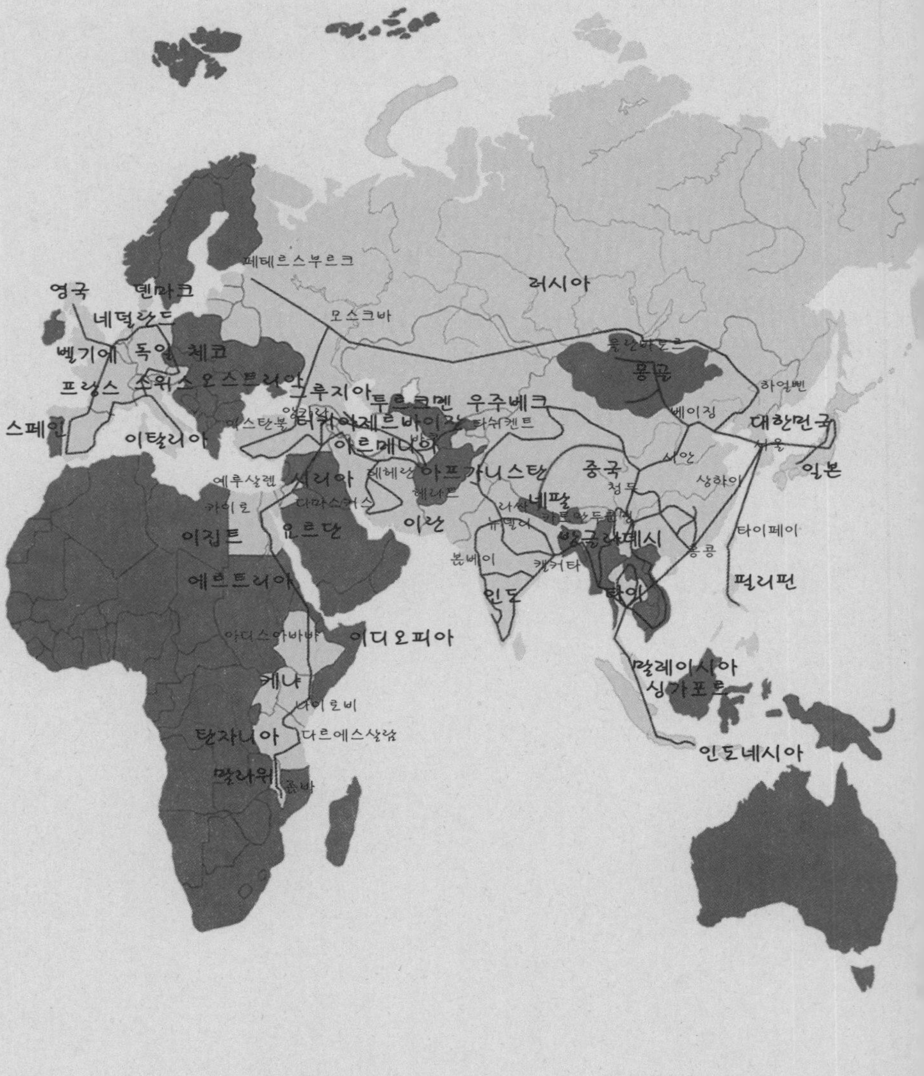

페테르스부르크
러시아
영국
덴마크
네덜란드
모스크바
벨기에
독일
체코
울란바토르
몽골
프랑스
스위스
오스트리아
그루지야
투르크멘
우주베크
하얼빈
스페인
이스탄불
터키
아제르바이잔
타쉬켄트
베이징
대한민국
이탈리아
아르메니아
서울
시안
일본
예루살렘
시리아
테헤란
아프가니스탄
중국
상하이
카이로
다마스커스
청두
네팔
카트만두
이집트
요르단
이란
뉴델리
방글라데시
타이페이
홍콩
봄베이
캘커타
에르트리아
필리핀
인도
타이
아디스아바바
이디오피아
말레이시아
케냐
싱가포르
나이로비
탄자니아
다르에스살람
인도네시아
말라위
줌바

앵커리지
캐나다
벤쿠버
시애틀
샌프란시스코
미국
로스엔젤레스
보스턴
뉴욕
워싱턴
뉴올리언스
마이애미
멕시코
벨리즈
과달라하라
벨모판
과테말라
온두라스
페루
리마
라파스
볼리비아
아르헨티나
산티아고
부에노스아이레스
칠레